NEW

서울대 선정

인문고전

60선

13

이익 성호사설

NEW 서울대 선정 인문 고전 ⑬

만화 이익 성호사설

개정 1판 1쇄 발행 | 2019. 8. 21
개정 1판 2쇄 발행 | 2021. 9. 27

김태완 글 | 김인호 그림 | 손영운 기획

발행처 김영사 | 발행인 고세규
등록번호 제 406-2003-036호 | 등록일자 1979. 5. 17.
주소 경기도 파주시 문발로 197 (우10881)
전화 마케팅부 031-955-3100 | 편집부 031-955-3113~20 | 팩스 031-955-3111

값은 표지에 있습니다.
ISBN 978-89-349-9438-1
ISBN 978-89-349-9425-1(세트)

좋은 독자가 좋은 책을 만듭니다. 김영사는 독자 여러분의 의견에 항상 귀 기울이고 있습니다.
전자우편 book@gimmyoung.com | 홈페이지 www.gimmyoungjr.com

이 도서의 국립중앙도서관 출판예정도서목록(CIP)은 서지정보유통지원시스템 홈페이지(http://seoji.nl.go.kr)와
국가자료종합목록시스템(http://www.nl.go.kr/kolisnet)에서 이용하실 수 있습니다. (CIP제어번호 : CIP2018042485)

어린이제품 안전특별법에 의한 표시사항

제품명 도서 제조년월일 2021년 9월 27일 제조사명 김영사 주소 10881 경기도 파주시 문발로 197
전화번호 031-955-3100 제조국명 대한민국 ⚠주의 책 모서리에 찍히거나 책장에 베이지 않게 조심하세요.

미래의 글로벌 리더들이 꼭 읽어야 할 인문고전을 만화로 만나다

NEW 서울대 선정 인문고전 60선

13

이익 성호사설

김태완 글 · 김인호 그림

주니어김영사

| 기획에 부쳐 |

〈NEW 서울대 선정 인문고전60〉이 국민 만화책이 되기를 바라며

제가 대여섯 살 때 동네 골목 어귀에 어린이들에게 만화책을 빌려주는 좌판 만화 대여소가 있었습니다. 땅바닥에 두터운 검정 비닐을 깔고 그 위에 아이들이 좋아하는 만화책을 늘어놓았는데, 1원을 내면 낡은 만화책 한 권을 빌릴 수 있었지요. 저는 그곳에서 만화책을 보면서 한글을 깨쳤고 책과의 인연을 맺었습니다.

초등학교 때는 용돈을 아껴서 책을 사서 읽었고, 중학교 때는 학교 도서 반장을 맡아 도서관에서 매일 밤 10시까지 있으면서 참 많은 책을 읽었습니다. 그 무렵 헤밍웨이의《노인과 바다》를 손에 땀을 쥐며 읽으면서 인생에 대해 고민했고, 헤르만 헤세의《수레바퀴 아래서》를 읽으며 사춘기의 심란한 마음을 달랬습니다. 김래성의《청춘 극장》을 밤새워 읽는 바람에 다음 날 치르는 중간고사를 망치기도 했습니다.

당시 저의 꿈은 아주 큰 도서관을 운영하는 사람이 되어 온종일 책을 보면서 책을 쓰는 작가가 되는 것이었습니다. 나이가 들고 어느 정도 바라는 꿈을 이루었습니다. 큰 도서관은 아니지만 적당한 크기의 서점을 운영하고, 글을 쓰는 작가가 되었거든요. 저는 여기에 새로운 꿈을 하나 더 보탰습니다. 그것은 즐거운 마음과 힘찬 꿈을 가지게 해 주고, 나아가 자기 성찰을 도와주는 좋은 만화책을 만드는 일이었습니다. 이렇게 해서 만든 책이 바로 〈서울대 선정 인문고전〉입니다. 서울대학교 교수님들이 신입생과 청소년들이 꼭 읽어야 할 책으로 추천한 도서들 중에서 따로 60권을 골라 만화로 만든 것입니다. 인류 지성사의 금자탑이라고 할 수 있는 고전을 보기 편하고 이해하기 쉽도록 만화책으로 만드는 일은 쉬운 일은 아니었습니다. 약 4년 동안에 수십 명의 학교 선생님들과 전공 학자들이 원서의 내용을 정확하게 전달할 수 있도록 밑글을 쓰고, 수십 명의 만화가들이 고민에

고민을 거듭하면서 만화를 그려 60권의 책을 만들었습니다.

〈서울대 선정 인문고전〉이 완간되었을 무렵에 우리나라에 인문학 읽기 열풍이 불기 시작했습니다. 〈서울대 선정 인문고전〉은 인문학 열풍을 널리 퍼뜨리는 데 한몫을 하면서 독자들의 뜨거운 사랑과 관심을 받았습니다. 덕분에 지금까지 수백만 권이 팔리는 베스트셀러가 되었습니다. 그 사랑에 조금이나마 보답을 하기 위해 《칸트의 실천이성 비판》, 《미셸 푸코의 지식의 고고학》, 《이이의 성학집요》 등 우리가 꼭 읽어야 할 동서양의 고전 10권을 추가하여 만화로 만들었습니다.

〈서울대 선정 인문고전〉은 어린이와 청소년이 부모님과 함께 봐도 좋을 만화책입니다. 국민 배우, 국민 가수가 있듯이 〈서울대 선정 인문고전〉이 '국민 만화책'이 되길 큰마음으로 바랍니다.

손영운

조선 사회의 개혁 처방전을 제시하다

우리는 흔히 백과사전을 지식의 최고봉이라고 부릅니다. 백과사전은 당대의 저명한 학자들이 과거와 현재의 지식을 정리하고 집대성한 것이기 때문이지요. 역사적으로 유명한 백과사전은 학술 논문의 참고 문헌으로 인정되기도 합니다. 우리는 흔히 이런 백과사전을 서양의 전유물로 생각하고 있는데, 우리나라에도 서양만큼 이른 시기에 백과사전이 편찬되었답니다. 대표적인 것이 바로 이익 선생의 《성호사설》이지요.

《성호사설》의 내용 중에는 틀린 것도 있는 것이 사실입니다. 하지만 260여 년 전에, 지금도 출판하려면 엄청난 시간과 노력이 들어가는 작업을 진행한 그 학문적 열정에는 저절로 머리가 숙여집니다. 《성호사설》은 그의 학문적 열정의 완결판입니다. 이익은 조선 시대 당쟁의 최대 피해자였지만, 좌절에 빠지는 대신 당쟁의 원인과 폐해를 분석하고 그 해결 방안을 제시하고자 힘썼습니다. 조선 시대 선비의 이상적인 모습을 몸소 실천했다고 할 수 있지요.

《성호사설》은 원래 저술을 목적으로 쓴 글이 아닙니다. 이익이 독서나 사색을 하면서 그때그때 얻은 지식들을 일기처럼 기록해 둔 것을 80세에 조카들을 시켜 정리하게 한 것이지요. 정리하면서 양이 많아지자 찾아보기 쉽게 배열하고, 책 내용을 다시 분류하게 되었는데, 이런 과정을 거치면서 자연스럽게 백과사전과 같은

방식을 갖추게 된 것입니다. 《성호사설》은 천문 지리에서부터 중국과 조선의 시에 이르기까지 다양한 내용을 담고 있지만, 중심을 관통하는 사상은 한 가지, 즉 조선 사회에 대한 진단과 정치, 사회, 경제적 개혁 사상이랍니다.

우리는 교과서에서 이익의 이름과 《성호사설》이라는 책 제목은 들을 수 있지만, 《성호사설》의 실제 내용과 그 가치에 대해서는 자세히 배울 수 있는 기회가 없었습니다. 수업 시간의 제약과 자료의 접근성 등 여러 가지 현실적인 이유 때문이지요. 비록 이익 선생의 이야기가 아닌 제가 다시 이해한 이야기이지만, 이번 기회에 《성호사설》이 제시한 개혁 사상을 만나 보는 건 어떨까요? 조선 시대의 색다른 풍경을 살펴보는 재미가 있을 거예요.

《성호사설》은 워낙 방대하고 어려워, 그 내용을 정확히 이해하지 못한 부분도 있을 것입니다. 그것을 알면서도, 부끄럽지만 우리의 고전을 이 땅 아이들이 쉽게 읽을 수 있다면 무척 좋겠다는 마음으로 책을 썼습니다.

마지막으로 부족한 원고를 멋지게 만화로 그려 주신 만화가 선생님과 교정을 해 주신 편집부에 감사의 마음을 전합니다.

김태완

지금이라면 만화가가 되셨을 이익!

역사! 특히 우리의 역사에 관한 저의 지식은 그야말로 우물 안 개구리 같았답니다. 그런 저에게 《성호사설》을 그리는 시간은 무엇보다 값지고 소중했습니다. 많은 역사 인물들을 만날 수 있었고, 특히 몰랐다면 너무나 서운했을 성호 이익을 만날 수 있었으니 말이에요.

제가 이익을 좋아하게 된 가장 큰 이유는, 누구나 본받고 싶어 하는 그의 온화한 성품 때문만은 아니랍니다. 그는 따뜻한 마음으로 나라와 백성을 사랑했고, 해박한 지식을 지닌 학자였으며, 시대를 앞서 간 명철한 지식인이었지만, 단지 그런 표면적인 이유 때문도 아니랍니다.

제가 이익을 좋아한 진짜 이유는, 이익의 삶을 들춰 보다 보니 문득 이런 생각이 들었기 때문이에요.

'아마 이익 선생님이 현대를 살아간다면, 만화가 또는 만화 이야기 작가가 되지 않았을까? 방대한 호기심과 탐구 정신으로 보아, 분명히 그러셨을 거야!'

시대 상황으로 볼 때, 이익의 삶은 매우 고달팠어요. 너무 허약하게 태어났고, 아버지 없이 자랐으며, 뒤늦게 글공부를 시작할 수 있었으니까요.

또 하나밖에 없는 아들 '맹휴'가 먼저 세상을 떠났고, 그 후 선생도 역시 가난과

질병에 시달리며 힘든 노년을 보냈답니다.

그럼에도 불구하고 그는 시대를 앞선 사상으로 실용적이고 실천적인 학문을 외쳤으며 언행일치의 삶을 스스로 보여 주었습니다. 그리고 지식의 보고와도 같은 《성호사설》을 남겼지요. 과연 조선 시대에 어느 학자가, 말똥구리를 관찰하고 시를 남길 수 있었겠어요? 다 이익 같은 호기심 왕성한 분이 계셨으니 가능한 일이었죠.

평생 지식과 씨름하며 살아온, 그리하여 《성호사설》이라는 방대한 저술을 남긴 학자 중의 학자!

이렇게 멋진 이익을 여러분에게 소개할 수 있게 되어 저도 무척 기쁘답니다. 그럼, 이제 이 책을 통해 여러분이 직접 이익을 만나 보세요! 많은 것을 배우고, 느낄 수 있을 거랍니다. 무엇보다, 이 책을 읽는 여러분도 모두 성호 이익을 좋아하게 될 것 같네요. 저처럼 말이에요~!

김인호

| 차 례 |

역
사

제1장
《성호사설》은 어떤 책일까?
성호사설
星湖僿說
얘들아! 백과사전이 어떤 책이지?
어떤 사실이나 지식에 대해 자세히 알려 주는 책!
우리 엄마가 '지식의 보고' 라고 했어!
맞았어!
그럼 지금부터 260여 년 전에 이런 백과사전 같은 책을 쓴 분이 계시다는 건 알아?
260
에이~ 거짓말! 백과사전은 보통 100명이 넘는 사람이 10년도 넘게 걸려서 만든다고 하잖아!
벌떡
게다가 260여 년 전이면 기술도 발전하지 못했고 자료도 많지 않았을 텐데, 말도 안 돼!
맞아!
진짜인지 거짓말인지 증거를 보여 줄까?
스윽
짜잔
성호사설
星湖僿說

《성호사설》은 이익이란 분이
지금으로부터 260여 년 전에 쓴
책이란다.
우선, 책이 지어진
시대적 배경부터 알아볼까?
《성호사설》은 조선 후기인
1740년에 씌었어.
조선 후기는 우리나라가 임진왜란과
병자호란을 겪은 후 심각한 위기를
맞고 있던 때야.
농토는 황폐해져 생산력은
급격히 떨어졌고,
또, 돌….
백성들은 곤궁해졌어.
좀비다!
국가는 바닥난 재정을 메우기 위해
세금을 과도하게 징수했고
또또또!
올랐어!!
세금
관리들은 온갖 부정을 저지르면서
백성들을 괴롭혔어.
찰싹
날 죽여!!
관직을 둘러싼 권력 투쟁 후
살아남은 소수의 특권층이
국가 요직을 독점하고
1등
2등
그 특권을 이용해서 넓은 토지를
사유했기 때문에
다 내 땅!
많은 백성이 논밭 한 뙈기 없는
신세로 전락하게 되었어.
땅이 없다….
조선 사회의 사상적 기반이었던
성리학은 백성의 삶과는
동떨어진 채
성리학

지배층의 자기 방어 도구가 되었지.
성리학
한마디로 학문과 사상의 자유가 박탈되었던 거야.
팍 팍
이처럼 조선 후기 사회는 총체적인 위기 상황이었어.
조선 후기
그때 이런 위기를 타개하기 위한
조선 후기
양심적 학자들이 생겨났지!
우리가 바로 실학자!
이들은 혼란스러운 조선 사회에 대해
해롱 해롱
다양한 해결책과 개혁책을 제시했어.
정신차려!!
나라의 이익을 위해….
나 이익이 나서리라.
이익도 그런 초창기 실학자 중 한 사람이야!
자, 당시 조선 사회에 대해 이해가 좀 되지?
응! 당시 조선 사회는 개혁이 필요했던 시기 같아.
조선 후기
맞아. 그 대표적인 책이 《성호사설》이야~.
여기서 성호(星湖)는 이익의 호이고
요게 내 호요~.
성호

사설(僿說)은 원래 '세쇄한(시시하고 자질구레한이라는 뜻)',
사설
즉 '소소한 이야기'라는 뜻으로
이것 저것 자질구레…
이익이 겸손하게 이름을 붙인 것이야.
채… 책이 나왔어요…
출판
이 책에 대한 이익의 생각은 《성호사설》 앞부분에 잘 나타나 있어.
앞머리
"사설 따위는 차마 이 몇 가지 조항에 실리지 못한 것인즉, 쓸데없는 용감한 말임에 틀림없다.
그러나 속담에 '내가 먹기는 싫어도 버리기는 아깝다.'는 그 말이 이 사설이 생긴 이유이다." (《성호사설》 중에서)
먹어? 버려?
여기서 '사설'이라고 이름을 붙인 걸 보면,
사설
이 책이 단편적인 주제에 대한 작자의 생각을 기록한 거라는 걸 알 수 있지.
나의 생각
성호사설
이렇게 훌륭한 책을 '소소한 이야기'라고 한 걸 보면, 이익이란 분은 참 겸손한 분인가 봐.
나처럼?
사실 《성호사설》은 이익이 저술을 목적으로 쓴 책은 아니고….
독서나 어떤 일을 하다가 보고 들어서 안 것들,
꿈틀

혹은 사색을 통해 터득한 것들을
그때그때 일기처럼 기록해 두었다가
80세에 이르렀을 때에 집안 조카들을 시켜 정리한 책이야.
오늘까지
마감!
이를 찾아보기 쉽게 조목별로
배열하였다가
나중에 다시 ~문, ~문 등의 부문별로
나누어 책으로 만든 거야!
문
또 여기엔 제자들의 질문에
답변한 내용을 기록해 둔 것도
포함되어 있어.
질문
있습니다!
이익의 제자 안정복이 다시 정리하여 《성호사설유선》*이라는
책으로 펴내기도 했지.
성호사설
유선
성호사설유선
그럼, 이제
《성호사설》의 내용에
대해 알아보자!

*《성호사설유선》 – 《성호사설》 중에서 중요한 글들을 10권 책으로 가려 재편집한 것으로, 원편의 분류인 '문'을 '편'으로 바꾸고 차례로 옮겼다.

《성호사설》은 〈천지문(天地門)〉, 〈만물문(萬物門)〉, 〈인사문(人事門)〉, 〈경사문(經史門)〉, 〈시문문(詩文門)〉의
역
사

다섯 가지 문(門)으로 분류되어 있고 총 3,007편의
각 항목에 관한 글이 실려 있어.
3007
요즘의 백과사전같이 분류가 정확하게 되어 있지는
않지만 말야.
이렇게 정확할 수가….
백 과
분류된 항목이 너무 어렵다~!
걱정 마. 각각의 분류를 자세히 보면, 내용을 쉽게 알 수가 있거든!
〈천지문〉은 모두 223항으로
구성되어 있어.
223항
내용은 대부분 천문(天文)과
지리(地理)에 대한 건데
지리의 내용이 더 많이
차지하고 있어.
해[日]와 달[月], 별[星], 비[雨]와 바람[風],
번개[震]와 천둥[雷], 조석, 일식 등의
천문 지식을 담고 있고,
고조선, 삼한, 한사군, 예맥, 울릉도, 여진, 대마도 정벌 등과 같은
다양한 역사와 지리 지식들을 담고 있어.
고조선
대마도 정벌!
〈천지문〉에는
지구가 둥글다는 것,
파 앗

태양과 지구와 달의 관계들에 대한 사실과 같은 서양의 과학 지식을 흡수한 내용도 많이 실려 있지.
흐읍~~
당시엔 서양과 활발한 교류가 없던 때인데 어떻게 서양의 과학 지식들을 알 수 있었지?
그 당시 중국을 통해 들어온, 한자로 번역된 서양 서적을 읽은 거지.
서 적
특히 이익은 천문과 역법, 마테오 리치의 '곤여만국전도'와 망원경 같은
서양 과학 지식에 관심이 많았던 것 같아.
이익은 〈천지문〉에서 지도에도 큰 관심을 가졌는데,
지도를 그리는 방법에 대해서는
한번 그려 볼까요?
"아무리 세밀하여 그리기 어려운 것이라도,
어렵네….
엷은 종이에다 들기름칠을 하거나
고소한 냄새~
양초를 녹여 발라 가지고 투명하게 해 놓고 붓을 대면 된다."고 말했지.

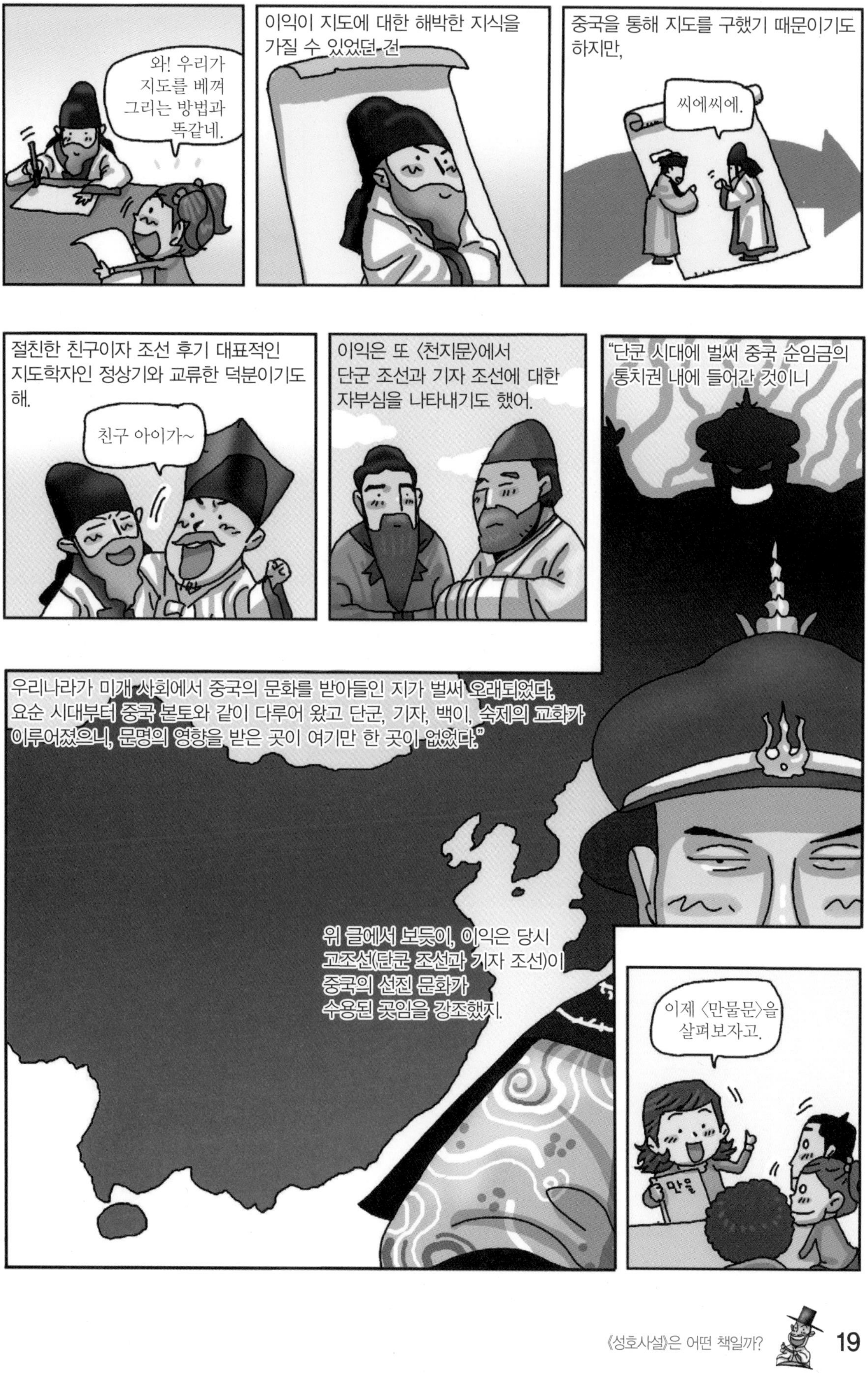
와! 우리가 지도를 베껴 그리는 방법과 똑같네.
이익이 지도에 대한 해박한 지식을 가질 수 있었던 건
중국을 통해 지도를 구했기 때문이기도 하지만,
씨에씨에.
절친한 친구이자 조선 후기 대표적인 지도학자인 정상기와 교류한 덕분이기도 해.
친구 아이가~
이익은 또 〈천지문〉에서 단군 조선과 기자 조선에 대한 자부심을 나타내기도 했어.
"단군 시대에 벌써 중국 순임금의 통치권 내에 들어간 것이니
우리나라가 미개 사회에서 중국의 문화를 받아들인 지가 벌써 오래되었다. 요순 시대부터 중국 본토와 같이 다루어 왔고 단군, 기자, 백이, 숙제의 교화가 이루어졌으니, 문명의 영향을 받은 곳이 여기만 한 곳이 없었다."
위 글에서 보듯이, 이익은 당시 고조선(단군 조선과 기자 조선)이 중국의 선진 문화가 수용된 곳임을 강조했지.
이제 〈만물문〉을 살펴보자고.
만물

〈만물문〉은 총 368항목으로 구성되어 있고, 인간의 일상생활과 관련된 온갖 사물에 대한 설명이 들어 있어.
아빠! 망원경의 원리가 뭐죠?
〈만물문〉 안에 다 있단다.
만물문
의복과 음식, 곤충, 동식물에 대한 관찰 기록을 비롯해
망원경, 조총, 자명종, 안경 등
중국을 통해 들어온 서양 문물에 대해 도입 배경과 기능이 자세하게 실려 있어.
또 두부, 목장, 담배, 술 등 생활 관련 기록과
두부, 담배
술 있어요~
생*, 가야금, 속악(俗樂) 등 음악 관련 기록,
가야금 있어요.
화총, 병기 등의 무기 관련 내용도 총망라되어 있지.
총도 있고요!
특히 오늘날 많은 사람들이 피우는 담배인 남초(南草)에 대한 장단점을 기술했으며
콜록!
콜록!

*생(笙) – 아악에 쓰이는 관악기의 하나로, 생황(笙簧)이라고도 부른다.

술이 끼치는 해악을 강조하기도 했어.
하이 아저씨~
애비도 못 알아보냐!
윷놀이와 장기, 줄타기 등 민속놀이에 대해서도 언급했고
장이오~
장

악어, 붕*, 게, 남과** 등과 같은 동식물에 대한 내용도 풍부하게 담고 있어.
〈만물문〉에서도 이익의 실용적인 사상을 엿볼 수 있지.

*붕(鵬) – 붕새로 크기가 수천 리에 달하고 한 번에 9만 리를 난다는 상상의 새. **남과(南瓜) – 호박.

또 각 항목에 세밀한 고증을 바탕으로 자신의 의견을 적어 놨는데…
게에 대한 다음 설명을 보면 잘 나타나 있어.
뭘 봐!
"갯가와 바다 연안에는 게가 많은데,
내가 본 것에는 열 종류가 있다.
여항(呂亢)이란 사람의 《십이종변(十二種變)》 및 《해보》, 《본초(本草)》, 《도경(圖經)》,
《자의(字義)》 등과 같은 책을 조사해 본 결과, 혹 물의 형태도 지대에 따라
다르고 혹 살펴서 아는 것에도 옳음과 잘못이 있다."
어때? 〈만물문〉만 봐도
이익의 박물학적인 관심과
엄청난 정보량, 독서량을
짐작할 수 있지?
그런데 항목 대부분이 중국 자료를 바탕으로 했고, 〈만물문〉이라는 큰 항목만
설정되어 있을 뿐 소재들이 체계적으로
정리되지 못한 아쉬움이 있지.
아까워….
MADE IN CHINA
만물문

그래도 재미있는 내용이 많기 때문에 〈만물문〉을 즐겁게 읽을 수 있을 거야.
푸하하하!!
만물문
자, 다음은 〈인사문〉에 대해 알아보자!
인사문
〈인사문〉은 정치, 경제, 사회, 제도 등 인간사의 전반적인 문제에 대한
인간사야~
이익의 실학사상적 생각이 잘 나타나 있어. 총 990항목으로 구성되어 있고, 다른 어느 부분보다 이익의 사회 제도에 대한 비판, 개혁 의식이 잘 나타나 있지.
개혁만이 살 길!!
불끈
〈인사문〉의 내용은 이익의 선배이자 스승과도 같았던 실학자 유형원이
선배님….
반계수록
《반계수록》에서 제시한 개혁안과 매우 비슷해.
토지
과거
관제
바로 앞선 시기의 실학자들의 저작인 《반계수록》과 《지봉유설》 등을 참고하고 종합한 결과지.
참고만….
지봉유설
즉, 《성호사설》 같은 위대한 책이 나올 수 있었던 이유 중 하나는
성호사설
조선 사회에 대해 고민하고 대안 제시를 위해 노력했던 유형원, 이수광 같은 선배 실학자들이 있었기 때문인 거야.
그렇다면 당시 조선 사회에는 어떤 불합리한 제도들이 있었을까?

신분 제도,
과거 제도…
농민들과 가장 밀접한
토지 제도!
맞아~!
너희들, 예습 많이 했구나!
이익은 경전의 시나 문장을 단순히 외우게 하는 건 학문을 황폐화시키는 거라며 과거 제도의 문제점을 제기했어.
따라서 과거제와 관리 될 인물을 추천하는 천거제를 병행하자고 주장했지.
추천합니다!
어진 사람을 천거하는 것이 나라를 잘 다스리는 거라고 생각한 거야.
또 이익은 농민들에게 가장 큰 문제였던 토지 제도,
토지 제도
특히 분배의 문제에 관심이 많았고 농민이 잘살 수 있는 토지 제도로 '한전제(限田制)'를 주장했어.
한전
한전제가 뭐야?
한전제는 한 가정이 최소한의 생계를 유지할 수 있는 토지(이익은 이 토지를 영업전이라고 했어)를 두고, 이 토지에 대해서는 절대 매매를 할 수 없도록 하는 제도야.
매매 절대 금지
농민들이 소작농으로 전락하지 않아도 되는 좋은 제도였지.
농민이면 누구나
토지를 가질 수 있으니,
먹고사는 걱정이 없지.
또 신분 제도와 관련해서는 노비 세습제를 철폐해야 한다고 주장했어.
노비 제도는
천하의 악법이다!
노비 제도
철폐!

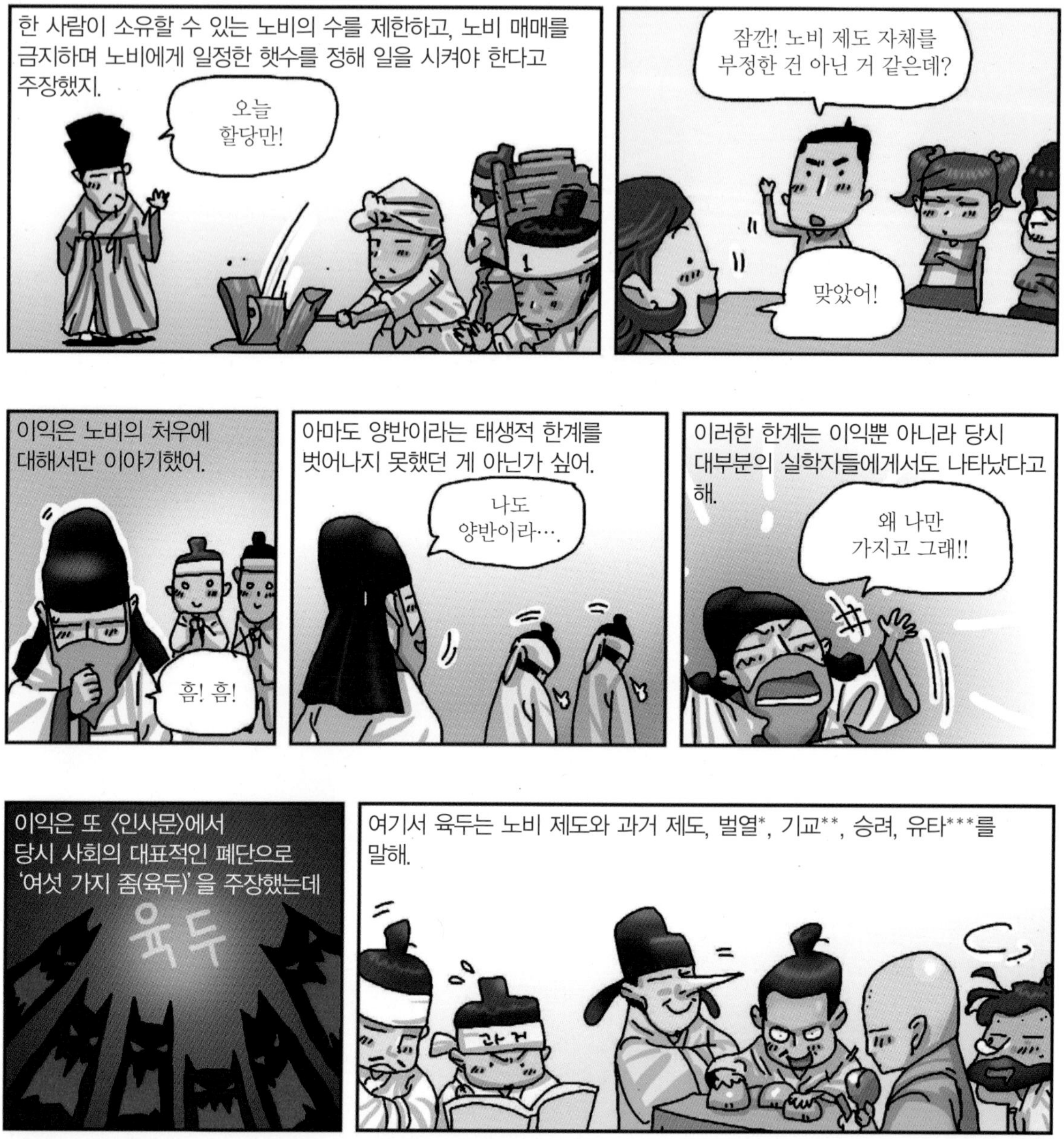

한 사람이 소유할 수 있는 노비의 수를 제한하고, 노비 매매를 금지하며 노비에게 일정한 햇수를 정해 일을 시켜야 한다고 주장했지.
오늘 할당만!
잠깐! 노비 제도 자체를 부정한 건 아닌 거 같은데?
맞았어!
이익은 노비의 처우에 대해서만 이야기했어.
흠! 흠!
아마도 양반이라는 태생적 한계를 벗어나지 못했던 게 아닌가 싶어.
나도 양반이라….
이러한 한계는 이익뿐 아니라 당시 대부분의 실학자들에게서도 나타났다고 해.
왜 나만 가지고 그래!!
이익은 또 〈인사문〉에서 당시 사회의 대표적인 폐단으로 '여섯 가지 좀(육두)'을 주장했는데
육두
여기서 육두는 노비 제도와 과거 제도, 벌열*, 기교**, 승려, 유타***를 말해.
과거

*벌열(閥閱) – 나라에 공이 많고 벼슬을 대대로 많이 한 집안. **기교 – 교묘한 기술이나 솜씨.
***유타(遊惰) – 게으름뱅이.

마지막으로 〈인사문〉에는 너희들이 잘 알 만한 내용도 있어.
장길산에 대해 들어 봤을 거야.
조선 시대 의적!
농민 편에 서서 모순된 사회에 저항을 한 인물이지.

그렇지만 이익은 장길산에 대해 '교활한 도적의 괴수'라고 말했어.
괴수!!
이런 인식도 아까 말한 이익의 태생적 한계 탓이겠지.
결국 양반….
괴수래!
이제 〈경사문〉에 대해 얘기해 볼까?
경사문
좋아!
〈경사문〉은 가장 많은 1,048항목으로 구성되어 있어. 〈경사문〉에는 유교 경전과 역사에 대한 이익의 해박한 지식과 고증이 나타나 있지.
다 보여주마!
〈경사문〉을 읽어 보면
성리학 입장에서 볼 때 이단이었던 불교나 노장 사상,
도참사상 등에 대해서 포용적이고 개방적인 태도를 취했던 선배 실학자 이수광에 비해
이익은 그것들에 굉장히 부정적이었음을 알 수 있어.
흥!
그렇다면 〈경사문〉에 나타난 역사의 내용은 어떤 것일까?
고조선?
당연히 고조선 시대부터 우리나라 역사를 서술했겠지.
그렇지 않아. 안타깝게도 대부분이 중국 역사에 대한 견해로 채워져 있단다.
나만 봐~
부끄~

또 우리 역사를 중국의 역사를 기준으로 이해하려고 한 한계도 가지고 있지.
그렇지만 〈경사문〉에 나타난 이익의 역사 서술은 당시에 매우 수준 높은 것이었어.
높다….
이익은 자료를 엄밀하게 고증해야 하기 때문에
역사 서술 작업이 어려운 일이라고 말했고
어려워잉~
특히 단군 조선의 국호를 '단(檀)'으로, 기자 조선의 국호를 '기(箕)'로 쓰며
단!
기!
고대 삼한 지역의 원주민을 중국의 전국 시대 한나라에서 이주한 사람들로 보는 등 독특한 역사 해석을 많이 시도했어.
이런 독특한 견해는 역사적 내용의 타당성에는 문제가 있겠지만
독특하단 말야….
당시 역사학의 수준에서 볼 때 자료를 고증하는 세련된 방식을 사용했다는 점과
자료!
고증!
한·중 양국의 문화 교류를 좀 더 폭넓게 이해했다는 점에서 그 가치를 인정받고 있지.
이러한 이익의 역사 이해 방식은 그의 제자인 안정복에게 이어져

조선 후기를 대표하는 역사서 《동사강목》*이 탄생할 수 있게 된 거야.
이 외에도 〈경사문〉에는 신라의 풍속이 소개되고 신라 왕의 호칭이 설명되어 있으며
거서간!
차차웅!
이사금!

*《동사강목》 – 안정복이 고조선부터 고려 말까지의 역사를 편년체로 기록한 책.

고려와 조선의 역사 인물에 대해서도 언급되어 있지.
김조선~
네!
또 자신의 집안 몰락과 관련된 을사사화의 부당성을 지적하는 내용도 있어.
을사사화
이제 마지막으로 〈시문문〉을 살펴보자.
〈시문문〉은 조선과 중국의 시문에 대해 소개하고 평론을 한 것으로 총 378항목으로 구성되어 있고 경전과 역사, 시와 문장 등에 대한 이익의 학문적 깊이가 나타나 있어.
시는 어렵던데….
꼼꼼히 들여다보면 많은 얘기가 담겨 있지.
시는 함축적인 언어로 쓰는 글이라, 시가 쓰인 배경 지식과 역사, 지은이에 대해 알면 시의 의미를 더 잘 알 수가 있단다.
이익은 시문에 대해 설명하는 것에 그치지 않고 같은 종류의 책을 비교하며 차이를 바로잡기도 하는 등 시구에 대해 고증하는 작업을 했어.
틀린 그림 찾기
저기!
요기!
시구

〈시문문〉의 내용은 3분의 2가 중국의 것을 담고 있고,
이익은 중국 것을 너무 좋아하는 것 같아.
맞아. 앞에서도 중국 것이 많이 나왔잖아….
또 중국의 것을 많이 참고하긴 했지만, 그 시를 찬양만 한 건 아니야. 이익은 〈시문문〉에서 중국의 역대 시인들,
특히 우리가 잘 아는 이태백과 두보의 시에 대해 많이 언급하고 있지만 쓴소리도 빼놓지 않았거든.
이태백은 문장을 다듬는 데 고심하지 않아서, 〈호조(好鳥)〉나 〈비화(飛花)〉 같은 시처럼 비열하여 족히 보잘 것 없는 것도 더러 있다.
윽!
이태백
그럼, 우리나라의 시인은 얼마나 언급돼 있을까?
조선
중국
김극기, 이색, 홍유손, 노수신, 조식, 이황, 박광우, 정인홍, 이항복, 허목 등의 시를 소개하고 있어. 또 이익은 우리나라의 시 중에 퇴계 이황의 시가 가장 우수하다고 하면서도 조식과 그의 제자 정인홍의 시에 대해서도 높이 평가했어.
바로 이익의 학문적 뿌리가 '북인' 계열이기 때문이었지.
이제 《성호사설》이 어떤 책인지 조금은 알겠지?
응! '자질구레하고 번잡한 글'이라는 뜻으로 사설이라고 붙인 《성호사설》은 이익이 자신을 최대한 낮추어 표현한 거라는 것!
성호사설

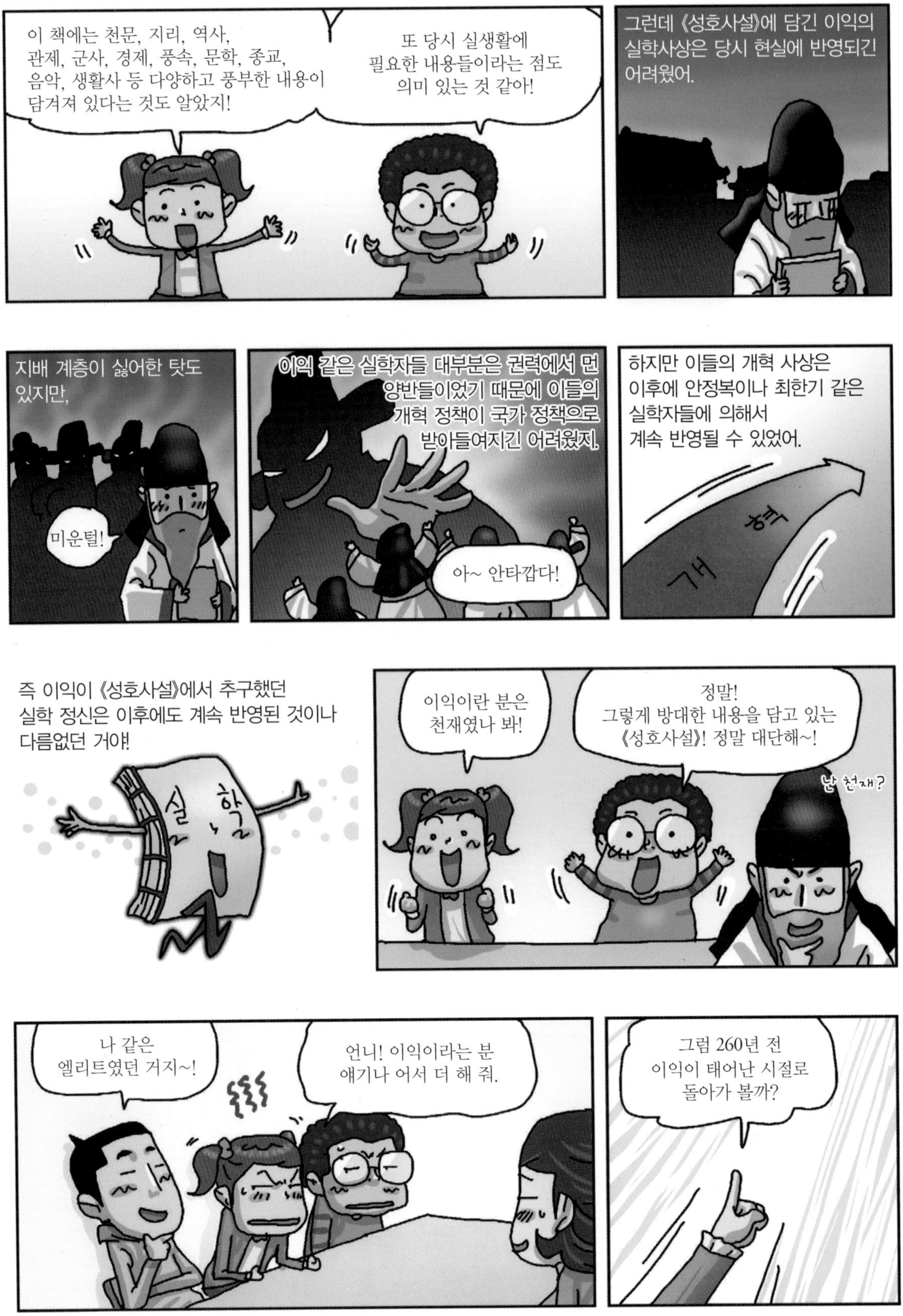
이 책에는 천문, 지리, 역사, 관제, 군사, 경제, 풍속, 문학, 종교, 음악, 생활사 등 다양하고 풍부한 내용이 담겨져 있다는 것도 알았지!
또 당시 실생활에 필요한 내용들이라는 점도 의미 있는 것 같아!
그런데 《성호사설》에 담긴 이익의 실학사상은 당시 현실에 반영되긴 어려웠어.
지배 계층이 싫어한 탓도 있지만,
미운털!
이익 같은 실학자들 대부분은 권력에서 먼 양반들이었기 때문에 이들의 개혁 정책이 국가 정책으로 받아들여지긴 어려웠지.
아~ 안타깝다!
하지만 이들의 개혁 사상은 이후에 안정복이나 최한기 같은 실학자들에 의해서 계속 반영될 수 있었어.
개혁
즉 이익이 《성호사설》에서 추구했던 실학 정신은 이후에도 계속 반영된 것이나 다름없던 거야!
실학
이익이란 분은 천재였나 봐!
정말! 그렇게 방대한 내용을 담고 있는 《성호사설》! 정말 대단해~!
난 천재?
나 같은 엘리트였던 거지~!
언니! 이익이라는 분 얘기나 어서 더 해 줘.
그럼 260년 전 이익이 태어난 시절로 돌아가 볼까?

실학은 무엇일까?

사회 모순의 해결사

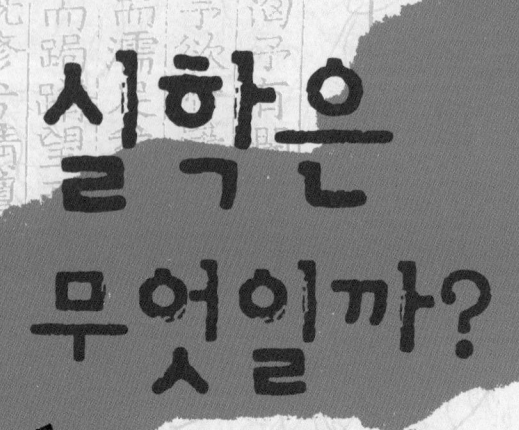

실학實學은 글자의 뜻 그대로 실생활의 유익을 목표로 한 새로운 학풍입니다. 17~18세기 조선의 사회와 경제가 큰 변화를 맞으면서 사회적으로 모순이 생겨나자 이에 대한 해결책을 찾는 과정에서 나타난 학문과 사회 개혁론이죠.

조선 후기는 양반 사회의 횡포와 부조리가 심각했습니다. 이런 상황은 당시 대다수를 차지하고 있었던 일반 백성(농민)들의 생활을 어렵고 궁핍하게 만들었지요. 하지만 당시의 지배 이념이었던 성리학은 이러한 현실 문제를 전혀 해결할 수 없었습니다. 이에 선각자들은 지배 이념이었던 성리학의 한계를 깨닫고 이를 비판하면서 현실 생활과 직결되는 문제에 관심을 가지게 되었어요. 이렇게 생겨난 학문이 바로 '실학' 이죠.

이렇게 형성된 실학은 처음에 이수광과 한백겸 등과 같은 사람들에 의해 제기되었습니다. 이수광은 《지봉유설》이라는 백과사전류의 책을 지었고, 한백겸은 《동국지리지》를 지어 우리나라의 역사와 지리를 하나하나 치밀하게 고증한 인물이지요.

그 이후 실학은 조선 사회의 여러 분야에 걸쳐 해결책을 제시했습니다. 크게 보면, 유형원과 우리가 배

역
사

운 이익을 중심으로 하는 농업 중심의 개혁이 있어요. 이들을 흔히 중농학파라고 하지요. 그리고 유수원, 홍대용, 박지원, 박제가 등의 실학자들은 상공업 중심의 개혁을 주장했어요. 이들을 흔히 중상학파 또는 북학파라고 불러요. 그리고 농업 개혁과 과학 기술과 상공업 발달을 모두 중요하게 본 사람도 있는데, 그가 바로 유명한 정약용이에요. 정약용은 이익의 실학사상을 계승하면서도 실학을 집대성한 조선 후기 최고의 실학자로 불리고 있습니다.

문제는 토지

중농학파는 농촌의 안정을 위해 농민의 입장에서 토지 제도 개혁을 가장 중요하게 생각했습니다. 중농학파의 선구자인 유형원은 관리, 선비, 농민 등 신분에 따라 차등 있게 토지를 재분배하자는 '균전론' 을 주장했어요. 그리고 유형원의 사상을 더욱 발전시키고 체계화한 사람이 바로 우리가 배운 이익인데, 이익은 '한전론' 을 주장했지요. 한전론은 한 가정의 생활을 유지하는 데 필요한 최소의 토지를 영업전으로 하고, 영업전의 매매를 법으로 금지하고 나머지 토지만 매매를 허용하여 양반들의 대토지 사유와 농민들의 소작농 전락을 막자는 내용이에요. 이익의 사상을 계승하면서 실학을 집대성한 정약용은 '여전제' 라는 토지 제도를 주장했다가 나중에 좀 더 현실적인 '정전제' 를 주장했습니다.

이렇게 당시 조선 사회의 모순을 해결하고 개혁을 주장한 실학은 18세기에 크게 유행했습니다. 그리고 더 나아가 19세기 후반에도 우리나라에 큰 영향을 주었는데, 특히 북학파의 실학사상은 개화사상으로 계승되었다는 점에서 큰 역사적 의미를 가지고 있어요.

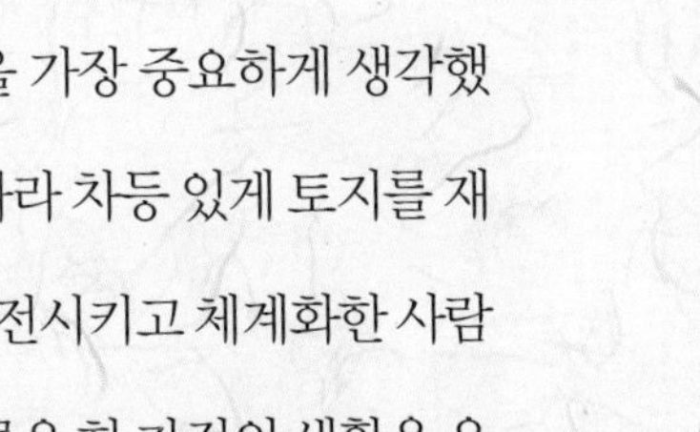

제2 장 이익은 어떤 사람일까?

이렇게 위대한 책을 지은 이익은 어디서, 어떻게 태어났고 어린 시절은 어땠을까?
아마 좋은 환경에서 태어났을 거 같아!
응! 부잣집에서 태어나서 공부만 하며 지냈을 거 같아!
땡! 모두 틀렸어!
엥?
안타깝게도 이익은 태어날 때부터 힘든 나날을 보냈어!
응애~
정말?
이익이 어떻게 살아왔는지 자세히 알아보자!

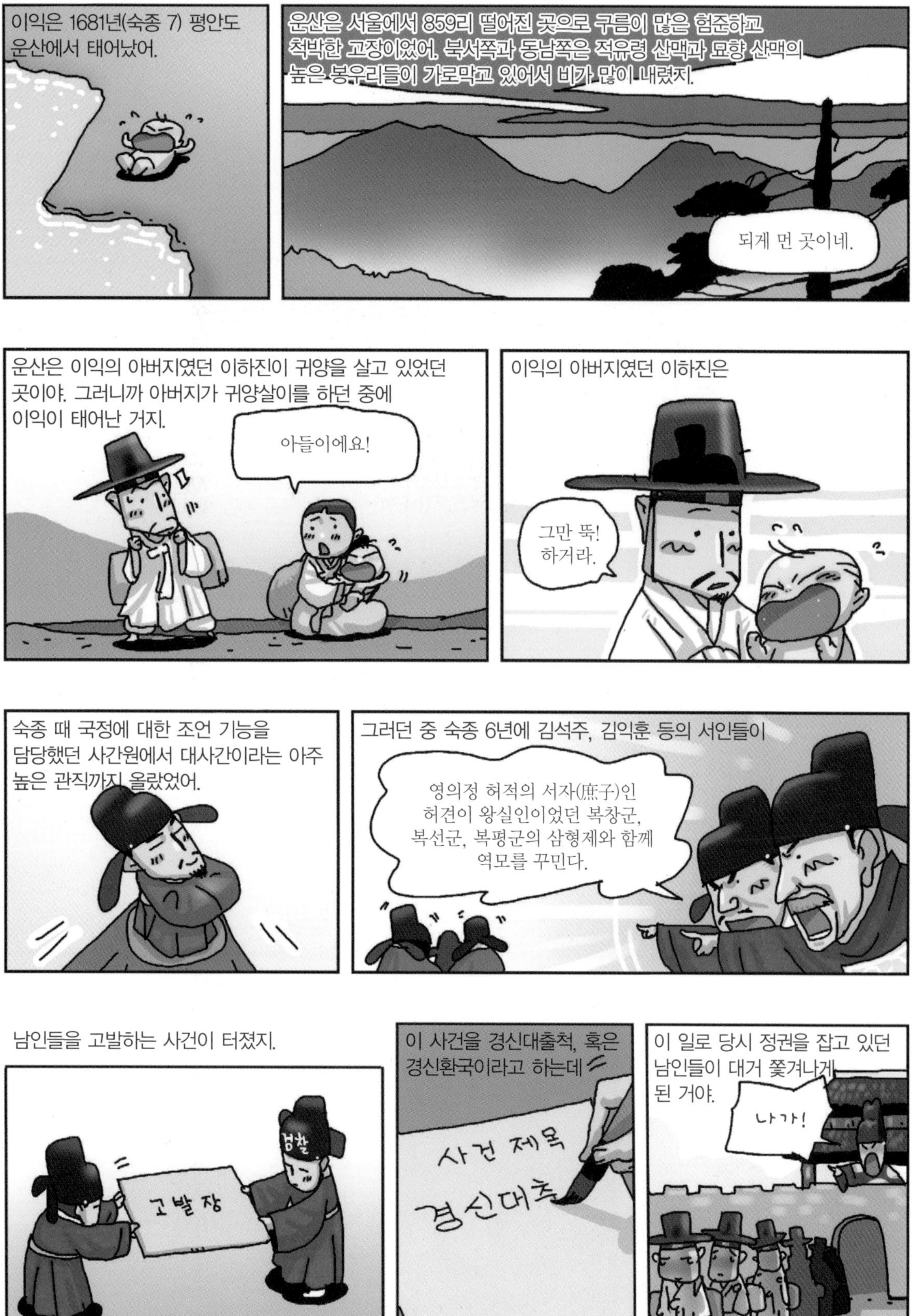
이익은 1681년(숙종 7) 평안도 운산에서 태어났어.
운산은 서울에서 859리 떨어진 곳으로 구름이 많은 험준하고 척박한 고장이었어. 북서쪽과 동남쪽은 적유령 산맥과 묘향 산맥의 높은 봉우리들이 가로막고 있어서 비가 많이 내렸지.
되게 먼 곳이네.
운산은 이익의 아버지였던 이하진이 귀양을 살고 있었던 곳이야. 그러니까 아버지가 귀양살이를 하던 중에 이익이 태어난 거지.
아들이에요!
이익의 아버지였던 이하진은
그만 뚝! 하거라.
숙종 때 국정에 대한 조언 기능을 담당했던 사간원에서 대사간이라는 아주 높은 관직까지 올랐었어.
그러던 중 숙종 6년에 김석주, 김익훈 등의 서인들이
영의정 허적의 서자(庶子)인 허견이 왕실인이었던 복창군, 복선군, 복평군의 삼형제와 함께 역모를 꾸민다.
남인들을 고발하는 사건이 터졌지.
고발장
검찰
이 사건을 경신대출척, 혹은 경신환국이라고 하는데
사건 제목
경신대츠
이 일로 당시 정권을 잡고 있던 남인들이 대거 쫓겨나게 된 거야.
나가!

이 사건이 일어나자 이하진은 남인이었던 허적을 옹호하는 상소를 숙종에게 올려,
"맹호는 산에 있으면서도 명아주 잎과 콩잎은 먹지 않고, 용이 없어진 연못에는 미꾸라지와 드렁허리가 춤을 춥니다.
지금 충신이 모두 제거되면 나라는 텅 비게 됩니다. 그러면 전하께서는 누구와 더불어 정사를 하시겠습니까?"라고 읍소했지.
누… 구 없느냐….
그러나 숙종은 이에 크게 노하면서 이하진을 관직에서 쫓아냈어.
대사간 이하진을 당장 진주 목사로 쫓아내라. 오늘 당장 말을 주어 부임하게 하라.
승정원과 사헌부 등이 이에 반대했지만 결국 이하진은 진주로 쫓겨가게 되었고
진주
남인 세력은 모두 죽거나 관직에서 파면되어 멀리 귀양을 가게 되었어.
이로써 정권은 서인들 차지가….
그런데 이하진이 진주 목사의 좌천에서 풀리게 될 즈음에 또다시 서인이었던 김석주가 이하진의 복직을 반대했어.
도대체, 왜?
복직 반대!
이전에 김석주가 강화도에 돈대를 쌓아야 한다고 왕에게 상소한 것을 이하진이 반대한 적이 있거든.
돈대 반대
그 일에 악감정을 갖고 있다가 이하진의 사면에 반대했던 거지.
치사해도 별 수 없어!
김석주의 의견에 대해 숙종은 전적으로 찬성하진 않았지만,

사건을 일으킨 사람들과 같은 남인이라는 이유로 이하진은 파직당하고 운산으로 귀양살이를 떠나게 되었지.
운산
이하진은 조선 시대 당쟁의 희생양이었던 거지.
그렇게 귀양살이를 하던 중 1681년 10월 18일 막내아들 이익이 태어난 거야.
응애~
이익의 생애는 당쟁의 소용돌이 속에서 시작됐다고 볼 수 있지.
서울에서 진주로, 진주에서 운산으로 수천 리 길을 가고 또 척박한 귀양살이로 인해
어머니 권씨의 건강이 나빠졌고
이런 상태에서 태어난 이익은 어려서부터 많은 병과 싸우며 평생을 살게 됐어.
그러던 중 병이 악화된 아버지가 1682년 6월 14일에 55세의 나이로 유배지에서 세상을 떠났어.
아버지가 죽자 어머니 권씨는 자식들을 데리고 다시 1,000여 리 길을 거쳐
조상들의 선산이 있는 경기도 광주의 첨성리로 돌아왔어.
다 왔다!
첨성리
이익의 호, 성호(星湖)는 바로 이익이 돌아온 첨성리라는 명칭에서 연유했다고 해.
컴백!
첨성리

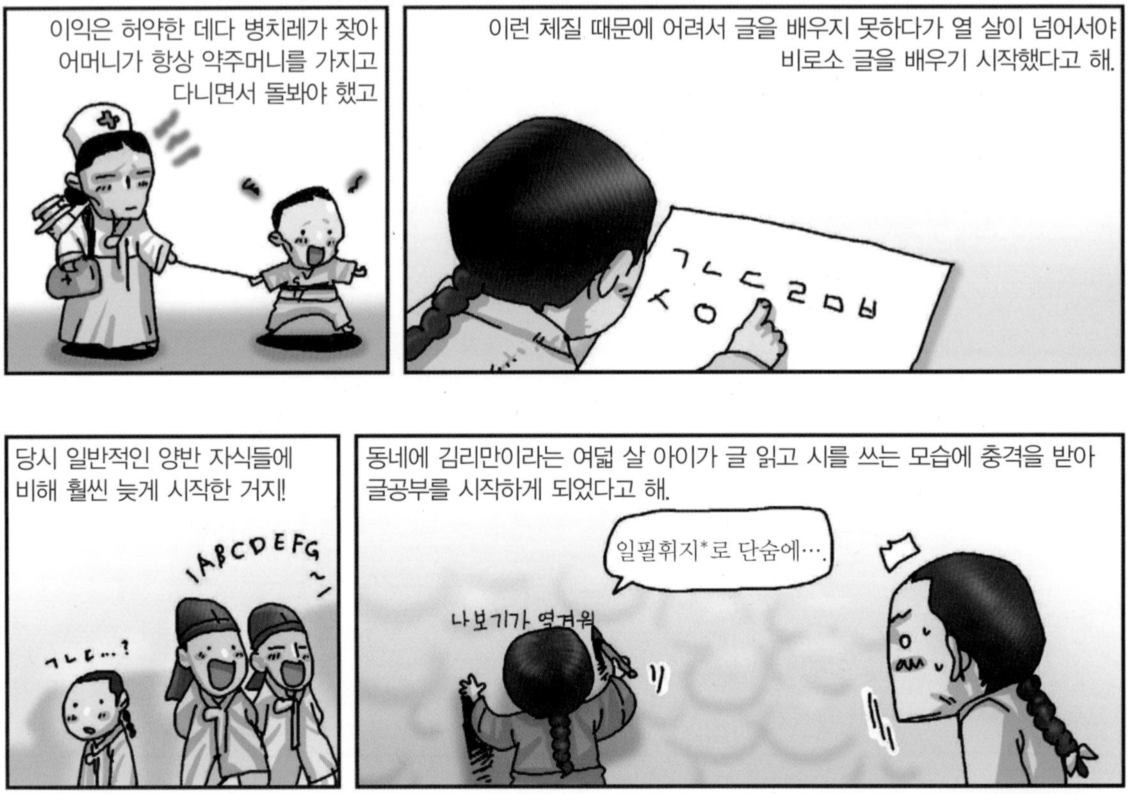
이익은 허약한 데다 병치레가 잦아 어머니가 항상 약주머니를 가지고 다니면서 돌봐야 했고
이런 체질 때문에 어려서 글을 배우지 못하다가 열 살이 넘어서야 비로소 글을 배우기 시작했다고 해.
ㄱㄴㄷㄹㅁㅂ ㅅㅇ
당시 일반적인 양반 자식들에 비해 훨씬 늦게 시작한 거지!
ABCDEFG~
ㄱㄴㄷ…?
동네에 김리만이라는 여덟 살 아이가 글 읽고 시를 쓰는 모습에 충격을 받아 글공부를 시작하게 되었다고 해.
일필휘지*로 단숨에….
나보기가 역겨워

*일필휘지(一筆揮之) – 글씨를 단숨에 죽 내리 씀.

훗날 김리만 묘지명에 이익은 이렇게 썼어.

김리만은 어려서부터 재주가 있어 8세에 이미 오자시(五字詩)를 지을 수 있었는데, 나는 나이가 그보다 몇 살이나 많은데도 글을 읽는 것도 모르니 그를 볼 때마다 부끄러웠다.
와~ 엄청 솔직한 분이시구나~

이익에게 글을 처음 가르친 사람은 이익의 둘째형 이잠이었는데
따라 해. 가~ 나~
가나다
이익은 글을 배울 때 책을 손에서 놓지 않았다고 해.
가, 나, 다, 라.
이후 서당에서 공부할 때도 묵묵히 공부만 하는 학생이었지.

훈장은 이익을 보며 이렇게 생각했대.
이 아이는 감독이 필요 없구나. 이처럼 학문을 즐기니 걱정할 필요가 없겠어!
와~ 우리랑 엄청 다르네!
그러게! 남보다 훨씬 약한 몸으로 공부도 늦게 시작했는데 조선 최고의 책을 쓰다니….
너희들도 지금부터라도 열심히 책 읽고, 생각하고, 공부하면 이익처럼 훌륭한 사람이 될 수 있어!
천재 대열 합류!
이익이 어린 시절을 보낸 첨성리는 바닷가에서 1킬로미터 정도 떨어진 거리였기 때문에
바다 1Km
어린 이익은 뻘에 나가 물놀이도 하고 소라와 게도 잡으면서 바다 생물을 익혔어.
난 바다의 왕자!!
그래서 훗날 바다 생물에 관한 다른 책들의 잘못된 설명을 《성호사설》에서 바로잡을 수가 있었지.
그리고 첨성리에서의 궁핍했던 어린 시절은
배고파….
이익에게 겸손함과 근면함, 근검절약의 생활 태도를 가져다주었어.
아껴야 산다!!
이익의 근검절약 정신은 평생 동안 이어져서
꼬르륵~
가족과 친척들에게도 사치스러운 생활을 하지 못하도록 엄하게 가르쳤대.
사치 금지!!
!!

돈이나 물건을 빌려주거나 빌리지 못하게 했고,
안 돼!
예절을 잘 지키도록 교육했지.
우두둑
이익은 이런 삶의 태도를 보여 주는 글도 남겼어.
나는 가난한 생활에 익숙하여 나물만 먹는 것을 보통으로 여기고 고생으로 알지 않느니라.
아~
혹 시험 삼아 고기를 좀 씹어 보아도 그것이 나물보다 훨씬 낫다는 것을 깨닫지 못하니, 이는 가난을 편안하게 여기기 때문이다.
헉! 이 맛난 고기를….
또 이익은 하물며 노비에게도 나쁜 말을 쓰지 않았고
식사는 하셨나요?
떠들썩하게 큰 소리를 지르지 않도록 했어.
읍!
이렇게 근검하고 겸손한 성품으로 살아갈 수 있었던 이유가 어렸을 때 생활에서 비롯되었던 것이라니까
너희들도 지금 올바른 생활 태도를 갖는 게 나중에 얼마나 큰 영향을 미치는지 알겠지?
이익은 1705년 25세가 되었을 때
나라에 경사가 있을 때 실시하던 임시 과거 시험인 증광시의 1차 시험(초시)에 합격했어.
합격이다!
하지만 이름을 쓰는 것이 격식에 맞지 않았다는 이유로 탈락하여 최종 시험에 나아가지 못했어
탈락!

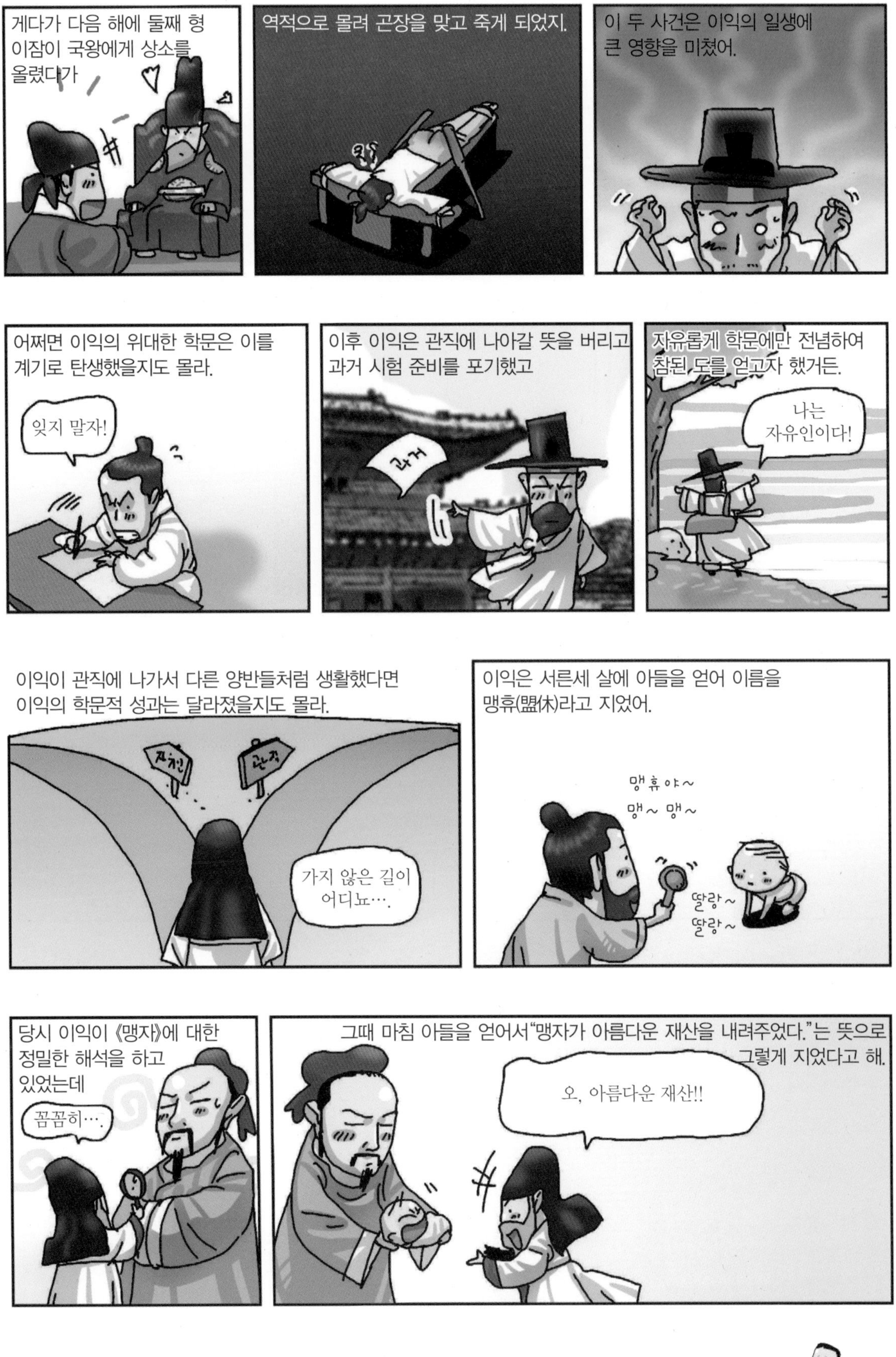
게다가 다음 해에 둘째 형 이잠이 국왕에게 상소를 올렸다가
역적으로 몰려 곤장을 맞고 죽게 되었지.
이 두 사건은 이익의 일생에 큰 영향을 미쳤어.
어쩌면 이익의 위대한 학문은 이를 계기로 탄생했을지도 몰라.
잊지 말자!
이후 이익은 관직에 나아갈 뜻을 버리고 과거 시험 준비를 포기했고
과거
자유롭게 학문에만 전념하여 참된 도를 얻고자 했거든.
나는 자유인이다!
이익이 관직에 나가서 다른 양반들처럼 생활했다면 이익의 학문적 성과는 달라졌을지도 몰라.
관직
가지 않은 길이 어디뇨….
이익은 서른세 살에 아들을 얻어 이름을 맹휴(盟休)라고 지었어.
맹휴야~
맹~ 맹~
딸랑~
딸랑~
당시 이익이 《맹자》에 대한 정밀한 해석을 하고 있었는데
꼼꼼히….
그때 마침 아들을 얻어서 "맹자가 아름다운 재산을 내려주었다."는 뜻으로 그렇게 지었다고 해.
오, 아름다운 재산!!

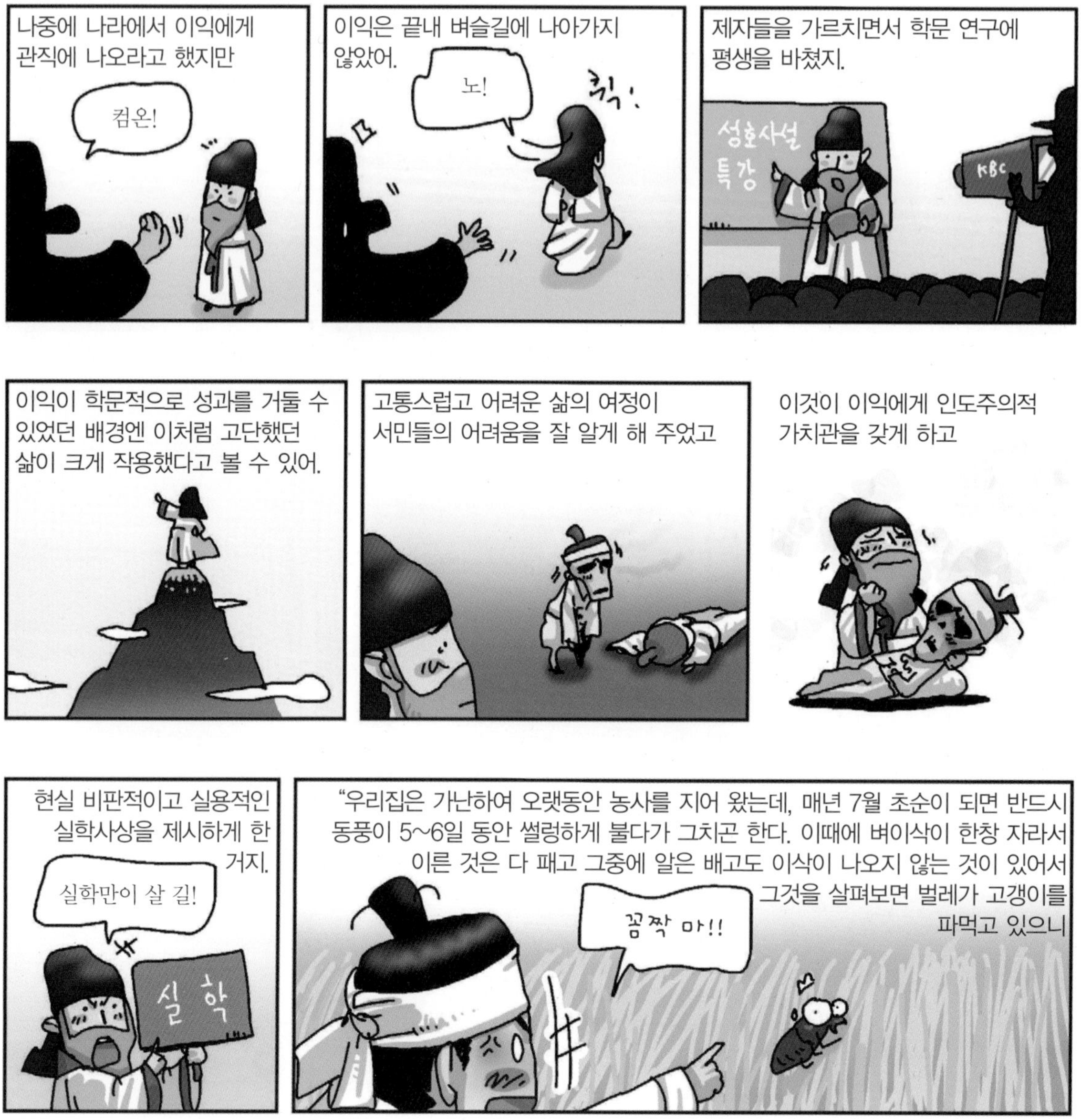
나중에 나라에서 이익에게 관직에 나오라고 했지만
컴온!
이익은 끝내 벼슬길에 나아가지 않았어.
노!
제자들을 가르치면서 학문 연구에 평생을 바쳤지.
성호사설 특강
KBC
이익이 학문적으로 성과를 거둘 수 있었던 배경엔 이처럼 고단했던 삶이 크게 작용했다고 볼 수 있어.
고통스럽고 어려운 삶의 여정이 서민들의 어려움을 잘 알게 해 주었고
이것이 이익에게 인도주의적 가치관을 갖게 하고
현실 비판적이고 실용적인 실학사상을 제시하게 한 거지.
실학만이 살 길!
실학
"우리집은 가난하여 오랫동안 농사를 지어 왔는데, 매년 7월 초순이 되면 반드시 동풍이 5~6일 동안 썰렁하게 불다가 그치곤 한다. 이때에 벼이삭이 한창 자라서 이른 것은 다 패고 그중에 알은 배고도 이삭이 나오지 않는 것이 있어서 그것을 살펴보면 벌레가 고갱이를 파먹고 있으니
꼼짝 마!!

이것이 벼이삭을 갉아먹는 벌레라는 것이다. 그런데 이미 팬 것은 그렇지 않다.
나의 생각으로는 이파리 속에 있는 고갱이가 똘똘 뭉쳐 벌레가 생기는 것이니
이삭이 팬 것은 기운이 흩어졌으므로 비록 큰 바람을
만나도 피해를 입지 않는다고 본다."

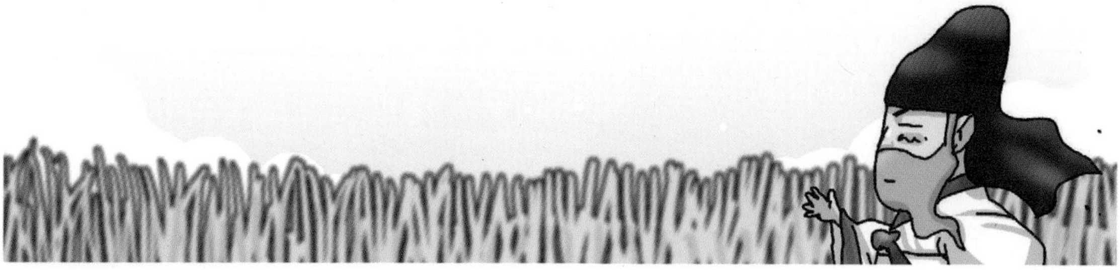

이렇게 농업에 대한
글을 쓸 수 있었던 것도
농업이란?
손수 농사를 지으며
병충해에 대한 지식을 얻은 덕분이야.
그리고 당시 이익의 집에 있었던
수천 권의 책도 이익의 학문적 성과에
큰 역할을 했어.
수천 권이라고?
가난했다면서 책이 그렇게 많았어?
이익의 아버지 이하진이 1678년 중국 연경에 사신으로
갔다 오면서
청나라 황제로부터 받은 은으로
중국의 고서 수천 권을
사 왔거든.
앞에서 얘기했지만 이익이 《성호사설》을
쓰면서 중국의 것을 많이 참고한 것도
이러한 배경이 있었기 때문이야.
이런, 책이 집채만 하구나….
이익은 노년이 되어서도 여전히 고달팠어.
아이고 허리야….
경제적인 고통 말고도 정신적인 고통이
컸지.
머리가….

이익이 71세 되던 1751년에
아이고~
그토록 아끼던 아들 맹휴가 39세의 나이로 갑자기 죽고 말거든.
내 아들 맹휴야~
이익은 이런 정신적 고통 때문에 육체적으로도 더욱 병약해지게 됐어.
게다가 당시 이익이 살던 광주에 기근이 들고 역병까지 돌면서
경제적 고통도 더욱 커졌어.
광주 땅은 사람이 살 곳이 아니다~!!
송곳을 꽂을 만한 땅도 없게 됐다!
이익은 탄식했지.
이렇게 되어서는 어찌 할 수가 없다.
이러한 상황에서 친척들까지 돌보느라 이익의 가세는 더욱 기울었어.
이익은 83세 되던 1763년 12월 17일, 마침내 세상을 뜨고 말았는데
고단한 삶을 이제 마치리….
유언을 통해 장례를 검소하게 치르도록 했지.
나물 하나면 돼!
나물

당시 조정에서도 이익의 학문과
인도주의적 정신을
높이 평가해서
오~ 굿~

이조판서의 벼슬을 추서*했고,
이조판서
추서요~

이익의 학문적 업적은 후대의 정약용에
의해서 계승되었으니 그나마 다행이지.
이익을
본받아….

*추서 – 죽은 뒤에 벼슬을 내리는 것.

정약용이 쓴 시를 보면
스승님께
드리는 시

그가 이익의 학문적 은혜에 얼마나 감사하는지, 이익이 얼마나 위대한
학자였는지가 잘 드러나 있어.
흠!
흠!

늦게 일어난 우리나라 도학의 맥은
설총이 첫머리를 열어 놓았네.
그 흐름 포은**과 목은***에 이르니,
충의로써 외롭고 치우침을 구제하였네.
퇴계가 주자의 깊은 뜻을 발현하시니,
1,000년의 도통을 이어받았네.
밝은 정기는 동관의 요충에 모여들고,
드러난 문채는 섬촌 냇가에 빛났어라.
큰 취지는 공자, 맹자에 가깝고,
주석은 마융, 정현에 접하였네.
몽매한 나 한 줄기 빛이 보이어,
굳게 잠긴 자물쇠를 열고 싶어라.

**포은 – 정몽주　***목은 – 이색

정약용은 신라 시대 설총에서
시작된 우리나라의 유학(도학)이

고려 시대 포은 정몽주와 목은 이색으로
이어지고

조선 시대에 주자*를 이은
퇴계 이황으로 이어졌으며

스타트!

*주자(朱子) – 송대의 유학자로 주자학을 집대성했다.

이것이 이익으로 빛났다고 말하면서, 이익의 학문적 업적을
높게 평가하고 있어.

또한 이익이 공자와 맹자를 바탕으로
하고

중국 후한 시대의 유명한 유학자였던
마융과 정현의 주석(해석)을
중시했다고 하면서

필독서!
마융과 정현
주석

이익의 학문적 정통성에 대해서도
말해 주고 있지.

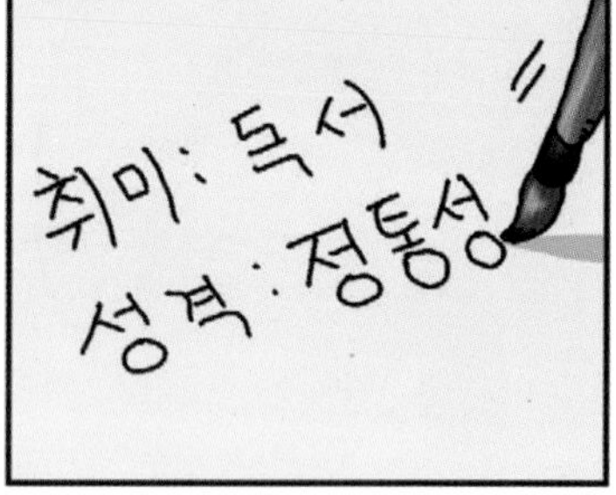
취미: 독서
성격: 정통성

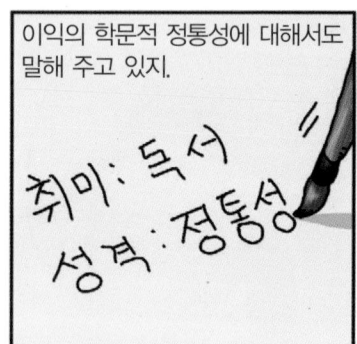

정약용은 조선 후기 실학을
집대성한 조선 최고의 실학자잖아.

그런 사람이 선배 학자였던 이익에 대해 이렇게 평가했으니
이익이 얼마나 위대했는지를 단적으로 알 수 있지.

실학의 두
거장이시구나….

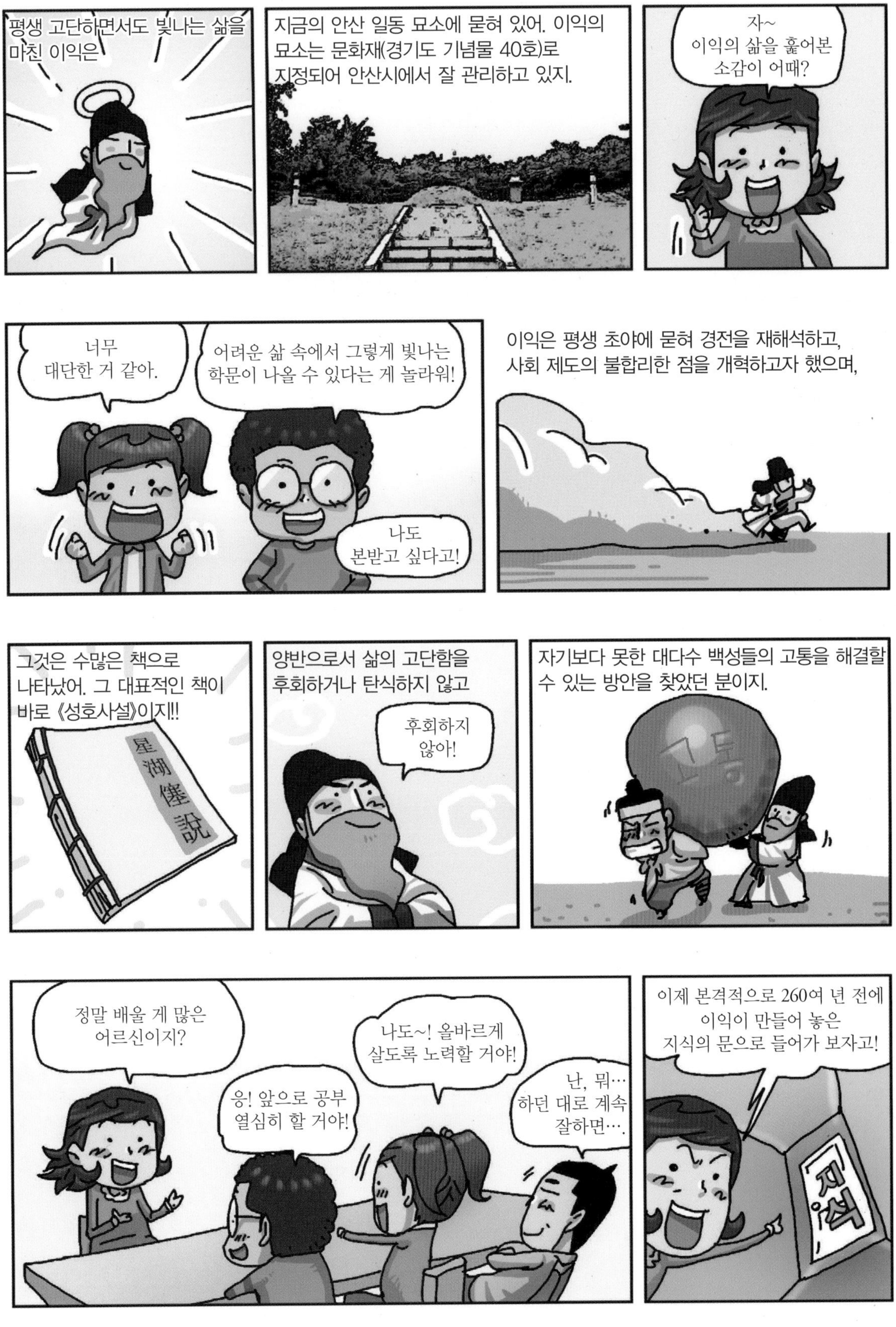
평생 고단하면서도 빛나는 삶을 마친 이익은
지금의 안산 일동 묘소에 묻혀 있어. 이익의 묘소는 문화재(경기도 기념물 40호)로 지정되어 안산시에서 잘 관리하고 있지.
자~ 이익의 삶을 훑어본 소감이 어때?
너무 대단한 거 같아.
어려운 삶 속에서 그렇게 빛나는 학문이 나올 수 있다는 게 놀라워!
나도 본받고 싶다고!
이익은 평생 초야에 묻혀 경전을 재해석하고, 사회 제도의 불합리한 점을 개혁하고자 했으며,
그것은 수많은 책으로 나타났어. 그 대표적인 책이 바로 《성호사설》이지!!
星湖僿說
양반으로서 삶의 고단함을 후회하거나 탄식하지 않고
후회하지 않아!
자기보다 못한 대다수 백성들의 고통을 해결할 수 있는 방안을 찾았던 분이지.
고통
정말 배울 게 많은 어르신이지?
응! 앞으로 공부 열심히 할 거야!
나도~! 올바르게 살도록 노력할 거야!
난, 뭐… 하던 대로 계속 잘하면….
이제 본격적으로 260여 년 전에 이익이 만들어 놓은 지식의 문으로 들어가 보자고!
지식

실학의 집대성! 다산 정약용

책벌레 소년 시절

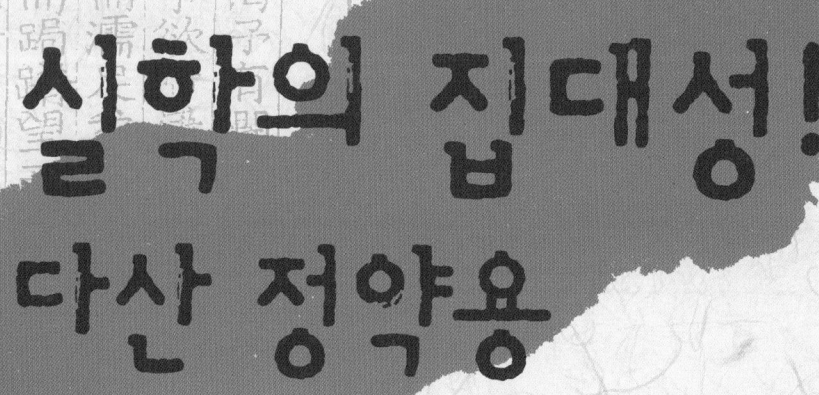

정약용은 1762년 경기도 남양주 마현리에서 진주 목사였던 정재원의 넷째 아들로 태어났습니다. 어릴 때의 이름은 귀농이었는데, 책읽기를 무척 좋아했지요. 어머니는 해남 윤씨 윤두서의 손녀로 당시 유명한 시인이었던 윤선도의 후손이었습니다. 그래서 정약용은 책이 유독 많았던 외가에 책을 빌리러 다녔어요. 정약용은 열다섯 살 때 서울로 올라온 후 이가환과 자신의 매부인 이승훈 등으로부터 실학의 선구자였던 이익의 학문을 접했습니다. 이때부터 정약용은 이익과 같은 실학자가 되고자 했고, 이익의 제자였던 이중환과 안정복의 저서를 읽기 시작했답니다.

평등을 지향한 정치 경제 개혁론

정약용은 삼십대 초까지는 아직 젊은 중앙 관료로서 학문 체계는 물론 사회 현실에 대한 경험과 인식이 깊지 못했습니다. 그러나 경기도 암행어사와 지방관 등을 지내면서 농촌 사회의 모순과 폐해를 직접 목격하고 사회 모순을 해결하기 위한 방안을 모색하며 이를 실천하고자 했죠. 정약용은 이후 기본 생산 수단인 토지 문제를 해결하는 것이 곧 사회 정치적인 문제를 해결하는 근

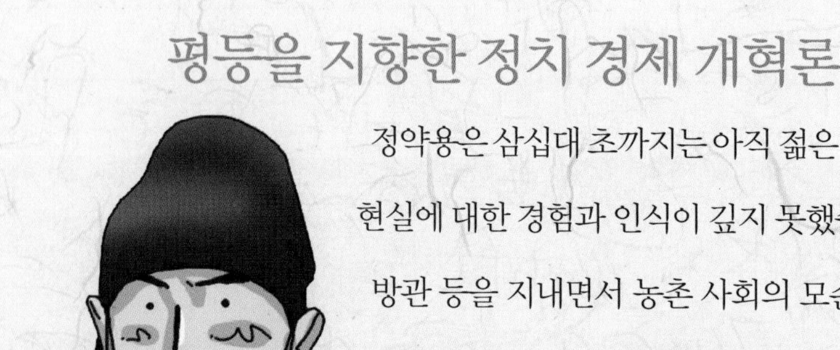

공리주의의 정신과 인간 평등에 근본을 두었던 실학자 정약용

본임을 인식하게 되었고, 당시의 농업 체제를 철저히 부정하면서 경제적으로 평등화를 지향하는 개혁론을 제기했습니다. 1799년에 저술한 《전론田論》에서 제기한 여전제는 이 같은 논리가 가장 강렬하게 반영된 것입니다. 하지만 시행의 전제가 되는 국유화에 대한 구체적인 실천 방안을 제시하지 못한 탓에 현실적으로 당장 실현할 수 없었답니다. 정약용은 《원정原政》, 《원목原牧》 같은 책에서 혁신적 정치 개혁론을 제시했지만, 이 역시 당시의 현실에서 볼 때 혁명을 수반하지 않고는 실현이 불가능한 이상론에 불과했습니다.

유배지에서 완성한 '다산학'

실학자로서 정약용의 학문과 사상은 주로 생애 후기에 해당하는 유배 생활 시기에 완성되었습니다. 그는 출중한 학식과 재능을 바탕으로 정조의 총애를 받았지만 1800년 정조가 죽은 후 정권을 장악한 벽파의 신유사옥*에 연루되었습니다. 그는 경상북도 장기로 유배되고, 그해 11월 전라남도 강진으로 다시 유배되었어요. 이 시기 정약용은 독서와 저술에 집중하여 《경세유표》, 《목민심서》, 《흠흠신서》 같은 저작을 남겼습니다. 정약용은 유배 생활에서 당시 향촌의 현실과 봉건 지배층의 횡포를 몸소 체험하여 사회의 모순과 불평등에 대해 더욱 구체적이고 정확하게 인식하게 되었습니다. 또한 유배의 처참한 현실 속에서 개혁의 대상인 사회와 학리學理를 연계하여 현실성 있는 학문, 이른바 '다산학'을 완성하게 되죠.

정약용은 다방면에 걸쳐 많은 저서를 통해 당시 조선 사회가 발전할 수 있는 전반적인 해결책을 제시했습니다. 그 사상의 근본은 사회는 모든 분야에서 모든 국민들이 생산에 참여할 수 있어야 하고, 그렇게 생산된 것을 공평하게 분배해야 한다는 것이었답니다.

***신유사옥** – 1800년 정조가 죽은 후 정권을 장악한 벽파가 남인계의 시파를 제거하기 위해 1801년 2월 천주교도들이 청나라 신부 주문모를 끌어들이고 역모를 꾀했다는 죄명을 씌운 것.

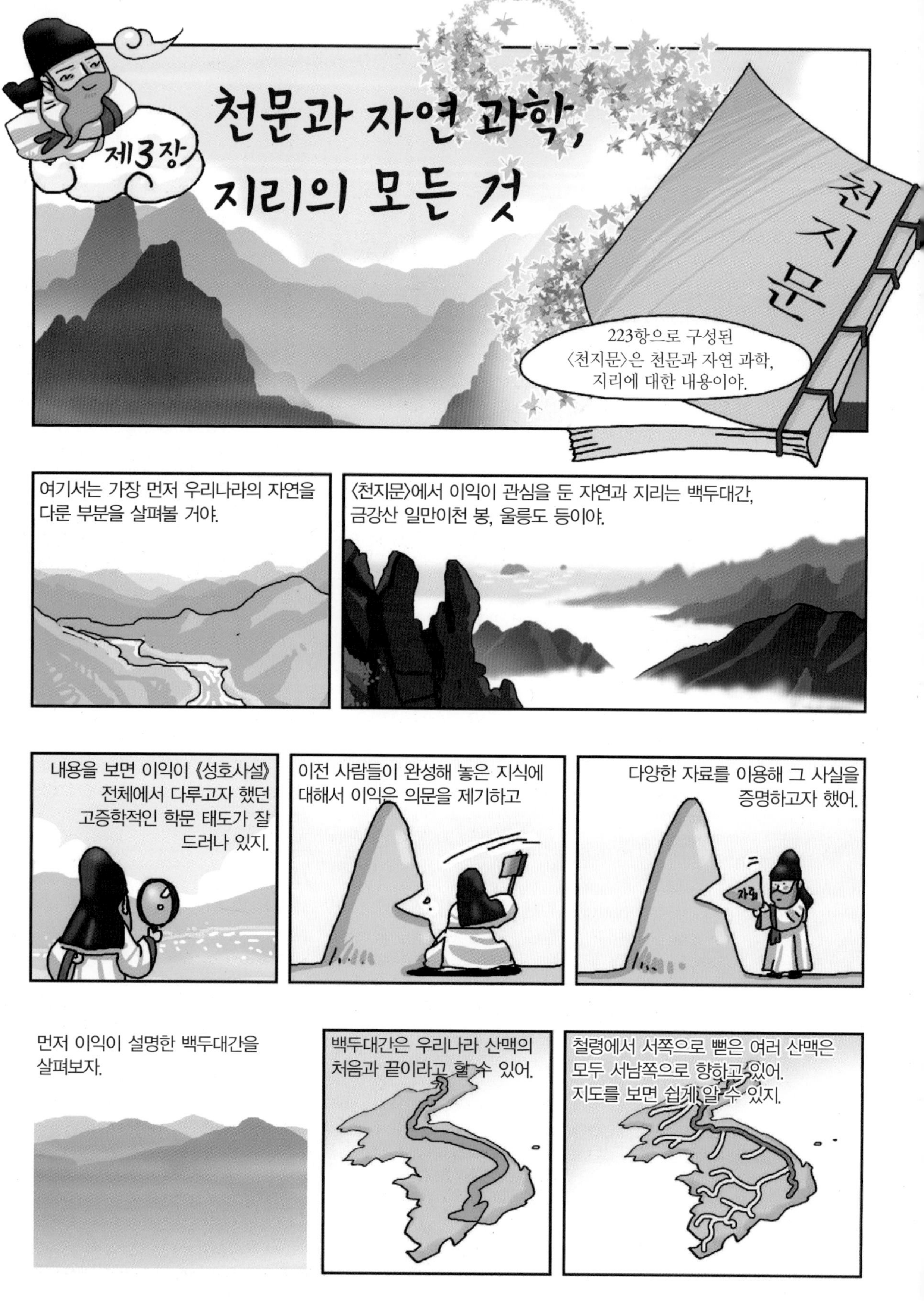
제3장
천문과 자연 과학, 지리의 모든 것
천지문
223항으로 구성된 〈천지문〉은 천문과 자연 과학, 지리에 대한 내용이야.
여기서는 가장 먼저 우리나라의 자연을 다룬 부분을 살펴볼 거야.
〈천지문〉에서 이익이 관심을 둔 자연과 지리는 백두대간, 금강산 일만이천 봉, 울릉도 등이야.
내용을 보면 이익이 《성호사설》 전체에서 다루고자 했던 고증학적인 학문 태도가 잘 드러나 있지.
이전 사람들이 완성해 놓은 지식에 대해서 이익은 의문을 제기하고
다양한 자료를 이용해 그 사실을 증명하고자 했어.
먼저 이익이 설명한 백두대간을 살펴보자.
백두대간은 우리나라 산맥의 처음과 끝이라고 할 수 있어.
철령에서 서쪽으로 뻗은 여러 산맥은 모두 서남쪽으로 향하고 있어. 지도를 보면 쉽게 알 수 있지.

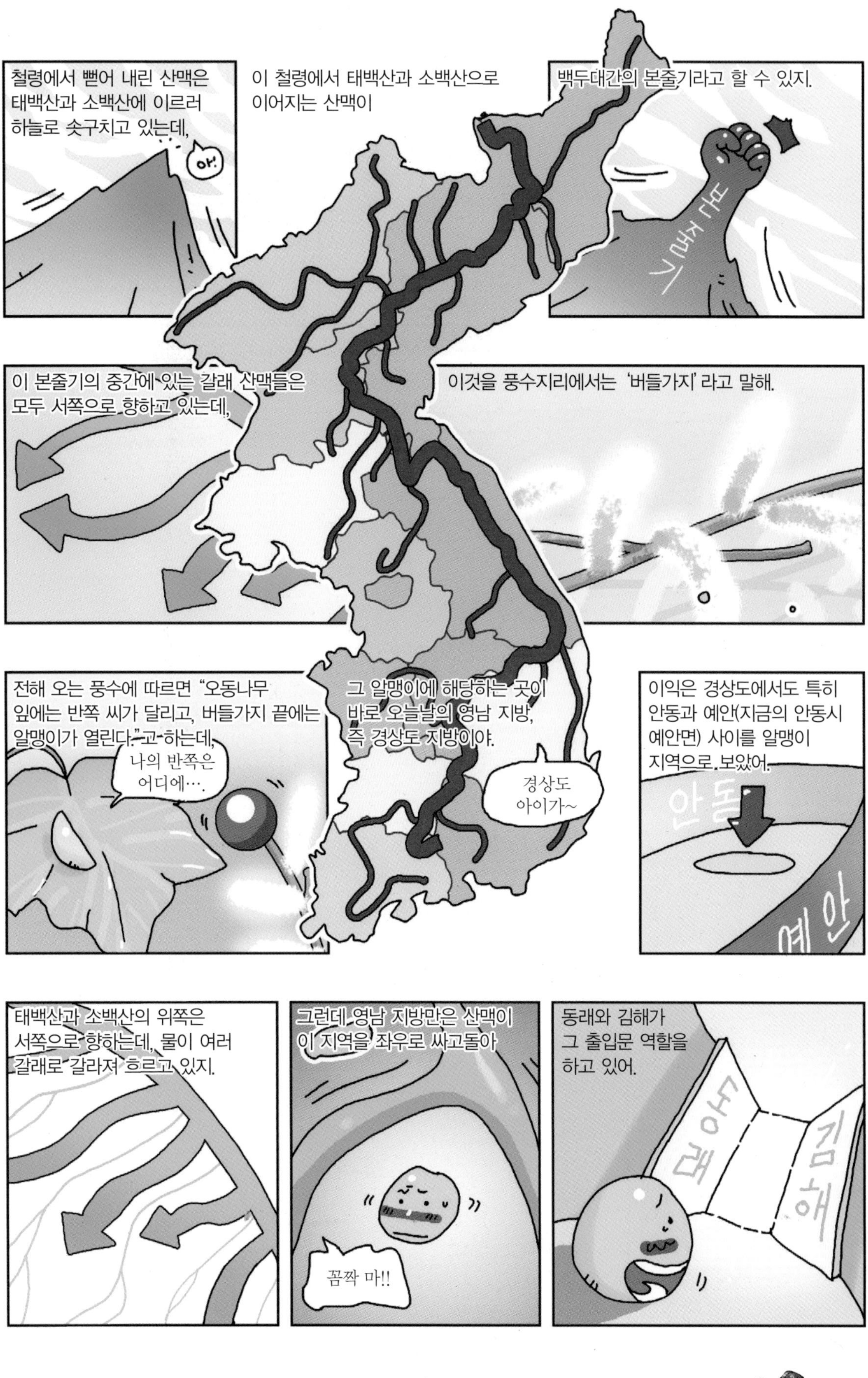

철령에서 뻗어 내린 산맥은 태백산과 소백산에 이르러 하늘로 솟구치고 있는데,
아!
이 철령에서 태백산과 소백산으로 이어지는 산맥이
백두대간의 본줄기라고 할 수 있지.
본줄기
이 본줄기의 중간에 있는 갈래 산맥들은 모두 서쪽으로 향하고 있는데,
이것을 풍수지리에서는 '버들가지' 라고 말해.
전해 오는 풍수에 따르면 "오동나무 잎에는 반쪽 씨가 달리고, 버들가지 끝에는 알맹이가 열린다."고 하는데,
나의 반쪽은 어디에….
그 알맹이에 해당하는 곳이 바로 오늘날의 영남 지방, 즉 경상도 지방이야.
경상도 아이가~
이익은 경상도에서도 특히 안동과 예안(지금의 안동시 예안면) 사이를 알맹이 지역으로 보았어.
안동
예안
태백산과 소백산의 위쪽은 서쪽으로 향하는데, 물이 여러 갈래로 갈라져 흐르고 있지.
그런데 영남 지방만은 산맥이 이 지역을 좌우로 싸고돌아
꼼짝 마!!
동래와 김해가 그 출입문 역할을 하고 있어.
동래
김해

이것은 산맥이 끝난 곳에
물이 모인 모양으로
다 모여라~

거칠고 사나운 살기가 흔적도 없이
제거된 곳으로 볼 수 있지.

즉 사람이 살기에 좋은 곳을
말하는 거야.
우리 동네
좋을시고!

왼쪽은 동해라는 큰 바다가 하나의 호수처럼 자리 잡고 있어서
백두대간과 그 처음과 끝을 같이하고 있어.

여기에서 거북, 자라, 교룡*,
물고기 등이 생산되었고, 재물이
많이 번식했어.

그렇기 때문에 이곳에서 많은
인재들이 양성될 수 있었지.
축 인재 배출

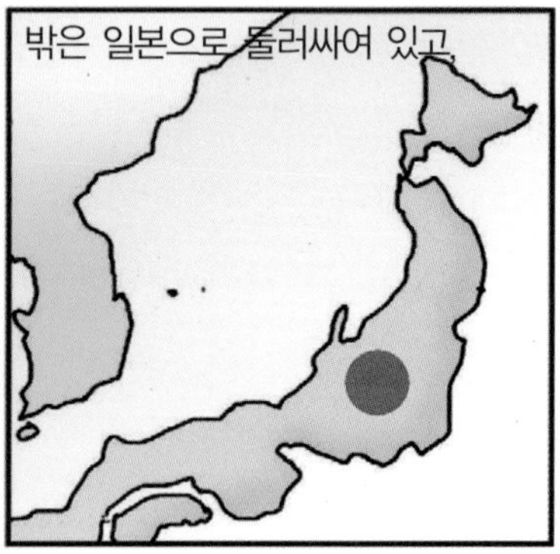
밖은 일본으로 둘러싸여 있고,

백두대간은 남쪽으로 뻗고
서쪽으로 뻗어서 물의 입구를
감싸고 있는 형태였으며,

다시 바다를 뛰어넘은 산맥이
크고 작은 섬들을 형성하고 있었어.

＊교룡 – 상상 속에 등장하는 동물의 하나이다. 모양이 뱀과 같고 몸의 길이가 한 길이 넘으며 넓적한 네 발이 있고, 가슴은 붉고 등에는 푸른 무늬가 있으며 옆구리와 배는 비단처럼 부드럽고 눈썹으로 교미하여 알을 낳는다고 한다.

오른쪽 산맥은 두류산에서 끝났는데, 그 형세가 바다를 뚫고 나온 것 같았지.
불쑥!
이 지역의 역사와 풍속에 대해 살펴보면 고려 이전까지는 미개한 문명을 떨치지 못해
오랑캐의 풍속이 남아 있었다고 해.
그런데 조선 왕조에 들어와서 중화(中華)의 풍속이 전해져 새롭게 태어나게 되었지.
응애!
중화
이익은 이 지역에서 태어난 유명한 사람들을 거론하면서
유명인을 찾아서….
가장 대표적인 사람으로 퇴계 이황을 꼽고 있어.
태백산과 소백산 밑에서 출생한 이황은 우리나라 유학계의 큰 인물로 칭송받고 있지.
소백!
응애~
태백!
그의 학문적 전통은 후손들에게 계속 이어졌고
그들에게는 공자의 가르침이 그대로 스며들어 있지.
공자 왈~
다음으로 이익은 이황과 비슷한 학문적 업적을 남긴 조식을 들고 있어.
두류산 밑에서 태어난 조식은 조선에서 의기*와 절개가 가장 뛰어난 사람으로 칭송되고 있는데,

＊의기(義氣) – 의로움.

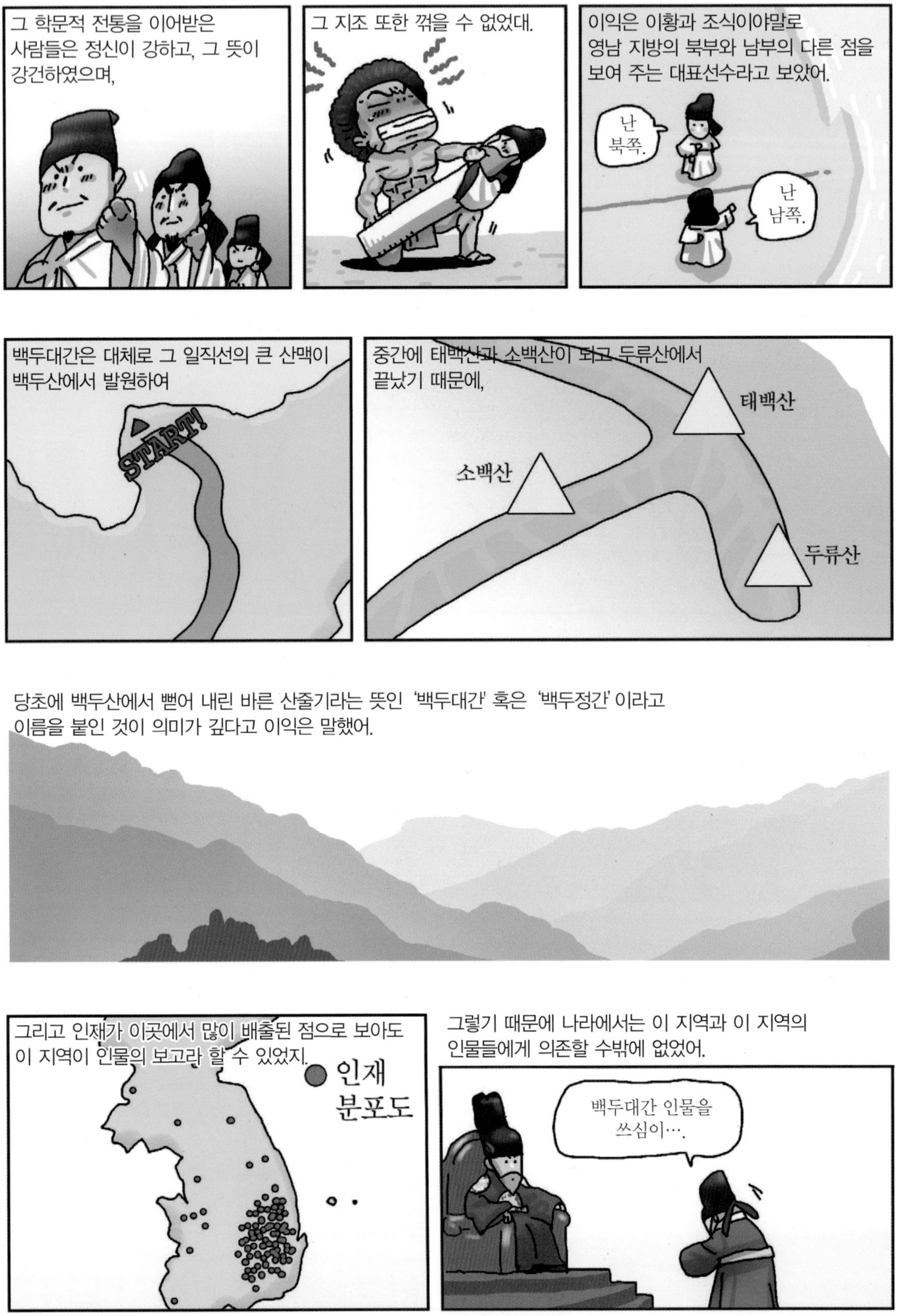
그 학문적 전통을 이어받은 사람들은 정신이 강하고, 그 뜻이 강건하였으며,
그 지조 또한 꺾을 수 없었대.
이익은 이황과 조식이야말로 영남 지방의 북부와 남부의 다른 점을 보여 주는 대표선수라고 보았어.
난 북쪽.
난 남쪽.
백두대간은 대체로 그 일직선의 큰 산맥이 백두산에서 발원하여
START!
중간에 태백산과 소백산이 되고 두류산에서 끝났기 때문에,
태백산
소백산
두류산
당초에 백두산에서 뻗어 내린 바른 산줄기라는 뜻인 '백두대간' 혹은 '백두정간'이라고 이름을 붙인 것이 의미가 깊다고 이익은 말했어.
그리고 인재가 이곳에서 많이 배출된 점으로 보아도 이 지역이 인물의 보고라 할 수 있었지.
인재 분포도
그렇기 때문에 나라에서는 이 지역과 이 지역의 인물들에게 의존할 수밖에 없었어.
백두대간 인물을 쓰심이….

예를 들어 중국의 전국 시대 때에 위나라는
여러 강대국들이 치열하게 싸우는 중에도 나라를 잘 유지할 수 있었는데,
그 이유는 많은 인재를 양성했던 덕분이었지.
삼국 시대에 자리 잡았던 가야도
백제
신라
가야
고구려와 백제가 서로 다툼을 하던 중에도
고
중간에서 오랫동안 나라를 유지했는데,
가야
이것 역시 위나라처럼 뛰어난 인재들이 많았기 때문이야.
인재
인재
이익은 〈천지문〉에서, 만약 1,000만 년의 세월이 지나고 나라가 위험해진다면
도와주세요~
지략을 가진 뛰어난 사람과 충절을 가진 사람이 이 고장에서 반드시 배출될 것이라고 말하고 있어.
인재
이익은 금강산의 일만이천 봉에 대해서도 그 연원을 밝히고 있어.

고려 말기의 학자 이곡이 지은
장안사 비문에는
"금강산의 빼어난 경치는 천하에 이름이 났을 뿐만 아니라,
실제로 불교 경전에도 기록되어 있다.
화엄경이라는 불교 경전에 동북쪽 바다 가운데 금강산이 있는데, 담무갈보살*이 일만이천 보살과 더불어 항상 지혜를 설법하였다고 했는데 바로 그곳이 금강산이다."라고 씌어 있어.
나무아비 타불~
여기에서 '일만이천'은 원래 경전에 나온 보살의 숫자인데,
1만 2천
=
보살의 숫자

*담무갈보살 – 《반야바라밀》이라는 경전을 가르치던 보살의 이름.

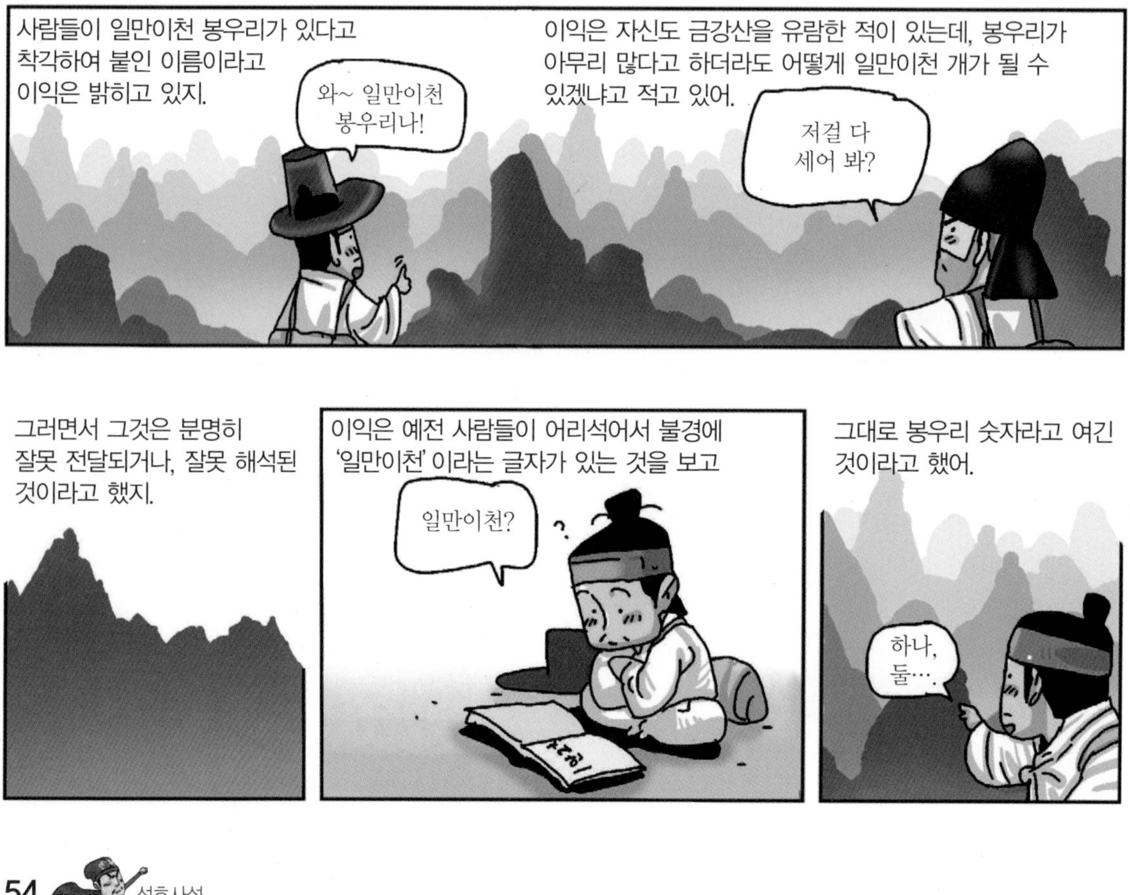
사람들이 일만이천 봉우리가 있다고 착각하여 붙인 이름이라고 이익은 밝히고 있지.
와~ 일만이천 봉우리나!
이익은 자신도 금강산을 유람한 적이 있는데, 봉우리가 아무리 많다고 하더라도 어떻게 일만이천 개가 될 수 있겠냐고 적고 있어.
저걸 다 세어 봐?
그러면서 그것은 분명히 잘못 전달되거나, 잘못 해석된 것이라고 했지.
이익은 예전 사람들이 어리석어서 불경에 '일만이천'이라는 글자가 있는 것을 보고
일만이천?
그대로 봉우리 숫자라고 여긴 것이라고 했어.
하나, 둘….

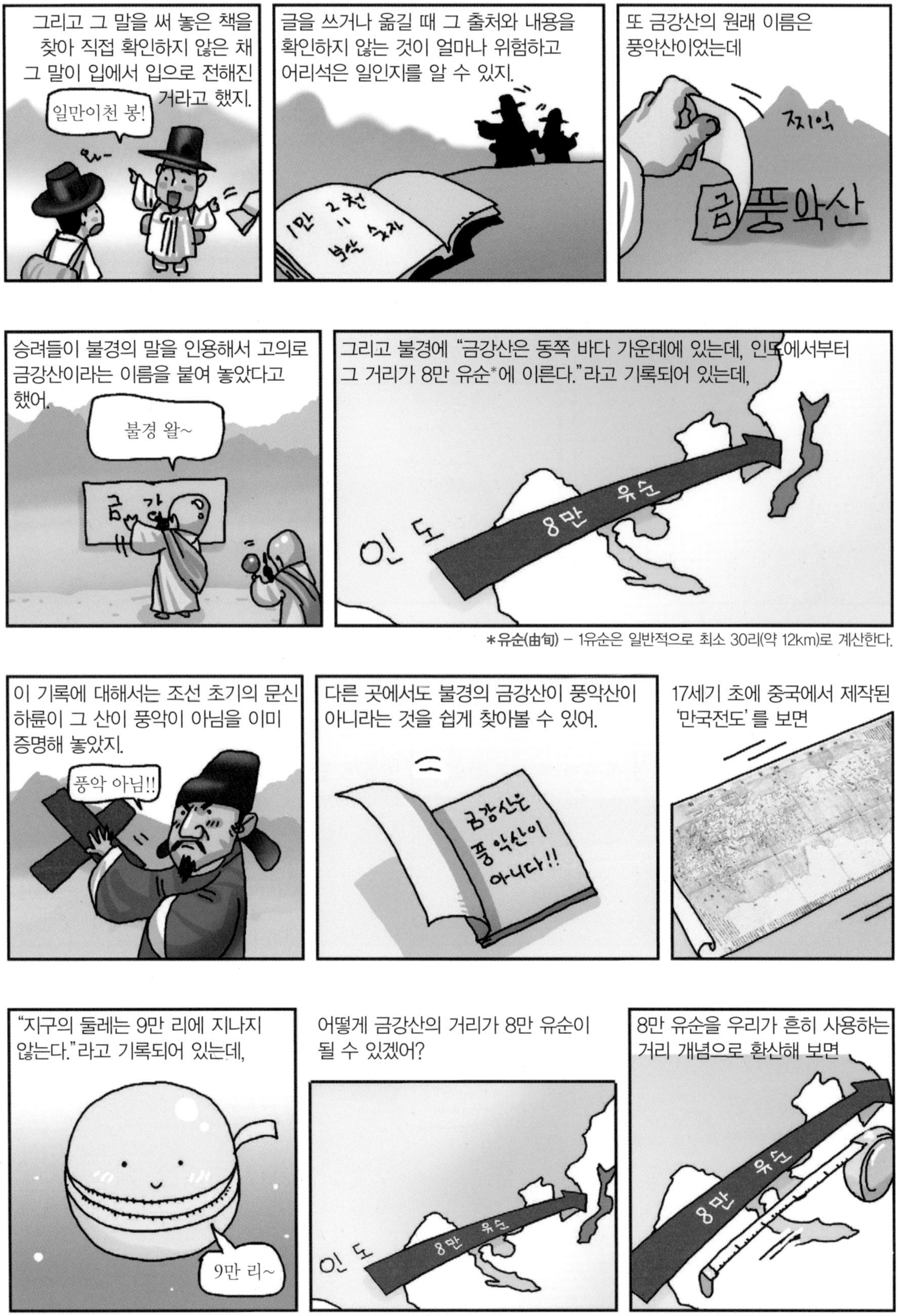
그리고 그 말을 써 놓은 책을 찾아 직접 확인하지 않은 채 그 말이 입에서 입으로 전해진 거라고 했지.
일만이천 봉!
글을 쓰거나 옮길 때 그 출처와 내용을 확인하지 않는 것이 얼마나 위험하고 어리석은 일인지를 알 수 있지.
1만 2천
봉산 숫자
또 금강산의 원래 이름은 풍악산이었는데
금 풍악산
승려들이 불경의 말을 인용해서 고의로 금강산이라는 이름을 붙여 놓았다고 했어.
불경 왈~
금강
그리고 불경에 "금강산은 동쪽 바다 가운데에 있는데, 인도에서부터 그 거리가 8만 유순*에 이른다."라고 기록되어 있는데,
인도
8만 유순
이 기록에 대해서는 조선 초기의 문신 하륜이 그 산이 풍악이 아님을 이미 증명해 놓았지.
풍악 아님!!
다른 곳에서도 불경의 금강산이 풍악산이 아니라는 것을 쉽게 찾아볼 수 있어.
금강산은 풍악산이 아니다!!
17세기 초에 중국에서 제작된 '만국전도'를 보면
"지구의 둘레는 9만 리에 지나지 않는다."라고 기록되어 있는데,
9만 리~
어떻게 금강산의 거리가 8만 유순이 될 수 있겠어?
인도
8만 유순
8만 유순을 우리가 흔히 사용하는 거리 개념으로 환산해 보면
8만 유순

*유순(由旬) – 1유순은 일반적으로 최소 30리(약 12km)로 계산한다.

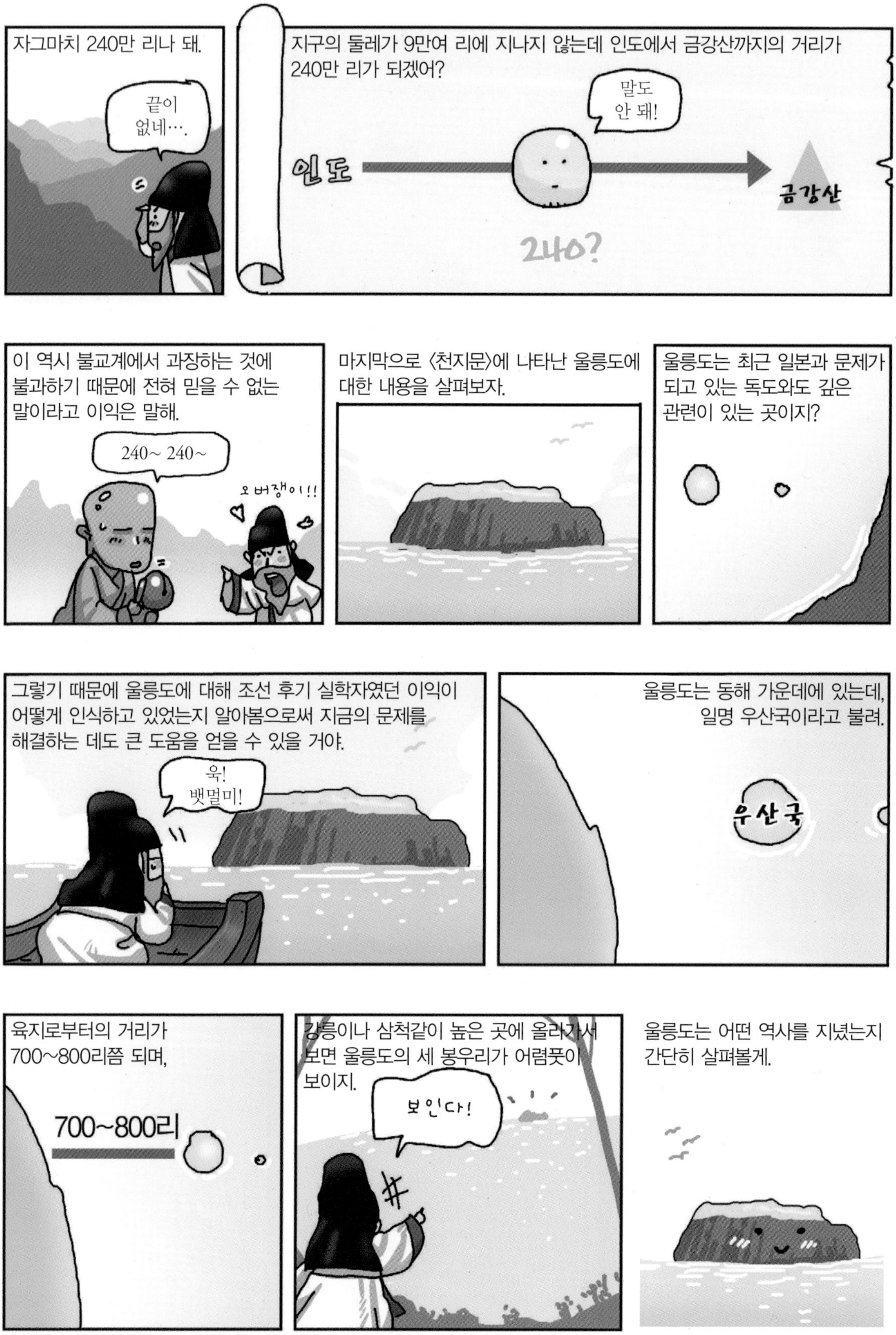
자그마치 240만 리나 돼.
끝이 없네….
지구의 둘레가 9만여 리에 지나지 않는데 인도에서 금강산까지의 거리가 240만 리가 되겠어?
말도 안 돼!
인도
금강산
240?
이 역시 불교계에서 과장하는 것에 불과하기 때문에 전혀 믿을 수 없는 말이라고 이익은 말해.
240~ 240~
오버쟁이!!
마지막으로 〈천지문〉에 나타난 울릉도에 대한 내용을 살펴보자.
울릉도는 최근 일본과 문제가 되고 있는 독도와도 깊은 관련이 있는 곳이지?
그렇기 때문에 울릉도에 대해 조선 후기 실학자였던 이익이 어떻게 인식하고 있었는지 알아봄으로써 지금의 문제를 해결하는 데도 큰 도움을 얻을 수 있을 거야.
욱! 뱃멀미!
울릉도는 동해 가운데에 있는데, 일명 우산국이라고 불려.
우산국
육지로부터의 거리가 700~800리쯤 되며,
700~800리
강릉이나 삼척같이 높은 곳에 올라가서 보면 울릉도의 세 봉우리가 어렴풋이 보이지.
보인다!
울릉도는 어떤 역사를 지녔는지 간단히 살펴볼게.

신라 지증왕 12년(511)에 울릉도 사람들은 자신들이 강하다고 믿고 신라에 복종을 하지 않았어.
메롱~
메롱~
그러자 오늘날의 강릉 지역인 하슬라 주의 군사를 책임지고 있던 장군 이사부가 울릉도를 무력으로 정복하지.
정복

여기서 잠깐. 그런데 이사부의 울릉도 정복과 관련해서 《성호사설》과 《고려사》의 기록에는 정복 시기가 511년으로 나와 있지만,
511년
《삼국사기》*와 《증보문헌비고》**의 기록에는 512년으로 기록되어 있어. 정확히 어떤 것이 맞는지는 알 수가 없어.
511?
512?
정확히 뭐야?
아! 내용을 중단해서 미안~

*《삼국사기》 – 고려 때 김부식이 펴낸 역사 책.
**《증보문헌비고》 – 조선 시대 때 상고로부터 대한제국 말기까지의 문물제도를 분류하여 정리한 책.

이후에 고려 초에는 울릉도 사람들이 울릉도 지방의 특산물을 가지고 와서 고려의 왕에게 바쳤다는 기록이 있어.
의종 11년(1157)에는 김유립이라는 사람을 울릉도에 보내서 탐사를 시켰지.
탐사 내용을 보면 산마루에서 바다까지 동쪽으로는 1만여 보,
1만…

서쪽으로는 1만 3,000여 보,
서쪽
남쪽으로는 1만 5,000여 보,
남쪽
북쪽으로는 8,000여 보에 이르렀다고 해.
북쪽

또 예전에 마을이 있던 빈 터가 일곱 군데가 있었고
석불, 철종, 석탑이 있었으며
땅에 바위가 많아서
사람이 살 수 없었다고 기록되어 있어.
이 보고를 보면 그 당시에 울릉도는 벌써 아무도 살지 않는 땅이었음을 알 수 있겠지?
무인도
이후에 조선 왕조에 이르러 울릉도에는 육지에서 도망친 사람들이 들어가서 살게 되었어.
그래서 태종과 세종 때에 울릉도에 군사를 보내 샅샅이 수색하고 그들을 모두 잡아왔다는 기록이 있지.
찾았다!
실학자 이수광이 지은 《지봉유설》에는 다음과 같은 기록이 있어.
지봉유설
이수광
"울릉도는 임진왜란 뒤에 왜적에게 노략질을 당하여 다시 사람의 발길이 끊어지게 되었다. 근래 들으니 왜적이 의죽도(議竹島)를 점거했다고 하는데, 어떤 사람들은 의죽도가 바로 울릉도라고 한다."
후에 조선 시대 어부였던 안용복이 국경을 넘어 침범한 일로
금 넘었다!
일본

일본 사람이 조선에 와서 위에 있는 《지봉유설》의 기록과

조선 정부의 예조에서 회답한 문건 가운데 "귀국은 죽도(竹島)를 경계로 한다."는 말을 증거로 삼아서 항의하는 일이 벌어지게 되었지.

죽도를 경계로 한다!

이에 조선 정부에서는 장한상이라는 장군을 울릉도로 보내 살피게 하였는데,

그의 보고서는 다음과 같았어.
"울릉도는 남북이 70리, 동서가 60리입니다. 이 섬에는 동백나무, 붉은 박달나무, 측백나무, 황벽나무, 홰나무, 유자나무, 뽕나무, 느릅나무 등이 있고 복숭아나무, 오얏나무, 소나무, 상수리나무 등은 없었습니다.

새는 까마귀, 까치가 있고 짐승은 고양이, 쥐가 있었습니다.

깍
깍

물고기로는 가지어*가 있는데 이 물고기는 바위틈에 숨어 살며, 비늘은 없고 꼬리는 있으며,

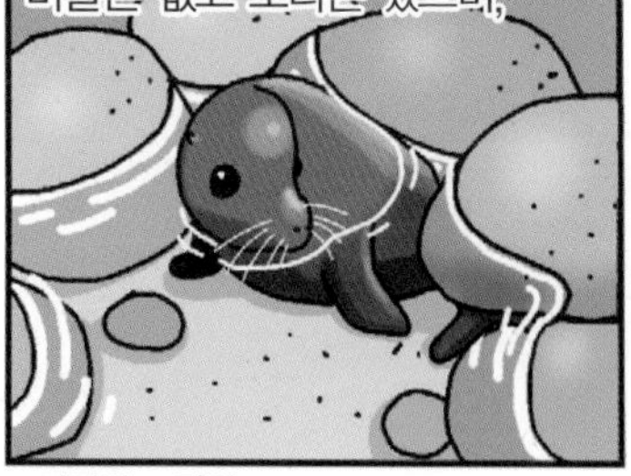

몸통에는 네 개의 다리가 있는데 뒷다리가 매우 짧아 육지에서는 잘 달리지 못하지만 물에서는 나는 듯이 빠르고,

소리는 어린아이의 울음소리와 같으며, 그 기름은 호롱불을 피우는 데 사용할 수 있습니다."

응애예요~

*가지어 – 강치

장군 장한상의 보고서는 일본의 항의와는 상관없는 내용이었지.

이런…
쓰잘데기 없는….

조선 정부는 일본과 이 문제를 가지고 장황한 말을 주고받으며 겨우 무마시킬 수 있었어.

이익은 이 일로 일본과 담판하기가 정말로 어려웠는지 의문이 든다면서

자신이 당시에 조선 정부에 있었다면 일본에게 이렇게 말했을
거라고 적고 있어.

울릉도가 신라에 예속된 것은 지증왕 때부터이다. 당시 귀국은 계체 6년(512)이었는데, 당신들의 덕이 멀리까지 미쳤다는 얘기를 들어 본 적이 없다. 역사책에서 살펴볼 만한 특별한 기록이 그대들에게는 있는가?
"고려 시대에 이르러 그 지방 특산물을 바친 적이 있다거나 그 섬을 비운 일이 있다거나 하는 기록들이 역사책에 계속되어 기록돼 왔는데, 1,000여 년을 내려온 오늘에 와서 무슨 이유로 갑자기 이 분쟁을 일으키는가?
독도는 우리 땅
울릉도라고 하든 의죽도라고 하든 어느 명칭을 쓰든지 간에, 울릉도가 우리 조선에 속한 섬이라는 사실은 너무도 명백하다.
그리고 그 부근의 여러 섬도 울릉도에 복속된 섬이다. 이 섬은 당신들 나라와 멀리 떨어져 있다.
그런데 당시 울릉도가 처한 특별한 상황에서 몰래 점거했으니 부끄러워해야 할 일이 아닌가?
부끄럽게 생각하긴 해….
어찌 자랑스럽게 말하는가? 가령 중간에 당신들이 함부로 탈취했더라도 조선과 일본이 신의로 평화를 약속한 뒤에는 예전의 영토를 서둘러 돌려주어야 하지 않은가?
조선 땅!
하물며 귀국의 영역에 속한다는 기록이 전혀 없는데, 말해 무엇하겠는가? 이 섬이 조선의 땅이었으니, 조선 사람들이 물고기를 잡기 위해 왔다 갔다 하는 것은 당연한 일이다. 당신들 나라에서 관여할 일이 전혀 아니다."
상관 마!
진짜 조선 땅….
어기야 디야~
기록 무

만약에 이렇게 말했다면, 일본이 아무리 교활한 꾀를 잘 부릴지라도 다시는 울릉도가 자기들 땅이라고 말할 수 없었을 것 같아.
웅!
그러면 안용복 사건이 도대체 어떤 사건이었기에 조선과 일본이 이를 두고 서로 싸웠을까?
독도!
원래 안용복은 동래부 전투선의 노를 젓는 병사였고,
영차~
영차~
당시 일본인들이 거주했던 왜관에 출입을 하면서 일본어에 능숙했다고 해.
하지메 마시따~
그러던 중 숙종 19년(1693) 여름에 그가 타고 있던 배가 풍랑에 밀려 울릉도로 떠내려갔는데,
툭
그때 일본의 배 일곱 척이 먼저 와 있었고, 표류해서 울릉도에 도착한 안용복 일행과 분쟁이 일어나게 되었어.
일본인들은 화가 나서 안용복을 잡아 오랑도라는 섬으로 끌고 가 감옥에 가두었어.
그런데 그곳에서 안용복은 오랑도의 도주에게 당당히 따져 물었다고 해.
울릉도, 우산도*는 원래 조선에 속한 섬이오.

*우산도 – 우산도는 울릉도의 다른 이름이라고도 하지만, 《성호사설》에서 이익은 다른 섬으로 쓰고 있다.

조선은 가깝고 일본은 멀리 떨어져 있는데, 왜 나를 잡아 가두고 보내 주지 않는 것이오?
그랬더니 오랑도 도주는 안용복을 백기주도(伯耆州島)라는 다른 섬으로 넘겨 버렸어.
이럴 수가!
그런데 백기주도의 도주는 오랑도 도주와는 달리

안용복을 손님을 대접하는 예로 대했고,
많은 은을 주었어.
안용복도 이를 거절하지 않고 받았지. 도주와 안용복은 이런 말을 주고 받았대.
당신이 바라는 것이 무엇이오?
안용복은 그간에 일어났던 일을 상세히 설명한 뒤 말했어.
서로 침략을 금지하고 이웃 나라끼리 친선을 두텁게 함이 나의 소원이오.
백기주도의 도주는 자초지종을 다 들어 본 후
안용복의 말에 동의하여 일본 중앙의 에도 막부에 그 같은 내용을 보고했어.
에도 막부는 안용복을 돌려보낼 것을 명했고,
석방!
여기에 더해 더 이상 울릉도에 일본인이 침략해서는 안 된다는 내용의 외교 문서까지 발급해 주었지.
그런데 안용복이 조선으로 돌아가는 도중 장기도라는 섬에 이르렀을 때
장기도
이 섬의 도주가 대마도와 미리 짜고, 울릉도의 침략을 금지하는 내용의 문서를 빼앗고
안용복을 대마도로 납치하게 되었지.
말도 안 돼!
대마도 도주는 안용복을 강제로 구금하고 중앙의 에도 막부에 보고했어.
안용복을 잡았습니다.

에도 막부는 이번에도 문서를 다시 발급해 주면서 안용복을 조선으로 보내라고 명했지만,
다시 보내!!
대마도 도주는 문서를 다시 강제로 빼앗고 50일 동안이나 안용복을 구금한 뒤 조선 동래부의 왜관으로 보냈고,
왜관에서 다시 40일을 가두었다가 동래부로 보냈어.
동래부
안용복이 동래부로 돌아와 그동안 있었던 사실을 모두 말했는데,
동래부사는 이러한 조선과 일본 사이의 중요한 문제를 중앙에 보고하지 않고
입 싹~
오히려 다른 나라의 국경을 침범했다는 이유로 안용복에게 2년형을 선고했지.
2년간 옥살이!
1695년 여름에 안용복은 너무나 억울하여
떠돌이 승려 다섯 명과 뱃사공 넷을 데리고 다시 울릉도로 향했어.
때마침 조선의 배 세 척이 먼저 와 고기를 잡고 대나무를 베고 있었는데,
일본 배도 그때 막 울릉도에 도착했어.
안용복은 여러 사람들에게 일본인들을 잡을 것을 명령했는데, 다른 사람들이 무서워서 그의 말을 따르지 않았다고 해.
잡아라!

그러나 일본인들은 오히려
우리들은 송도*라는 섬에서 고기잡이를 하다가 우연히 이곳에 들르게 된 것뿐이다.
아무런 의도가 없다면서 스스로 물러갔어.
안용복은 다음날
송도도 원래 우리 우산도에 속한 섬이다!
우산도로 그들을 따라갔고, 일본인들은 도망갔지.
거기 서!!
안용복은 여기서 그치지 않고 그들을 따라 옥기도라는 섬까지 갔다가
옥기도
마침내 그가 예전에 잡혀 있었던 백기주도까지 따라가게 되었어.
오~ 백기주도~
백기주도
백기주도의 도주는 전과 같이 안용복을 융숭하게 대접했어.
방가~ 방가~
안용복은 자신을 울릉도에서 범인을 수색하여 체포하는 장수인 수포장이라고 말하고
오~
수포장
도주와 동등하게 마주하였어.
그리고 도주에게 벌어진 일에 대해 자세히 말한 뒤 대마도 도주의 비리를 알려 주었지.
우리나라에서는 해마다 쌀은 한 석에 반드시 15말씩….

*송도 – 독도.

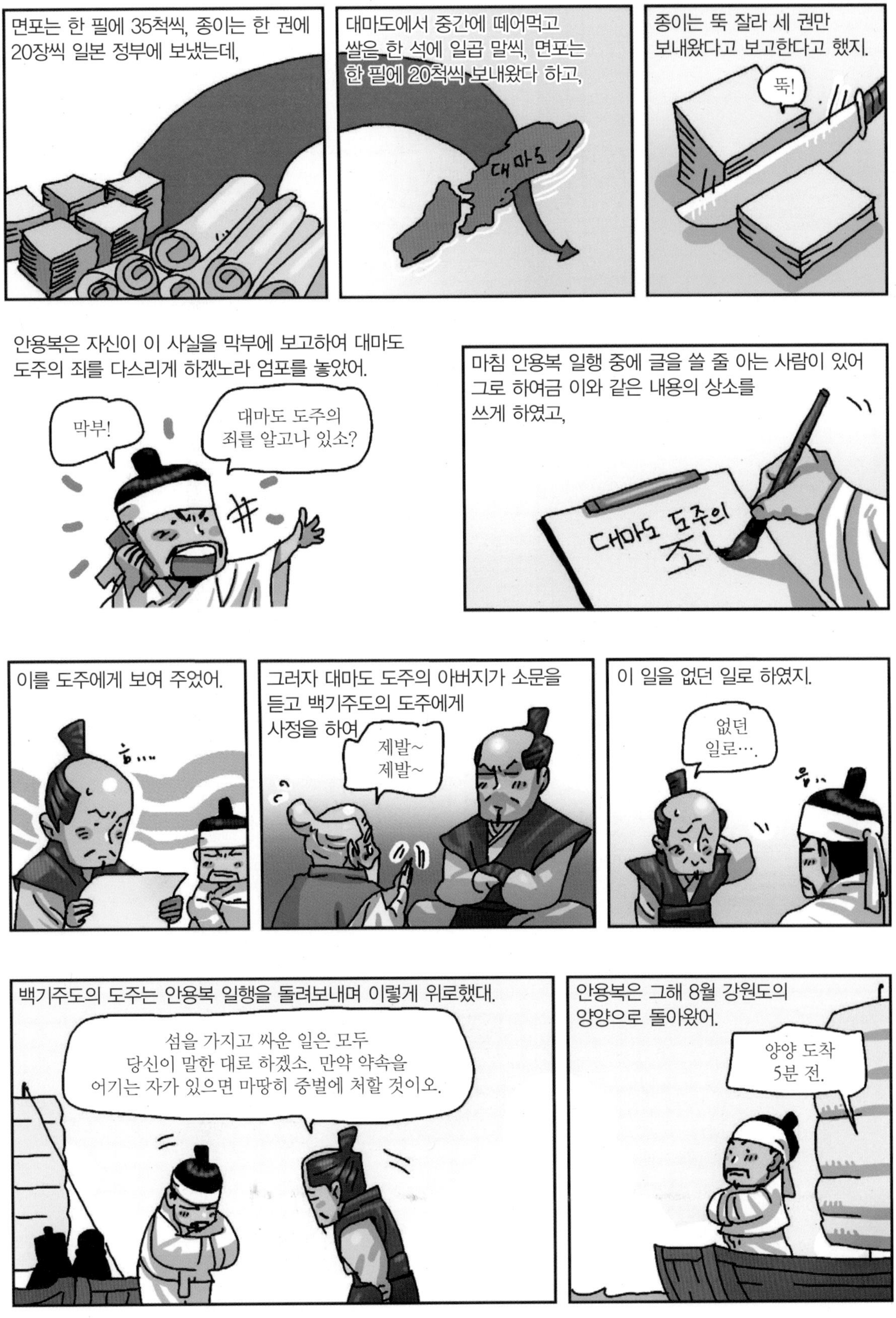
면포는 한 필에 35척씩, 종이는 한 권에 20장씩 일본 정부에 보냈는데,
대마도
대마도에서 중간에 떼어먹고 쌀은 한 석에 일곱 말씩, 면포는 한 필에 20척씩 보내왔다 하고,
종이는 뚝 잘라 세 권만 보내왔다고 보고한다고 했지.
뚝!
안용복은 자신이 이 사실을 막부에 보고하여 대마도 도주의 죄를 다스리게 하겠노라 엄포를 놓았어.
막부!
대마도 도주의 죄를 알고나 있소?
마침 안용복 일행 중에 글을 쓸 줄 아는 사람이 있어 그로 하여금 이와 같은 내용의 상소를 쓰게 하였고,
대마도 도주의 죄
이를 도주에게 보여 주었어.
그러자 대마도 도주의 아버지가 소문을 듣고 백기주도의 도주에게 사정을 하여
제발~ 제발~
이 일을 없던 일로 하였지.
없던 일로….
백기주도의 도주는 안용복 일행을 돌려보내며 이렇게 위로했대.
섬을 가지고 싸운 일은 모두 당신이 말한 대로 하겠소. 만약 약속을 어기는 자가 있으면 마땅히 중벌에 처할 것이오.
안용복은 그해 8월 강원도의 양양으로 돌아왔어.
양양 도착 5분 전.

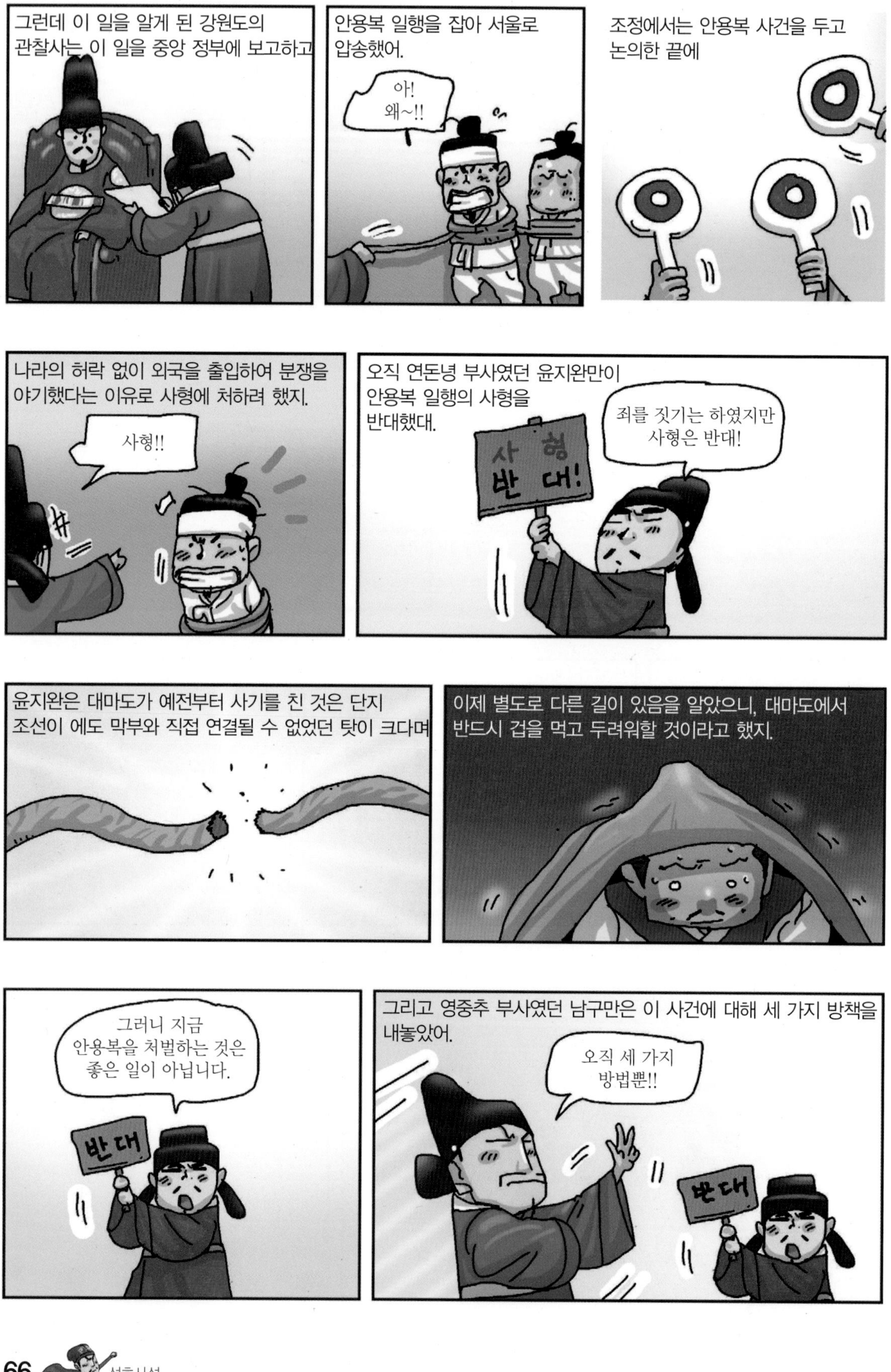
그런데 이 일을 알게 된 강원도의
관찰사는 이 일을 중앙 정부에 보고하고
안용복 일행을 잡아 서울로
압송했어.
아!
왜~!!
조정에서는 안용복 사건을 두고
논의한 끝에
나라의 허락 없이 외국을 출입하여 분쟁을
야기했다는 이유로 사형에 처하려 했지.
사형!!
오직 연돈녕 부사였던 윤지완만이
안용복 일행의 사형을
반대했대.
죄를 짓기는 하였지만
사형은 반대!
사형
반대!
윤지완은 대마도가 예전부터 사기를 친 것은 단지
조선이 에도 막부와 직접 연결될 수 없었던 탓이 크다며
이제 별도로 다른 길이 있음을 알았으니, 대마도에서
반드시 겁을 먹고 두려워할 것이라고 했지.
그러니 지금
안용복을 처벌하는 것은
좋은 일이 아닙니다.
반대
그리고 영중추 부사였던 남구만은 이 사건에 대해 세 가지 방책을
내놓았어.
오직 세 가지
방법뿐!!
반대

첫째, 안용복 덕분에 대마도가 조선 정부를 속여 온 것을 알게 되었으니 안용복의 죄를 판결하기에 앞서
국제 분쟁을 일으킨 죄!
울릉도를 둘러싼 분쟁에 대해 이번 기회에 분명히 따져야 한다고 하였어.
그러면서 에도 막부에 조선의 사신을 보내
대마도
그간 대마도의 사기에 대해 직접 알아보겠다는 의사를 전달하면
냄새가 나….
대마도 도주는 분명히 두려워하여 그간의 죄를 자백할 것이라고 하였어. 그는 이 방법이 가장 좋다고 했지.
사기 죄…
잘못했써요~
둘째, 그게 어렵다면 동래부를 통해 대마도에 서신을 보내되, 먼저 안용복이 마음대로 글을 올린 죄를 말하고 나서
대마도에서 죽도를 자기네 땅이라고 거짓말한 것과
우리 땅!!
공문을 빼앗은 잘못을 따진 뒤,
회답을 기다려야 한다고 했지.
언제 오려나~
그리고 여기에는 안용복에게 죄를 물을 생각이 없다는 사실을 분명히 해야 한다고 했어. 이것이 둘째로 좋은 방법이라고 했지.
무죄!!

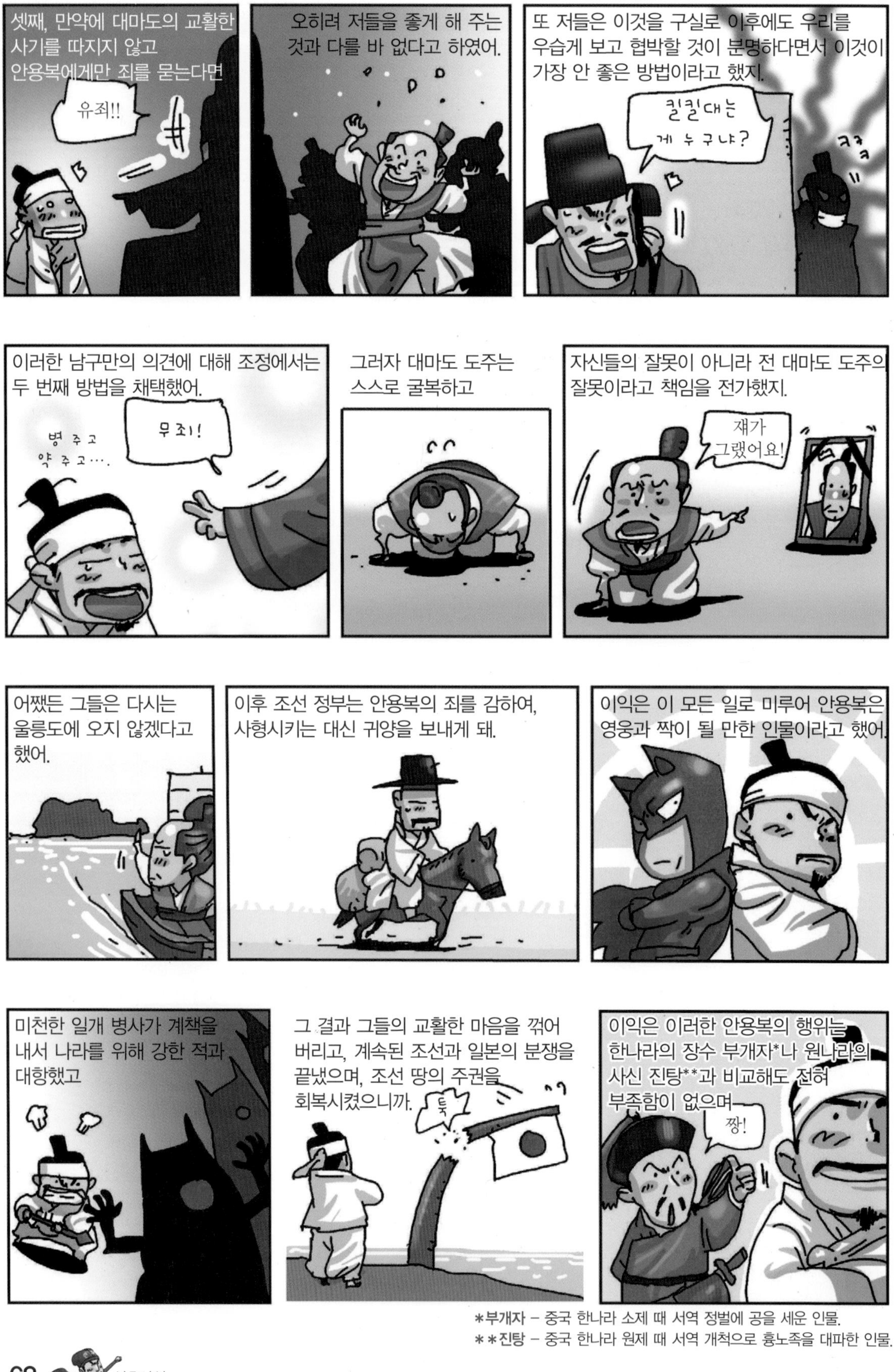
셋째, 만약에 대마도의 교활한 사기를 따지지 않고 안용복에게만 죄를 묻는다면
유죄!!
오히려 저들을 좋게 해 주는 것과 다를 바 없다고 하였어.
또 저들은 이것을 구실로 이후에도 우리를 우습게 보고 협박할 것이 분명하다면서 이것이 가장 안 좋은 방법이라고 했지.
킬킬대는 게 누구냐?
ㅋㅋ
이러한 남구만의 의견에 대해 조정에서는 두 번째 방법을 채택했어.
병 주고 약 주고….
무죄!
그러자 대마도 도주는 스스로 굴복하고
자신들의 잘못이 아니라 전 대마도 도주의 잘못이라고 책임을 전가했지.
재가 그랬어요!
어쨌든 그들은 다시는 울릉도에 오지 않겠다고 했어.
이후 조선 정부는 안용복의 죄를 감하여, 사형시키는 대신 귀양을 보내게 돼.
이익은 이 모든 일로 미루어 안용복은 영웅과 짝이 될 만한 인물이라고 했어.
미천한 일개 병사가 계책을 내서 나라를 위해 강한 적과 대항했고
그 결과 그들의 교활한 마음을 꺾어 버리고, 계속된 조선과 일본의 분쟁을 끝냈으며, 조선 땅의 주권을 회복시켰으니까.
톡
이익은 이러한 안용복의 행위는 한나라의 장수 부개자*나 원나라의 사신 진탕**과 비교해도 전혀 부족함이 없으며
짱!

*부개자 – 중국 한나라 소제 때 서역 정벌에 공을 세운 인물.
**진탕 – 중국 한나라 원제 때 서역 개척으로 흉노족을 대파한 인물.

걸출한 자가 아니면 결코 할 수 없는 일이라고 했어.
우뚝!
그런데 정부에서는 그런 그에게 상을 주기는커녕 귀양을 보내 그의 훌륭한 기상을 꺾어 버렸으니 참으로 애통한 일이지.
슬픔을 안고 나는 떠나리….
이익은 울릉도가 척박한 땅이므로 쓸데없다고 생각할 수 있지만 대마도를 염두에 두어야 한다고 했어.
대마도 역시 농지가 없는 곳이지만 일본인들의 소굴이 되어 계속 골칫거리가 되어 왔지.
아우~ 머리야….
이익은 만약 울릉도를 저들에게 빼앗기면 또 하나의 대마도가 늘어나는 것과 다를 바 없으니
이는 앞으로 더 큰 문제가 될 것이 뻔하다고 했어.
이렇게 본다면, 안용복의 공적은 한 시대를 넘어서고 있지.
사뿐~
이익은 안용복을 송나라 장순왕의 화원을 관리하던 노졸과 비교하고 있어.
호걸?
장사꾼!
후대 사람들이 그 노졸을 호걸이라 일컫지만, 그는 일개 장사꾼에 불과했다면서
국가
공
국가가 어려울 때 안용복과 같은 사람을 병사로 발탁해 장수로 등용한다면, 그가 어찌 이 정도의 공적에 머무르겠냐고 말했지.

독도는 우리 땅!!

독도가 자기네 땅이라고?

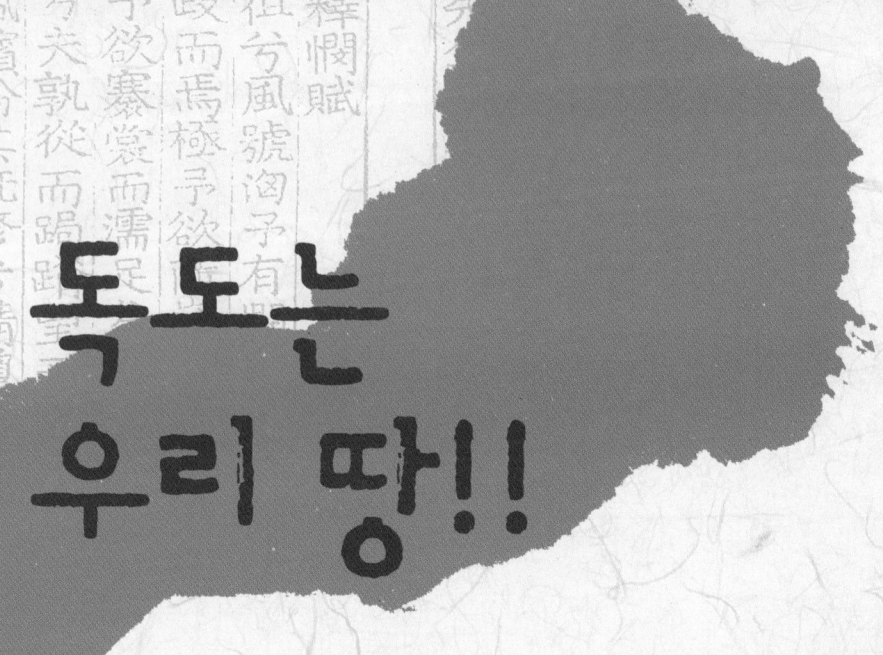

"울릉도 동남쪽 뱃길 따라 이백 리…"로 시작하는 노래 〈독도는 우리 땅〉은 남녀노소가 익히 아는 노래입니다. 이 노래는 유행가이긴 하지만, 우리는 이 노래를 부를 때 독도가 우리 땅이라는 사실을 새삼 떠올리며 노랫말을 새기곤 합니다. 이웃나라 일본이 독도를 일본의 영토라고 주장하고, 심지어는 자신들의 교과서에도 그 왜곡된 사실을 실으려고 하는 그릇된 현실이 지금도 공공연히 벌어지고 있기 때문이지요. 독도는 역사적으로 줄곧 우리나라의 영토였습니다. 그런데 일본은 어째서 자기들 땅이라고 억지 주장을 펴는 것일까요? 일본은 청일전쟁에서 승리하고 1905년 러일전쟁마저 승리하면서 독도를 '다케시마'라 이름 붙여 자신들의 영토에 강제로 편입시켰습니다. 이를 근거로 국제법상 독도가 일본 땅이라고 주장하고 있는 것이지요.

명백한 증거 문헌들

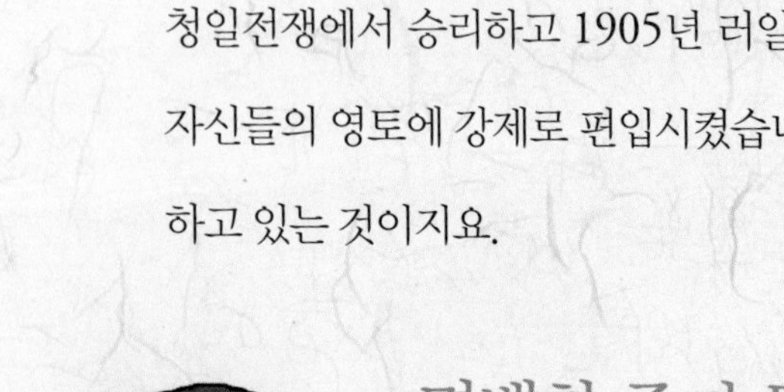

우리나라와 일본의 독도 영유권 분쟁은 역사적으로 상당히 오래되었습니다. 특히 독도가 동해에서 매우 중요한 지정학적 위치를 차지할 뿐만 아니라, 한류와 난류가 만나 황금

서도가 보이는 동도의 선착장.
서도는 사람의 출입이 금지되어 있다.

어장을 형성하는 까닭에 우리 어민들과 일본 어민들 사이의 충돌이 잦았던 곳입니다. 하지만 역사적으로 독도가 우리의 영토라는 사실은 분명합니다.

《삼국사기》에 512년 울릉도와 우산국(독도)이 신라에 편입되었다는 기록이 있고, 또 《고려사절요》에도 울릉도와 독도를 지방 관제에 편입시키고 백성들을 이주해야 한다는 논의가 기록되어 있습니다. 또 세종 때 편찬된 지리서 《세종실록지리지》에도 분명히 독도가 우리 영토로 표시되어 있고, 《신증국동국여지승람》에도 독도에 대한 자세한 설명이 나타나 있죠. 이 책 《성호사설》의 안용복 관련 이야기에서도 드러났듯이, 과거엔 일본도 독도를 우리 영토로 인정하고 있었답니다. 우리나라가 일본에 강제로 병합되기 전까지는 그들도 독도를 우리 영토로 분명히 여기고 있었던 것이지요.

우리나라의 자료뿐만 아니라 다른 나라들의 역사서나 지리서에도 독도는 우리 영토로 표기되어 있습니다. 해방 이후 연합국에서 만든 맥아더 라인에도 분명히 독도와 울릉도는 우리의 영토로 표기되어 있고, 특히 일본에서 스스로 가장 권위 있다고 하는 육지측량부에서 발행한 1936년 지도에서도 울릉도와 죽도(독도)가 우리 영토로 표시되어 있습니다. 1883년부터 발행한 일본 해군의 수로지에서도 독도는 1952년, 즉 일본이 외교적으로 독도 문제를 거론하기 이전까지는 항상 우리나라의 영토로 표시되어 있었답니다.

일본의 독도 영유권 주장은 1952년 이래 우리나라를 계속 괴롭혀 왔습니다. 우리는 독도 문제에 대해 감정적으로 대응하지 말고 국제적인 시각으로 접근하여 우리의 논리를 정당화시키고 국제사회를 설득해 나가야 할 것입니다. 그러기 위해선 국제적인 홍보도 게을리해서는 안 되겠죠?

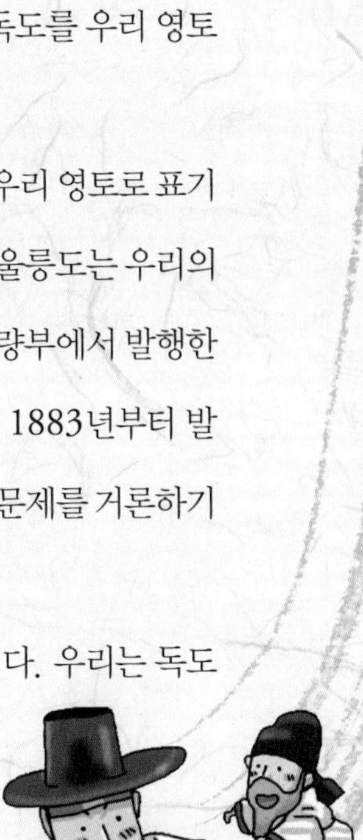

제4장 물의 발원과 이용법

〈천지문〉에는 물과 관련된 자연현상과 물을 이용하는 법이 자세히 나와 있어.
이익은 무지개, 비, 서리 등과 같이 물과 관련된 자연현상에 대한 당시의 일반적인 생각에 의문을 품었고,
?
그런 의문들에 대한 답을 찾기 시작했어.
답!
답!
더 나아가 이러한 물을 이용하는 방법에 대해서도 큰 관심을 가졌지.
어떻게 이용할 것인가….
그럼, 다시 이익과 대화를 시작해 볼까?
흠! 흠!

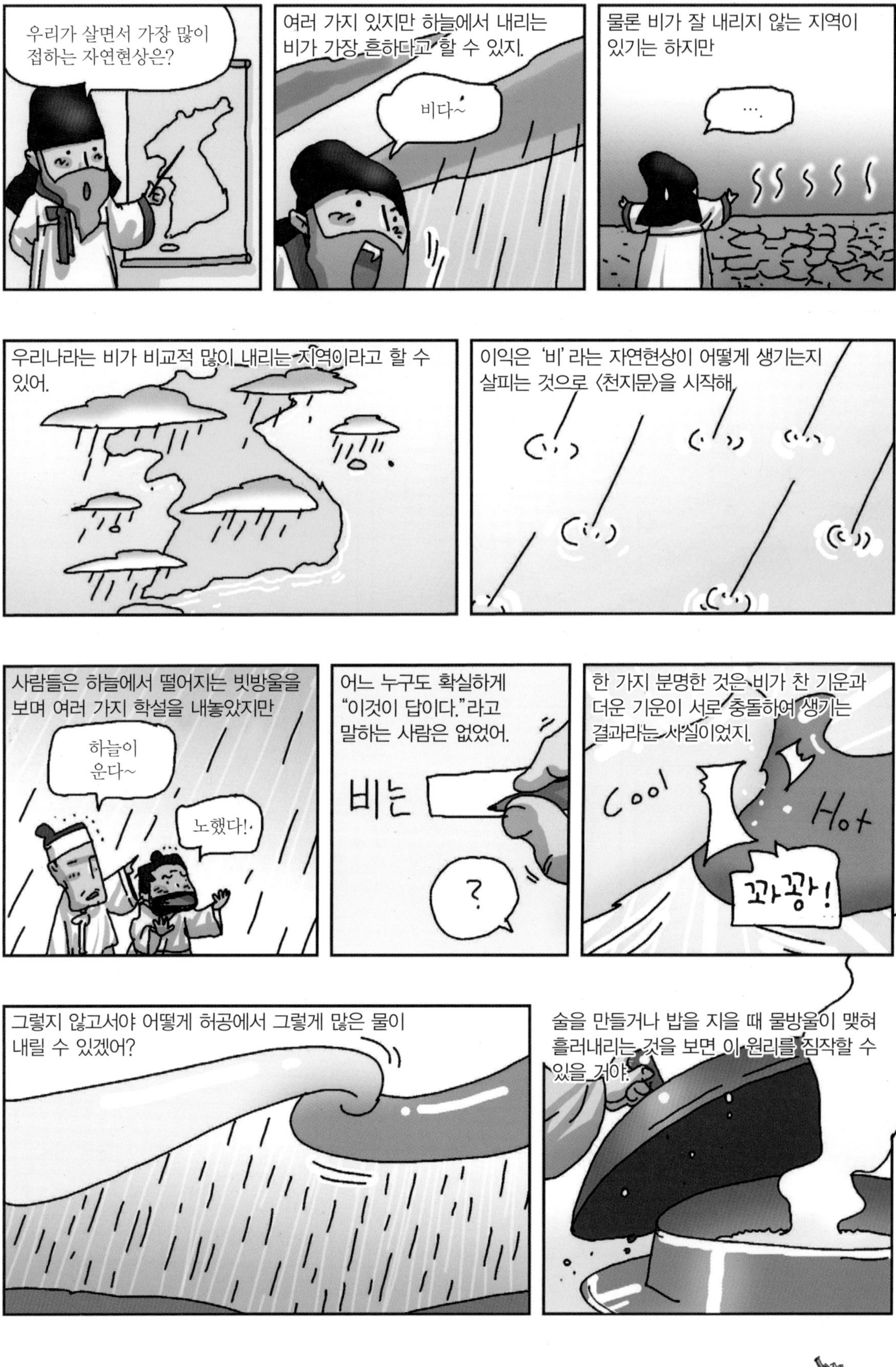
우리가 살면서 가장 많이 접하는 자연현상은?
여러 가지 있지만 하늘에서 내리는 비가 가장 흔하다고 할 수 있지.
비다~
물론 비가 잘 내리지 않는 지역이 있기는 하지만
….
우리나라는 비가 비교적 많이 내리는 지역이라고 할 수 있어.
이익은 '비'라는 자연현상이 어떻게 생기는지 살피는 것으로 〈천지문〉을 시작해.
사람들은 하늘에서 떨어지는 빗방울을 보며 여러 가지 학설을 내놓았지만
하늘이 운다~
노했다!
어느 누구도 확실하게 "이것이 답이다."라고 말하는 사람은 없었어.
비는
?
한 가지 분명한 것은 비가 찬 기운과 더운 기운이 서로 충돌하여 생기는 결과라는 사실이었지.
Cool
Hot
꽈광!
그렇지 않고서야 어떻게 허공에서 그렇게 많은 물이 내릴 수 있겠어?
술을 만들거나 밥을 지을 때 물방울이 맺혀 흘러내리는 것을 보면 이 원리를 짐작할 수 있을 거야.

모든 조화는 양과 음이 합쳐지면서 비롯되지.
본래 양은 따뜻한 성질을 가지고 있고 음은 찬 성질을 가지고 있어.
양!
음!
그리고 양은 퍼져 나가는 성질이 있고, 음은 모여 엉키는 성질이 있지.
모여라~
가령 날씨가 후텁지근하여 기운이 위로 올라가면 음의 성질을 가진 구름이 만들어지는데,
그 기운은 반드시 차갑게 되어 있어.
앗! 차가워!
그리고 그 차가운 음의 기운이 극에 달하면 양의 기운이 생겨나게 되어 있지.
펑~
그러므로 차가운 기운 가운데는 뜨거운 기운이 있고,
따뜻해~
이것이 바로 음과 양이 서로를 구원해 주는 것이지.
두 기운이 서로 대등하여 밖으로 발산되거나 새어 나가지 못하면 비가 만들어져.
비다~
그렇게 만들어진 비의 양이 많고 적은 것은 구름의 가볍고 무거운 분량에 따른 것이고.
비의 양

이제 비가 만들어지는 원리를 알겠지?
그렇다면 두 기운이 합쳐졌는데도 비가 만들어지지 않는 경우도 생각해 볼 수 있겠지?
…
…
앞에서 말했듯이 음은 엉키고 양은 솟구치는 성질을 가지고 있다고 했는데
+
−
엉켜 있는 음의 기운 속에서 양의 기운이 뚫고 나오면서
그것들은 충돌하기도 해.
쾅
+
−
그렇게 충돌하면서 큰 에너지를 만들어 내는데
에너지
이러한 현상이 바로 천둥과 번개야.
콰쾅
오메~!!
또는 음의 기운만 있고 양의 기운이 내부에 없거나,
외로워….
음의 기운과 엉켜 있더라도 그것이 단단하지 못하여 밖으로 새어 나가는 경우가 있는데
흐물….
+
−
이때는 비가 되지 않아.
비 좀!!

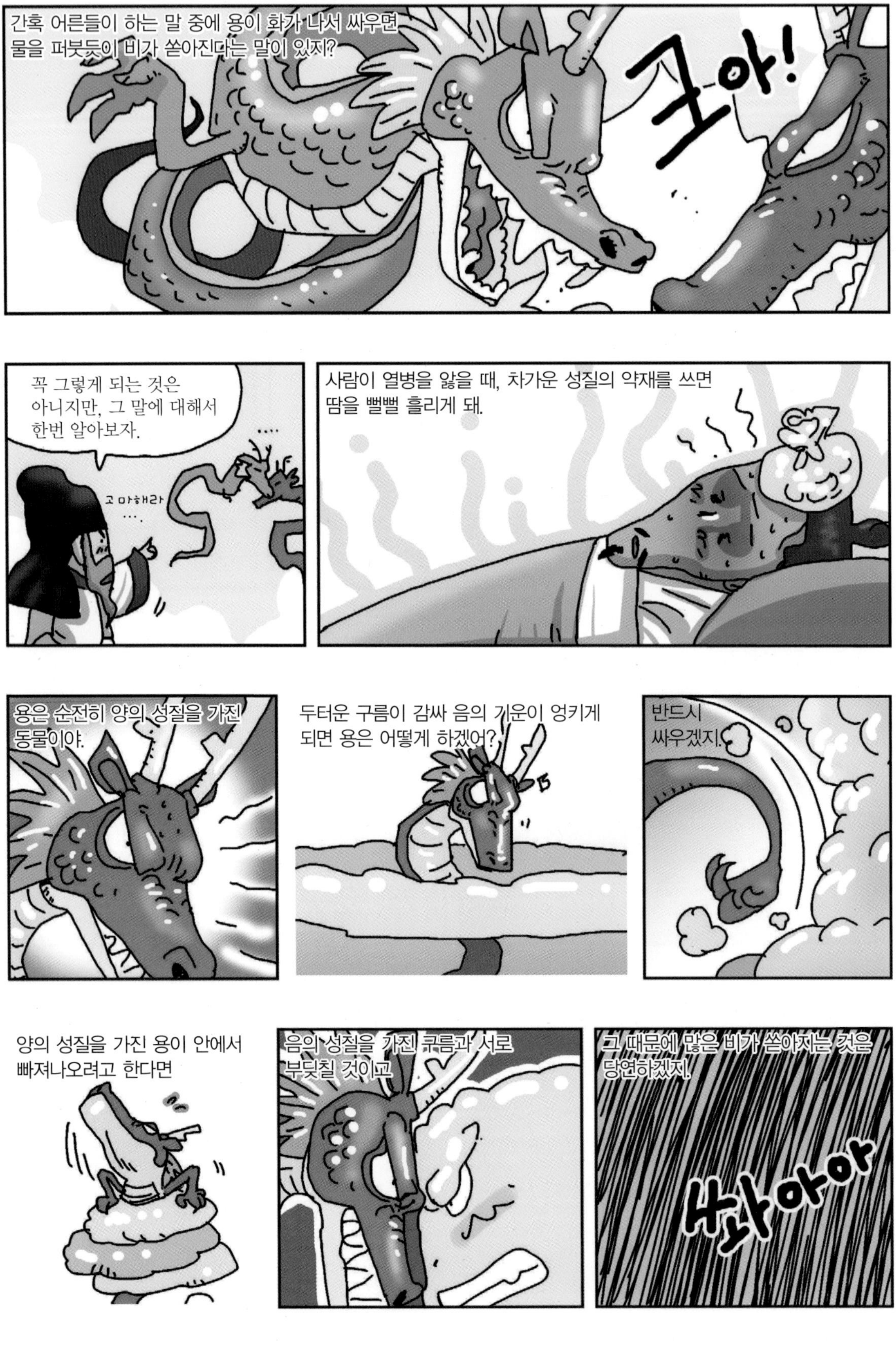
간혹 어른들이 하는 말 중에 용이 화가 나서 싸우면 물을 퍼붓듯이 비가 쏟아진다는 말이 있지?
크아!
꼭 그렇게 되는 것은 아니지만, 그 말에 대해서 한번 알아보자.
....
고마해라 ....
사람이 열병을 앓을 때, 차가운 성질의 약재를 쓰면 땀을 뻘뻘 흘리게 돼.
용은 순전히 양의 성질을 가진 동물이야.
두터운 구름이 감싸 음의 기운이 엉키게 되면 용은 어떻게 하겠어?
반드시 싸우겠지.
양의 성질을 가진 용이 안에서 빠져나오려고 한다면
음의 성질을 가진 구름과 서로 부딪칠 것이고
그 때문에 많은 비가 쏟아지는 것은 당연하겠지.
쏴아아

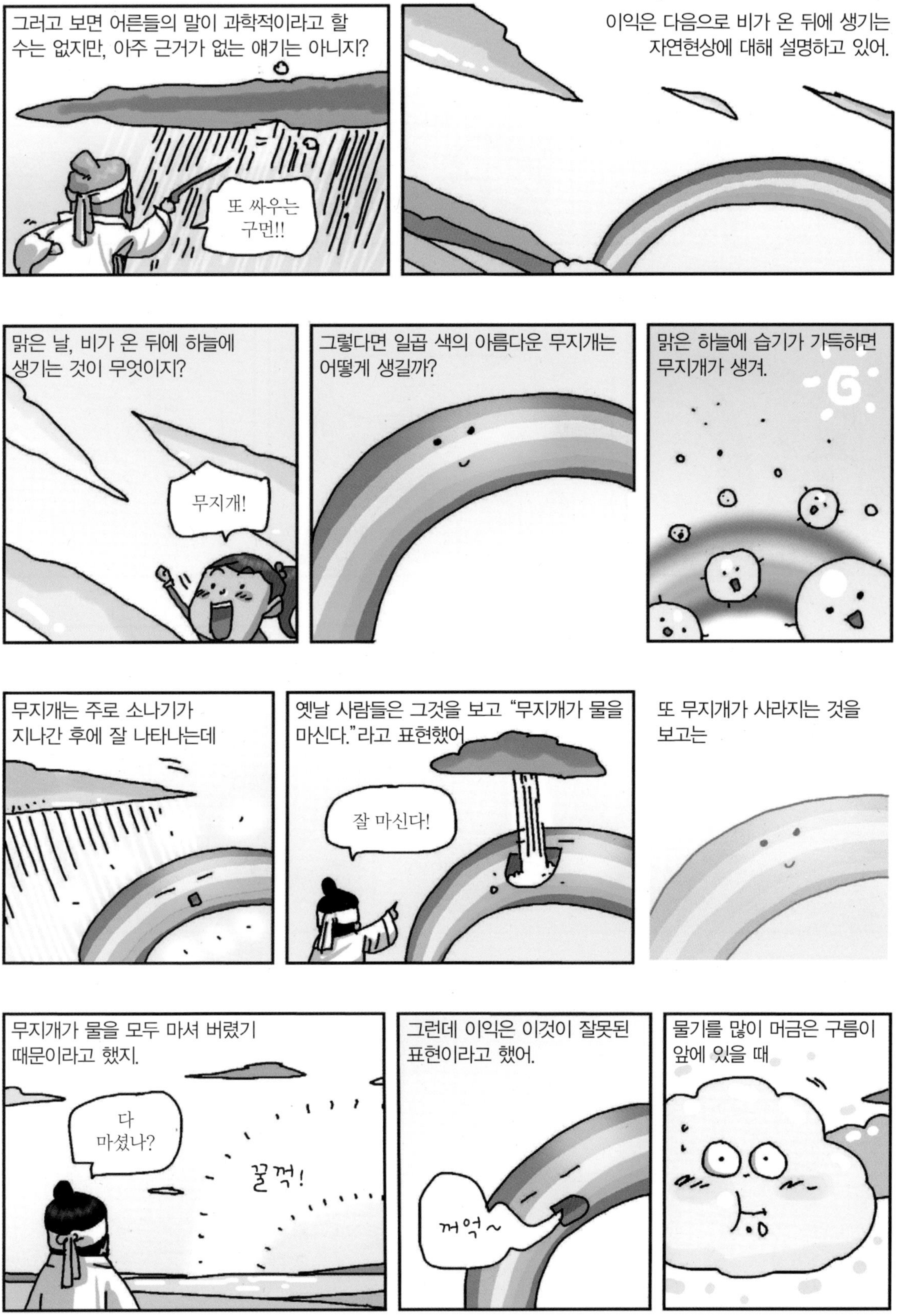

그러고 보면 어른들의 말이 과학적이라고 할 수는 없지만, 아주 근거가 없는 얘기는 아니지?
또 싸우는 구먼!!
이익은 다음으로 비가 온 뒤에 생기는 자연현상에 대해 설명하고 있어.
맑은 날, 비가 온 뒤에 하늘에 생기는 것이 무엇이지?
무지개!
그렇다면 일곱 색의 아름다운 무지개는 어떻게 생길까?
맑은 하늘에 습기가 가득하면 무지개가 생겨.
무지개는 주로 소나기가 지나간 후에 잘 나타나는데
옛날 사람들은 그것을 보고 "무지개가 물을 마신다."라고 표현했어.
잘 마신다!
또 무지개가 사라지는 것을 보고는
무지개가 물을 모두 마셔 버렸기 때문이라고 했지.
다 마셨나?
꿀꺽!
그런데 이익은 이것이 잘못된 표현이라고 했어.
꺼억~
물기를 많이 머금은 구름이 앞에 있을 때

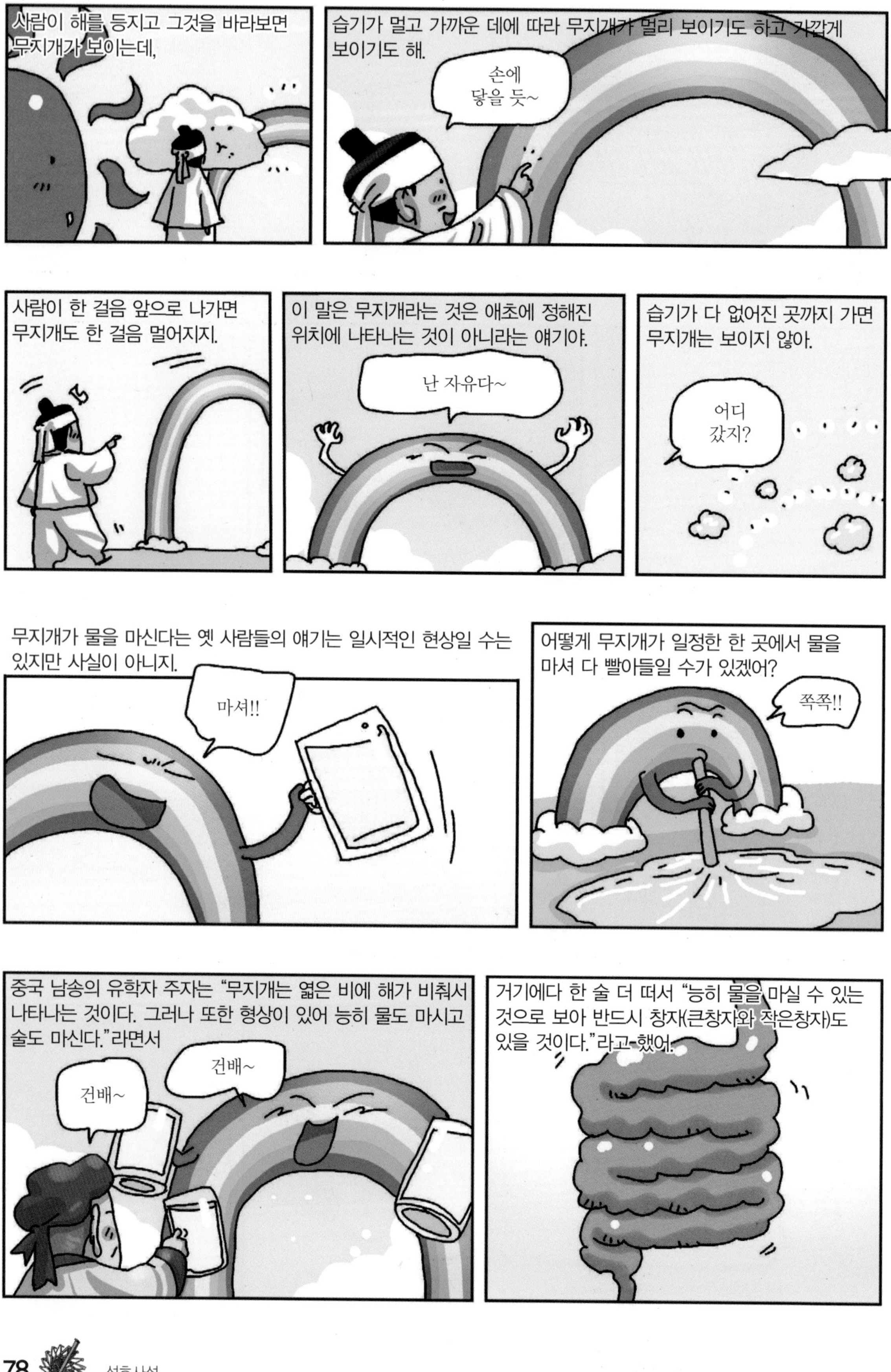

사람이 해를 등지고 그것을 바라보면 무지개가 보이는데,
습기가 멀고 가까운 데에 따라 무지개가 멀리 보이기도 하고 가깝게 보이기도 해.
손에 닿을 듯~
사람이 한 걸음 앞으로 나가면 무지개도 한 걸음 멀어지지.
이 말은 무지개라는 것은 애초에 정해진 위치에 나타나는 것이 아니라는 얘기야.
난 자유다~
습기가 다 없어진 곳까지 가면 무지개는 보이지 않아.
어디 갔지?
무지개가 물을 마신다는 옛 사람들의 얘기는 일시적인 현상일 수는 있지만 사실이 아니지.
마셔!!
어떻게 무지개가 일정한 한 곳에서 물을 마셔 다 빨아들일 수가 있겠어?
쪽쪽!!
중국 남송의 유학자 주자는 “무지개는 엷은 비에 해가 비춰서 나타나는 것이다. 그러나 또한 형상이 있어 능히 물도 마시고 술도 마신다.”라면서
건배~
건배~
거기에다 한 술 더 떠서 “능히 물을 마실 수 있는 것으로 보아 반드시 창자(큰창자와 작은창자)도 있을 것이다.”라고 했어.

이익은 주자의 말이 너무 애매모호해서
도대체 이해할 수가 없다고 했지.
잘 마셨다.
이슬과 서리는 어떻게 생길까?
우리는 일반적으로 이슬과 서리를 비슷하지만
서로 다른 자연현상이라고 생각해.
중국 북송 시대의 학자인 정이는 《이정유서》라는 책에서
이렇게 말했지.
이슬이 맺혀서 서리가 되는 것은 아니다.
이정유서
이 말을 보면 이슬과 서리는
서로 다른 현상인 것 같지?
우린 달라?
그런데 이것은 서리가 생길 때 먼저
이슬이 되었다가 서리로 되는 것이
아니라
내가 먼저~
바로 이슬 상태에서 얼어서
서리가 된다는 것을 말한 거야.
덜덜덜~
다시 말해서 서리와 이슬이 전혀 다르게 생겨난다는
것을 말한 것이 아니라는 얘기지.
우리는 하나!
그럼 좀 더
자세히 알아볼까?

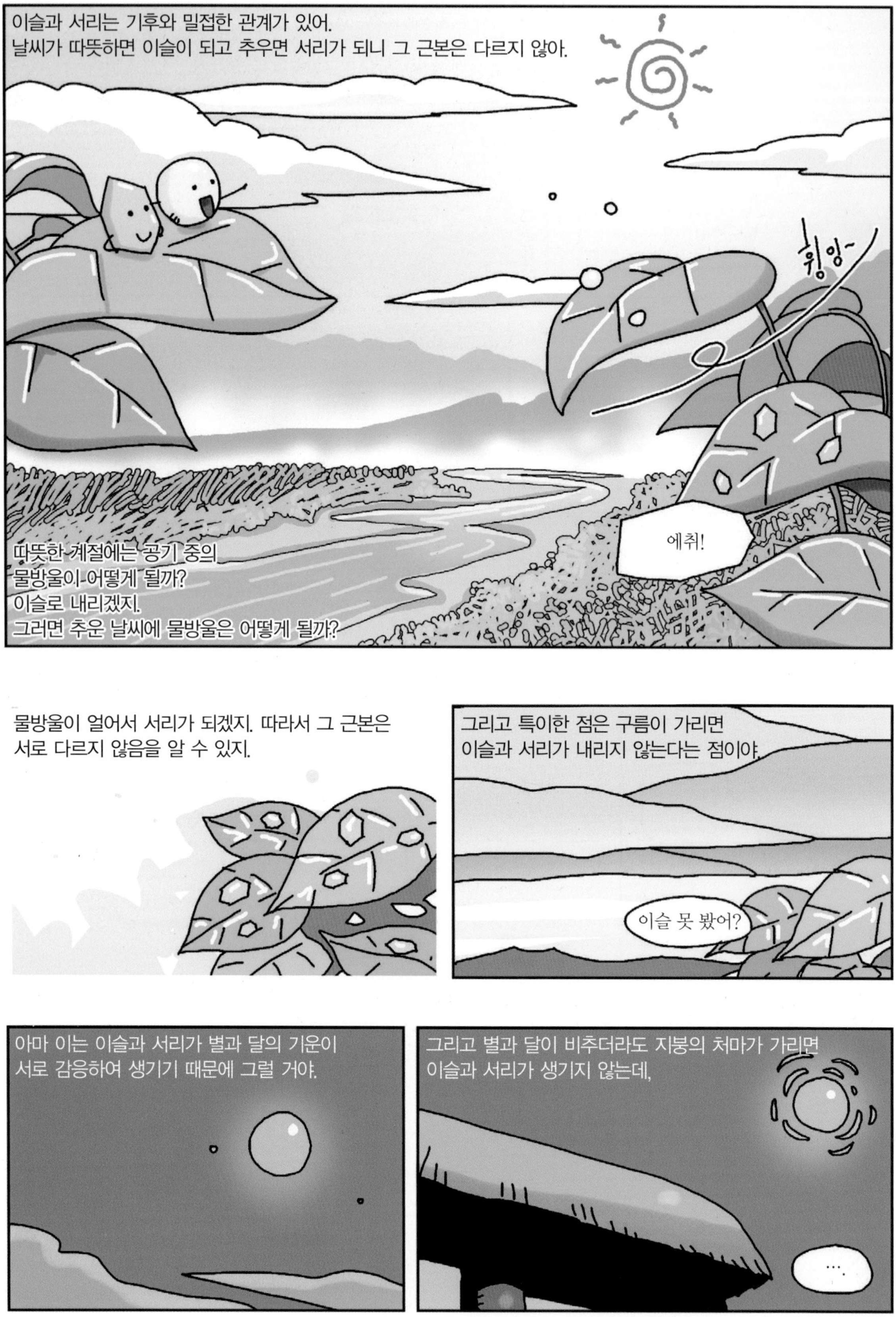
이슬과 서리는 기후와 밀접한 관계가 있어.
날씨가 따뜻하면 이슬이 되고 추우면 서리가 되니 그 근본은 다르지 않아.
휘잉~
에취!
따뜻한 계절에는 공기 중의 물방울이 어떻게 될까? 이슬로 내리겠지. 그러면 추운 날씨에 물방울은 어떻게 될까?
물방울이 얼어서 서리가 되겠지. 따라서 그 근본은 서로 다르지 않음을 알 수 있지.
그리고 특이한 점은 구름이 가리면 이슬과 서리가 내리지 않는다는 점이야.
이슬 못 봤어?
아마 이는 이슬과 서리가 별과 달의 기운이 서로 감응하여 생기기 때문에 그럴 거야.
그리고 별과 달이 비추더라도 지붕의 처마가 가리면 이슬과 서리가 생기지 않는데,
….

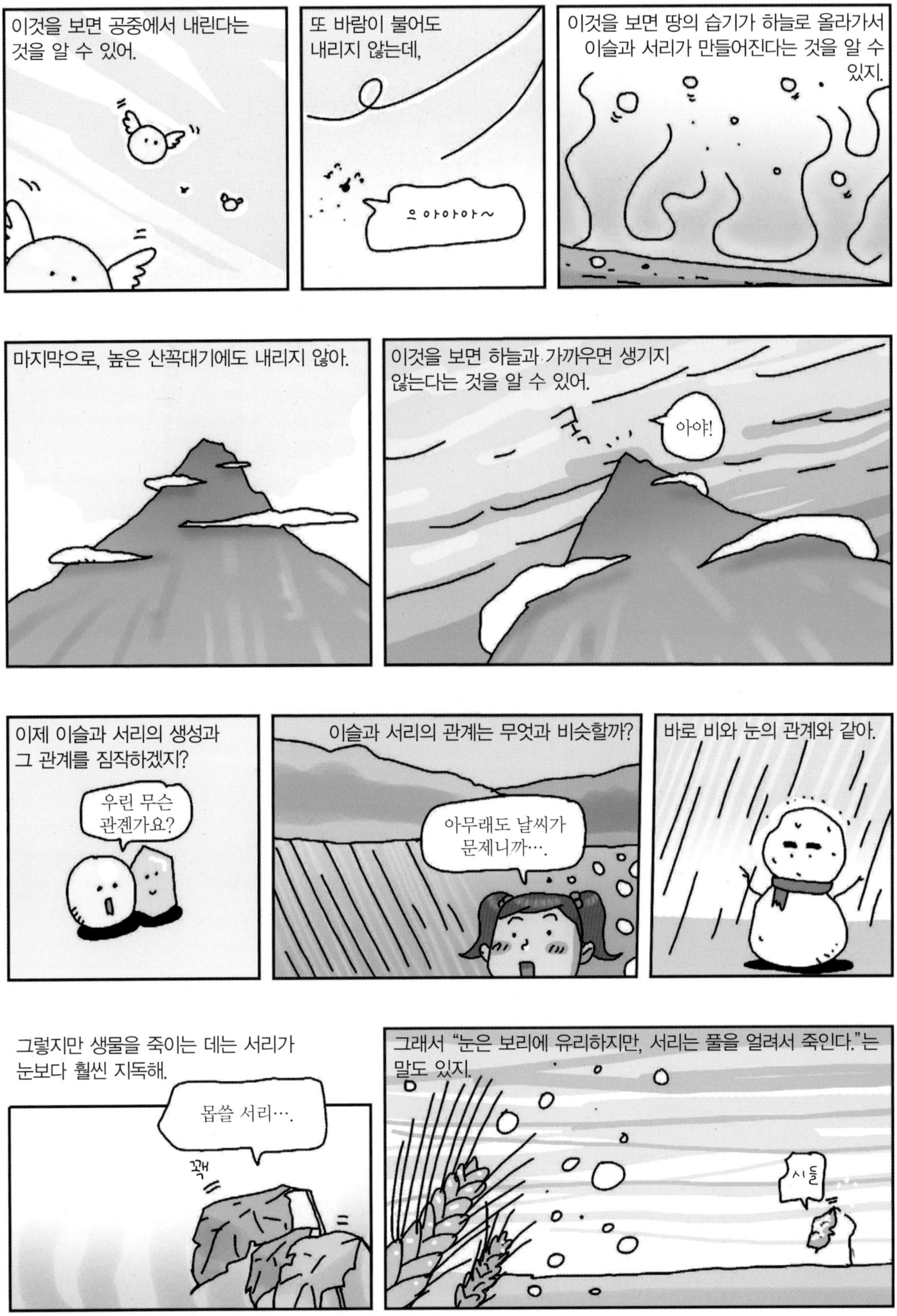
이것을 보면 공중에서 내린다는 것을 알 수 있어.
또 바람이 불어도 내리지 않는데,
으아아아~
이것을 보면 땅의 습기가 하늘로 올라가서 이슬과 서리가 만들어진다는 것을 알 수 있지.
마지막으로, 높은 산꼭대기에도 내리지 않아.
이것을 보면 하늘과 가까우면 생기지 않는다는 것을 알 수 있어.
아야!
이제 이슬과 서리의 생성과 그 관계를 짐작하겠지?
우린 무슨 관곈가요?
이슬과 서리의 관계는 무엇과 비슷할까?
아무래도 날씨가 문제니까….
바로 비와 눈의 관계와 같아.
그렇지만 생물을 죽이는 데는 서리가 눈보다 훨씬 지독해.
몹쓸 서리….
꽥
그래서 "눈은 보리에 유리하지만, 서리는 풀을 얼려서 죽인다."는 말도 있지.
시들

이익은 이런 자연현상으로 만들어진 물을 어떻게 이용하는지도 탐색하고 있어.
이렇게 만들어진 물이 결국 우리가 사는 땅에 내려서 곡식을 살찌우고
쑥~
쑥~
우리에게 먹을 것을 주니까.
이익은 비, 눈, 서리, 이슬 등으로 내린 물은 그냥 내버려 두면
모두 자연적으로 흘러가거나 증발해 버려서
지속적으로 이용할 수 없게 된다고 했어.
가지 마!!
또 너무 많이 내리거나
너무 적게 내릴 때에도
인간의 삶은 큰 영향을 받게 된다고 했지.
목말라….

따라서 인간은 물을 지속적으로 이용하기 위해
여러 가지 장치와 방법을 이용했는데,
그러한 행위를 물을 이롭게 이용한다는 의미에서
'수리(水利)' 라고 했지.
수리~ 수리~
특히 조선은 농업을 근본으로 하는
국가였는데,
농업에서 가장 중요한 것은
무엇이겠어?
?
바로 물이지.
그런데 대부분의 사람들은 이러한 물의 소중함에
대해 잘 느끼지 못했어.
무관심~
날 몰라 봐….
이익은 인간의 삶에 이로운
것은 많지만
물의 이로움보다 더 큰 것은
없다고 했어.
물이
최고야!!
왜냐하면 사람의 생명은 먹고 입는 기본적인 것에 달려 있기
때문이지.
살아야 한다!!
그런데 먹고 입는 것은 홍수가 지고

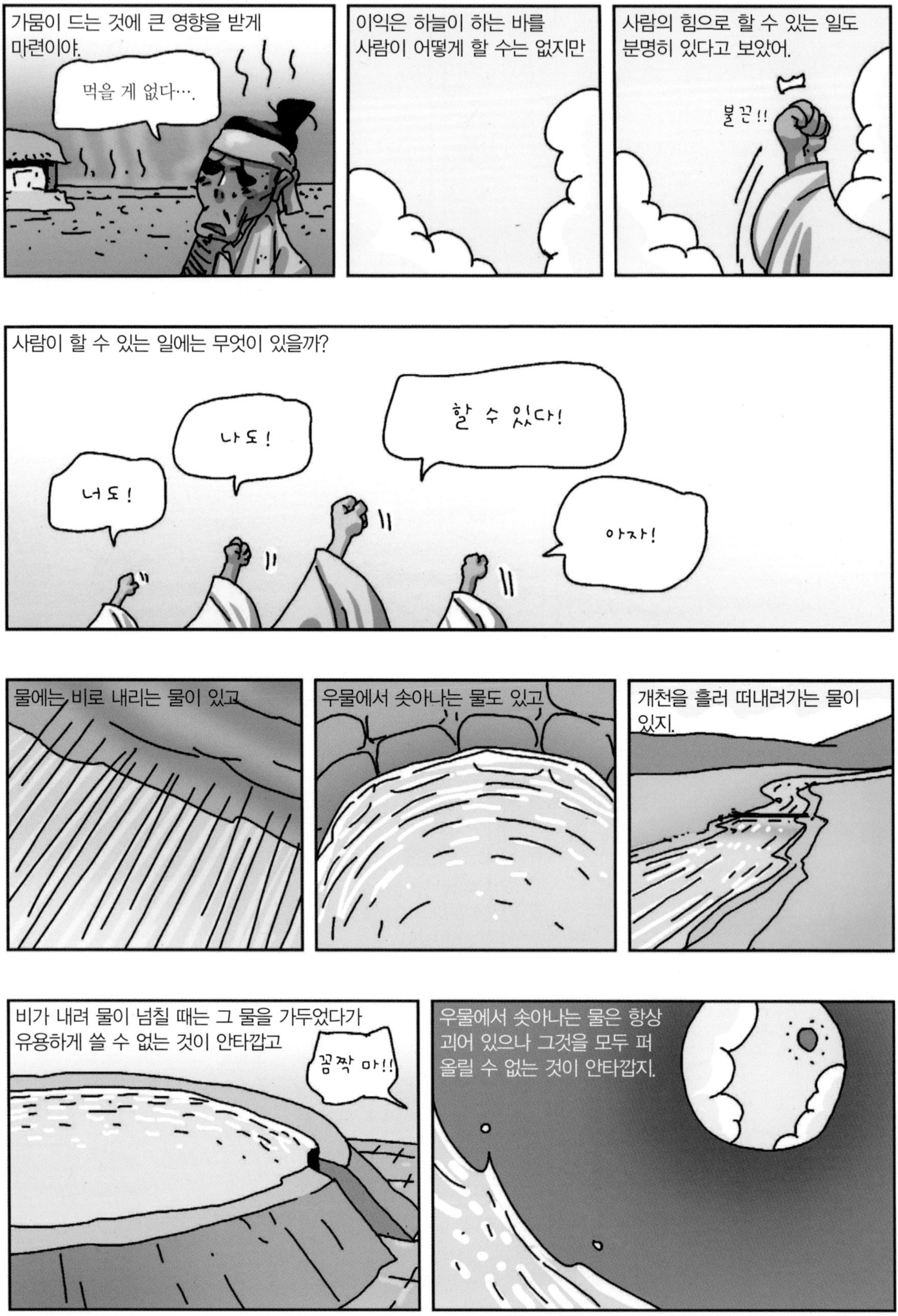
가뭄이 드는 것에 큰 영향을 받게 마련이야.
먹을 게 없다….
이익은 하늘이 하는 바를 사람이 어떻게 할 수는 없지만
사람의 힘으로 할 수 있는 일도 분명히 있다고 보았어.
불끈!!
사람이 할 수 있는 일에는 무엇이 있을까?
너도!
나도!
할 수 있다!
아자!
물에는 비로 내리는 물이 있고
우물에서 솟아나는 물도 있고
개천을 흘러 떠내려가는 물이 있지.
비가 내려 물이 넘칠 때는 그 물을 가두었다가 유용하게 쓸 수 없는 것이 안타깝고
꼼짝 마!!
우물에서 솟아나는 물은 항상 괴어 있으나 그것을 모두 퍼 올릴 수 없는 것이 안타깝지.

또 개천에 흘러내리는 물은 물길을 터서 끌어다 쓰지 못하는 것이 아쉬워.
만일 쓸모없는 물건을 쓸모 있게 쓸 수 있도록 한다면, 어찌 사람들이 굶주리고 추위에 떨겠는가?
조선 왕조 초기에 농본 정책의 일환으로 제방을 쌓아 물을 가두었는데
이익이 살던 당시에는 그런 곳들 중 폐허가 된 곳들이 곳곳에 널려 있었어.
이미 흙으로 메워져 있거나
둑이 무너진 것을 다시 보수하지 않아 모두 지주들이 개간한 농토가 된 곳이 많았지.
이 또한 얼마나 안타까운 일인가?
물을 끌어올리기 위해서는 어떻게 하면 될까?
?
인간이 직접 할 수도 있지만 그렇게 하기에는 너무 많은 인력과 시간이 필요해서 현실적으로 불가능하지.
때문에 물을 퍼 올리는 기계인 수차(水車)가 꼭 필요해.

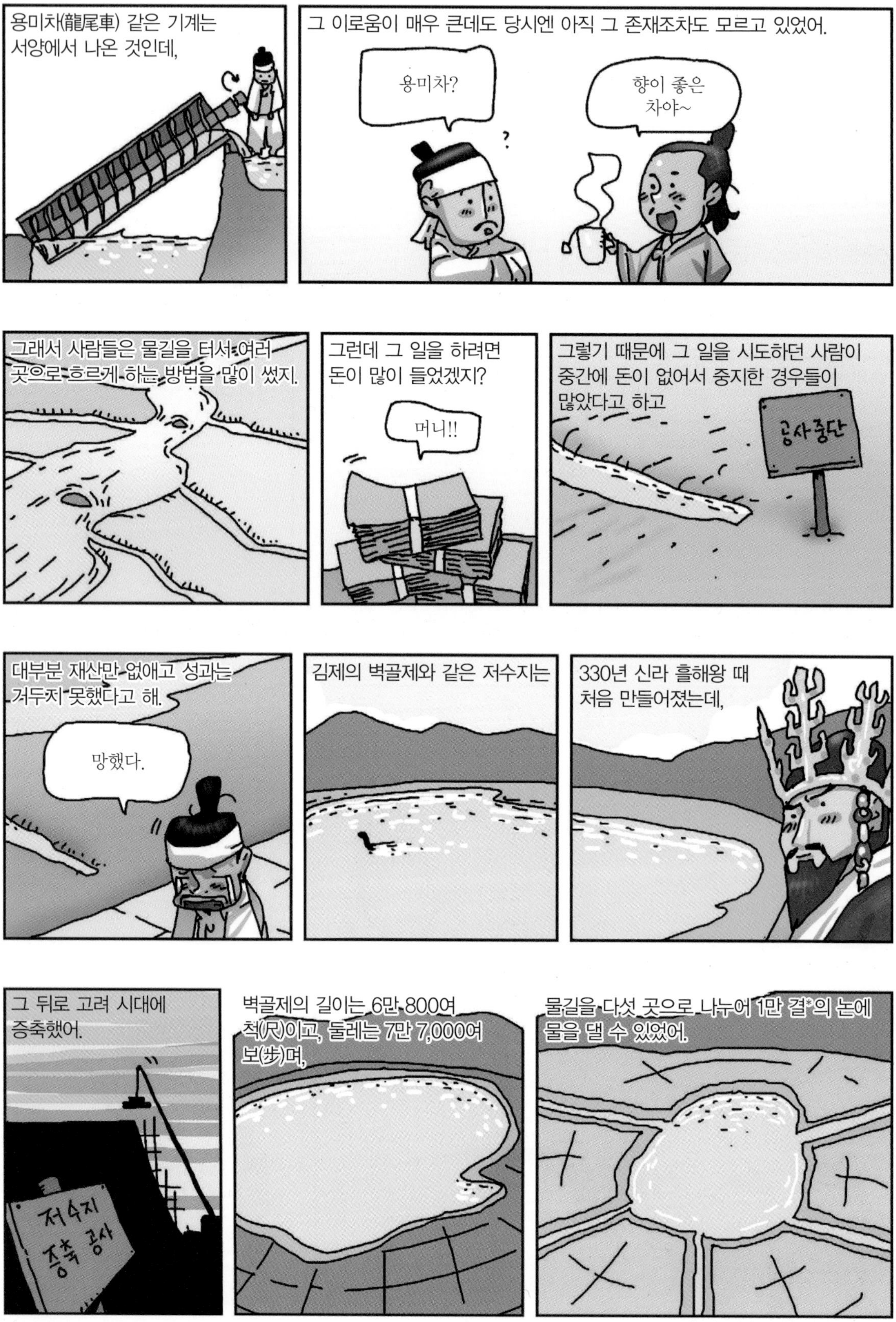
용미차(龍尾車) 같은 기계는
서양에서 나온 것인데,
그 이로움이 매우 큰데도 당시엔 아직 그 존재조차도 모르고 있었어.
용미차?
향이 좋은
차야~
그래서 사람들은 물길을 터서 여러
곳으로 흐르게 하는 방법을 많이 썼지.
그런데 그 일을 하려면
돈이 많이 들었겠지?
머니!!
그렇기 때문에 그 일을 시도하던 사람이
중간에 돈이 없어서 중지한 경우들이
많았다고 하고
공사중단
대부분 재산만 없애고 성과는
거두지 못했다고 해.
망했다.
김제의 벽골제와 같은 저수지는
330년 신라 흘해왕 때
처음 만들어졌는데,
그 뒤로 고려 시대에
증축했어.
저수지
증축 공사
벽골제의 길이는 6만 800여
척(尺)이고, 둘레는 7만 7,000여
보(步)며,
물길을 다섯 곳으로 나누어 1만 결*의 논에
물을 댈 수 있었어.

*결 – 농지의 면적을 나타내는 단위.

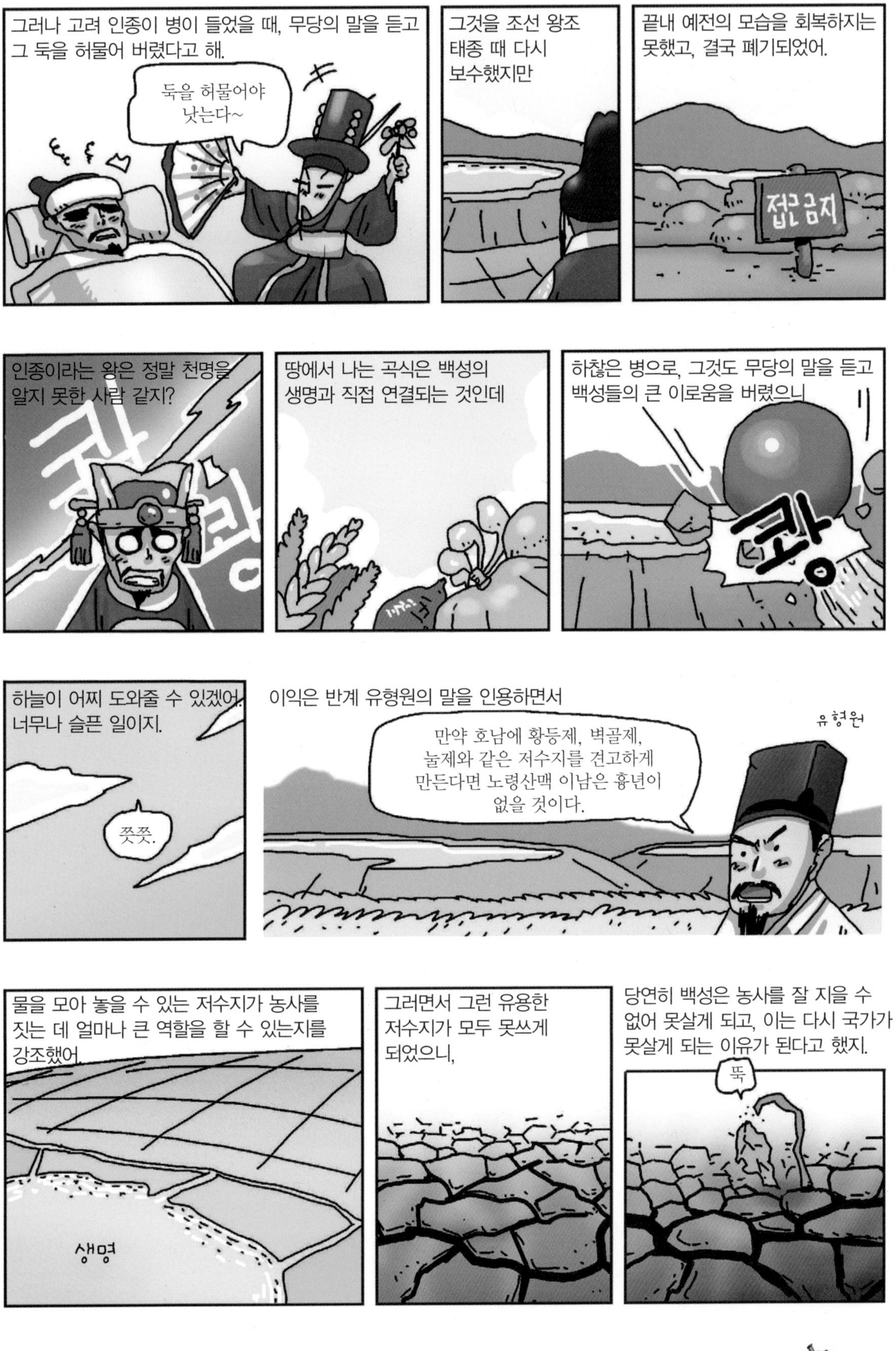
그러나 고려 인종이 병이 들었을 때, 무당의 말을 듣고 그 둑을 허물어 버렸다고 해.
둑을 허물어야 낫는다~
그것을 조선 왕조 태종 때 다시 보수했지만
끝내 예전의 모습을 회복하지는 못했고, 결국 폐기되었어.
접근금지
인종이라는 왕은 정말 천명을 알지 못한 사람 같지?
콰쾅
땅에서 나는 곡식은 백성의 생명과 직접 연결되는 것인데
하찮은 병으로, 그것도 무당의 말을 듣고 백성들의 큰 이로움을 버렸으니
쾅
하늘이 어찌 도와줄 수 있겠어. 너무나 슬픈 일이지.
쯧쯧.
이익은 반계 유형원의 말을 인용하면서
유형원
만약 호남에 황등제, 벽골제, 눌제와 같은 저수지를 견고하게 만든다면 노령산맥 이남은 흉년이 없을 것이다.
물을 모아 놓을 수 있는 저수지가 농사를 짓는 데 얼마나 큰 역할을 할 수 있는지를 강조했어.
생명
그러면서 그런 유용한 저수지가 모두 못쓰게 되었으니,
당연히 백성은 농사를 잘 지을 수 없어 못살게 되고, 이는 다시 국가가 못살게 되는 이유가 된다고 했지.
뚝

유형원과 《반계수록》

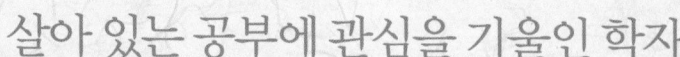

살아 있는 공부에 관심을 기울인 학자

유형원은 2세 때 당쟁으로 아버지를 여의고, 5세에 글을 배우기 시작했습니다. 7세에는 《서경》을 읽고 큰 감명을 받았다고 합니다. 이후 외숙과 고모부에게서 글공부를 배웠고, 문장에 뛰어나서 21세에 《백경사잠百警四箴》을 지었습니다. 1654년 진사시에 급제했지만, 당시 과거제의 폐단이 극심한 것을 보고 이후 다시 과거에 응시하지 않았고, 그 뒤 동서고금의 유명한 책들 1만여 권을 보면서 현실 사회를 구제하기 위한 학문 연구와 저술에 몰두했다고 해요.

유형원은 학문을 하는 데 과거의 악습을 제거하고 정치를 바로잡아 나라를 부강하게 하며 백성들을 구원하는 실질적인 목적을 추구했습니다. 그렇기 때문에 기존에는 소홀히 여겼던 우리나라의 역사 · 지리 · 어학을 연구했고, 사회의 개혁을 위한 정치 · 경제 문제를 연구하는 데 힘썼으며, 국방을 위해 군사학도 연구했습니다. 그리고 이러한 학문적 성과는 수많은 저술로 나타났지요.

실학의 초석 《반계수록》

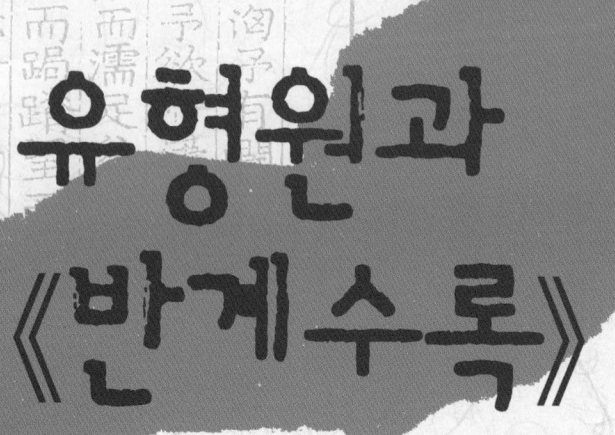

총 26권 13책으로 구성된 《반계수록》에서 유형원은 전면적인 국가 개혁, 이른바 국가 재조론再造論

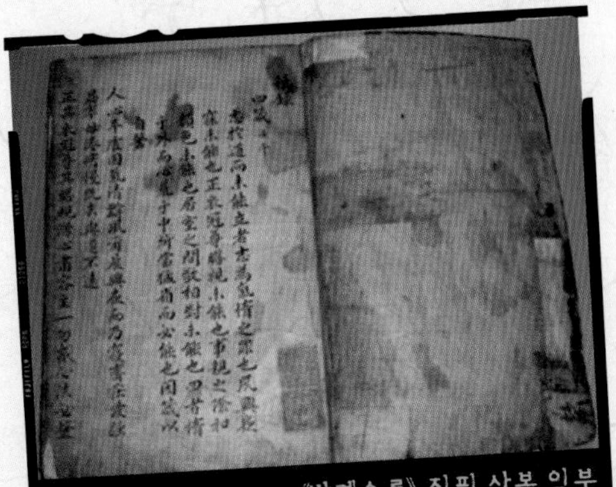
《반계수록》 집필 사본 일부

을 제시했습니다.

그는 토지 개혁을 실시하여 농민에게 최소한의 경작 농지를 확보하게 하고 이를 통해 자영 농민을 육성할 것과, 토지는 국가가 공유하고 농민들에게는 일정량의 경작지만을 나누어 주는 균전제를 실시할 것을 주장했습니다. 농업을 해치지 않는 한도 내에서 상업과 수공업을 장려해야 한다고 주장했으며, 과거 제도의 폐지와 공거제貢擧制의 실시로 신분 제도를 개혁하고자 했지요. 토지 소유가 공정하게 되면 모든 일이 따라서 이루어진다고 생각했고, 모든 제도의 개혁이 이루어지면 하늘의 뜻과 왕도王道가 일치되어 이상 국가가 실현될 수 있다고 보았던 것입니다.

실학을 최초로 체계화한 유형원은 모든 인간을 귀천에 관계없이 존경했으며, 평생을 인간 사회의 개혁을 위한 방책 연구에 쏟아 조선 후기 실학 시대를 연 위대한 사상가였습니다. 당시 선비들의 관행을 따르지 않고 소신에 따라 열심히 살았던, 실천적인 지성인이라고 할 수 있겠지요.

제5장
사물로 세상의 이치 터득하기

《성호사설》의 〈만물문〉은 인간의 일상생활과 관련된 온갖 사물에 대해 설명해 놓은 부분이야.
만물문

이 장에서는 중국 경전에서 사물을 어떻게 바라보고 이해했는지, 그리고 이익은 이런 경전의 이해 방식을 어떻게 받아들이고 생각을 정립시켰는지를 살펴볼 거야.
무엇보다 내 생각을 정리하는 게 중요해!

그리고 〈만물문〉에 많이 나타나고 있는 음식이나 곤충, 동식물에 대한 관찰 기록과 목면, 담배, 술 등과 같은 생활 관련 기록들에 대해서도 보게 될 거야.

《주역》*에는 다음과 같은 구절이 있어.
지향하는 것이 같으면 끼리끼리 모이고, 사물은 부류로 나누어진다.
주역
이익은 세상의 모든 사물이 실제로 《주역》의 말대로 사는 것 같다고 했어.
끼리
끼리
끼리
끼리
끼리

*《주역(周易)》 – 유교의 경전 중 3경의 하나인 《역경(易經)》.

이익이 어느 날 우연히 늪에 갔다가 물새들이 떼지어 모여드는 것을 보았는데
와~ 물새 떼들~
거기에는 기러기, 오리 등이 한 데 어우러져 있었대.
모여 있는 새들은 모두 물을 좋아하고 구하는 먹이가 있었기에 무리를 지어 같이 놀았는데

이익은 이야말로 《주역》에서 말한 "지향하는 것이 같으면 끼리끼리 모인다."라는 구절과 같은 것이 아니겠냐고 했어.

또 새들은 타고난 모양이 서로 다르기 때문에
나는 나.
기러기는 기러기를 따라다니고, 오리는 오리를 따라다니면서 무리를 이룬다면서
이는 "사물은 부류로 나누어진다."라는 것을 의미한다고 했지.
기러기 떼.
오리 떼.

새들은 구름 속을 날거나 물가에 앉기도 하고,
구름과 물 사이를 자유롭게 오가면서 사는데,
난 자유인~ 아니, 자유새~
새들의 의향이 모두 같지는 않겠지?
난 저쪽!
난 이쪽!
그렇지만 이상하게도 한 마리의 기러기가 일어나면 다른 기러기들이 그를 따라 일어나고,
출동이다!!
한 오리가 물가에 내려앉으면 다른 오리들도 함께 물가에 내려앉아.
사뿐~
또 날아갈 때에도 한 마리가 동쪽으로 날아가면 모두 그 뒤를 따라 동쪽으로 향하고
동쪽
한 마리가 서쪽으로 날아가면 모두 역시 서쪽으로 향하기 때문에 떼를 지어 날게 되지.
서쪽
이익은 이러한 현상은 새들에게 사사로운 마음이 없기 때문이라고 보았어.
가면 가오리다~
또 잘 때에도 무리가 많지 않으면 내려가지 않고 무리가 많은 곳을 찾는데,
꾸벅 꾸벅
졸려….
이는 서로 화합하는 것을 좋아하는 것이니 그 화합하는 형상이 어찌 기쁘지 않을 수 있냐고 했지.
Z Z Z

사물을 잘 보면 세상 이치를 터득할 수 있다는 말이 있는데
부릅!
이익은 그 말이 일리 있다고 했어.
깨달았다!!
송나라 때의 유명한 문인이었던 소동파는 다음과 같은 시를 썼어.
그림은 형체만 같게 그리면 된다고 하는데, 이런 소견은 어린아이의 소견과 다를 바 없다. 시를 지을 때도 사물을 그대로 노래하니, 이런 사람은 정말 시를 모르는 사람이다.
아름다우니, 아름답구나….
소동파의 시가 무슨 뜻일까? 각자 대답해 보자.
음… 겉모양을 똑같이 그리면 안 된다는 뜻 같은데요?
시를 쓸 때도 사물을 그대로 표현하지 말라는 뜻이고요.
과연 소동파가 말하는 것이 그런 의미일까?
훗훗… 과연…
소동파의 후대 화가들도 위의 시를 본받아서
소동파 따라하기
그림을 그릴 때 연한 먹물로 거칠게 그림을 그려서, 그 사물의 원래 형태와 많이 다르게 그렸어.

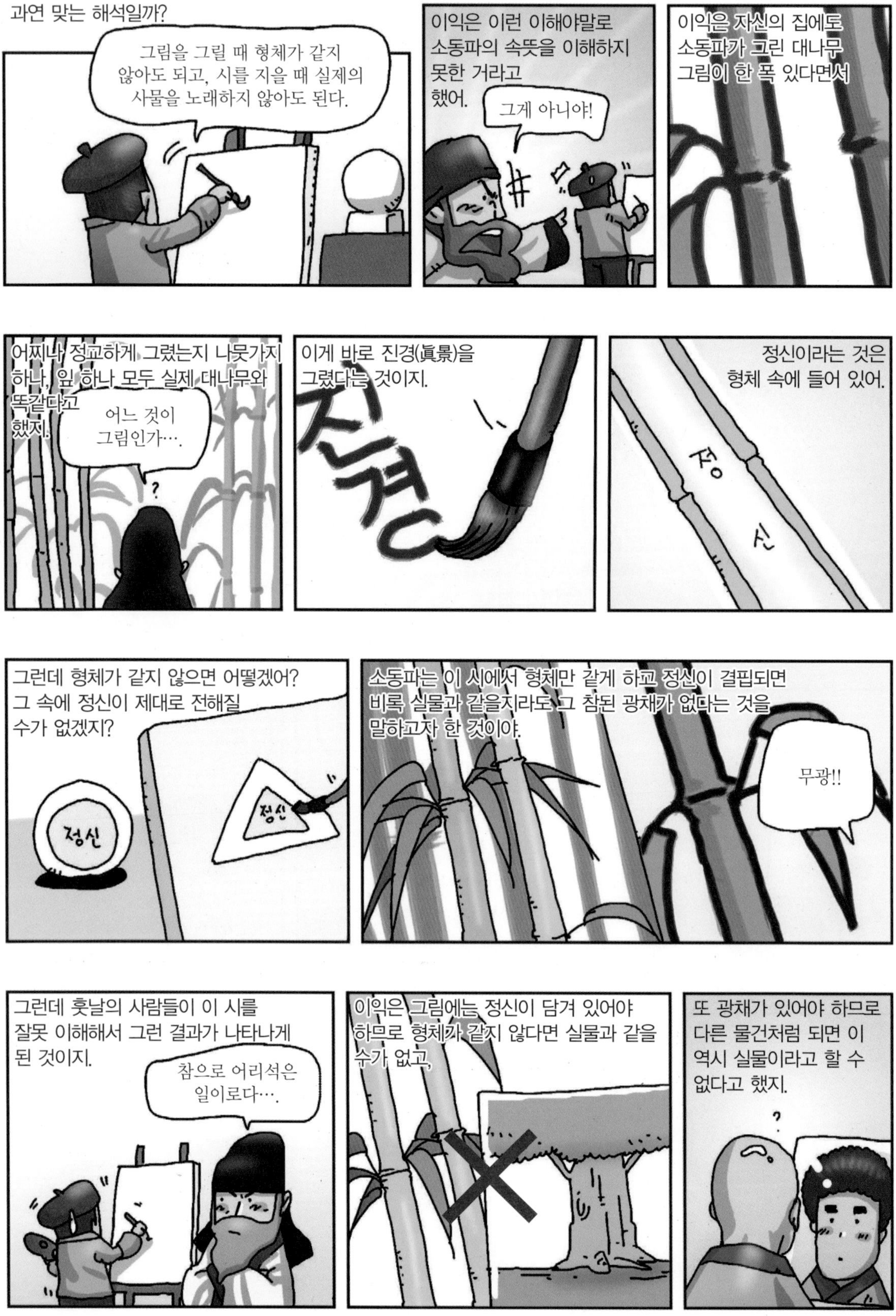
과연 맞는 해석일까?
그림을 그릴 때 형체가 같지 않아도 되고, 시를 지을 때 실제의 사물을 노래하지 않아도 된다.
이익은 이런 이해야말로 소동파의 속뜻을 이해하지 못한 거라고 했어.
그게 아니야!
이익은 자신의 집에도 소동파가 그린 대나무 그림이 한 폭 있다면서
어찌나 정교하게 그렸는지 나뭇가지 하나, 잎 하나 모두 실제 대나무와 똑같다고 했지.
어느 것이 그림인가….
?
이게 바로 진경(眞景)을 그렸다는 것이지.
진경
정신이라는 것은 형체 속에 들어 있어.
정신
그런데 형체가 같지 않으면 어떻겠어? 그 속에 정신이 제대로 전해질 수가 없겠지?
정신
정신
소동파는 이 시에서 형체만 같게 하고 정신이 결핍되면 비록 실물과 같을지라도 그 참된 광채가 없다는 것을 말하고자 한 것이야.
무광!!
그런데 훗날의 사람들이 이 시를 잘못 이해해서 그런 결과가 나타나게 된 것이지.
참으로 어리석은 일이로다….
이익은 그림에는 정신이 담겨 있어야 하므로 형체가 같지 않다면 실물과 같을 수가 없고,
또 광채가 있어야 하므로 다른 물건처럼 되면 이 역시 실물이라고 할 수 없다고 했지.
?

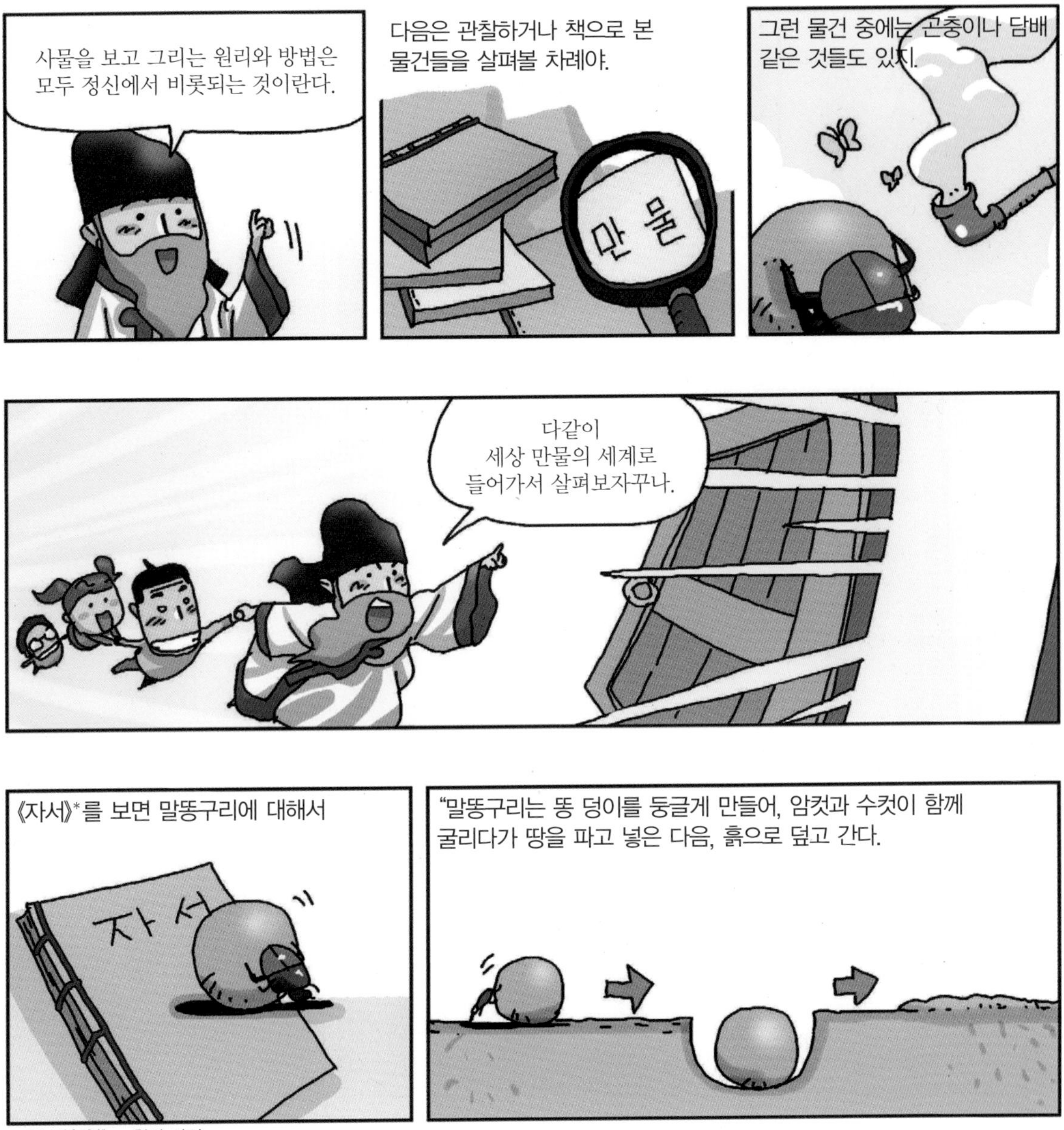
사물을 보고 그리는 원리와 방법은 모두 정신에서 비롯되는 것이란다.
다음은 관찰하거나 책으로 본 물건들을 살펴볼 차례야.
만물
그런 물건 중에는 곤충이나 담배 같은 것들도 있지.
다같이 세상 만물의 세계로 들어가서 살펴보자꾸나.
《자서》*를 보면 말똥구리에 대해서
자서
"말똥구리는 똥 덩이를 둥글게 만들어, 암컷과 수컷이 함께 굴리다가 땅을 파고 넣은 다음, 흙으로 덮고 간다.

*《자서(字書)》– 한자 사전.

며칠이 지나지 않아 똥 덩이는 저절로 움직이고 또 하루 이틀이 지나면 말똥구리가 그 속에서 나와 날아간다."라고 씌어 있어.
퐁!
그런데 이익은 자신이 직접 살펴보니
낑낑~
실제로 《자서》의 내용은 거의 맞지 않다고 했지.
다 틀리잖아!!
자서

우선 말똥구리들은 처음에 여러 마리가 한데 같이 있다가
똥이 적으면 다 먹어 치우고
쭉쭉쭉!
쭉쭉쭉!
그렇지 않으면 서로 나누어 갖는데,
사이좋게~
이때는 두 마리가 한 덩이씩 차지해서 굴리며
서로 짝이 되는 것들은 우연에 따를 뿐 암컷과 수컷은 아니라고 했어.
우리 만남은~
우연이~ ~ 야~
또 똥 덩이를 흙 속에 묻어 두는 것은 다음날 먹으려고 쌓아 놓은 거랬지.
내일
먹어야지.
식량창고
마치 까마귀와 까치가 남들이 모르게 먹을 것을 간직해 두었다가
아무도
없지?
시간이 지나면 파헤쳐 먹는 것과 같은 이치라고 했어.
사람들은 말똥구리가 땅 속에서 나오는 것만 보고 똥 덩이가 변해서 벌레가 되었다고 하는데
똥이다!!
쌔앵~
이익은 이것이 이치에 맞지 않는다고 보았지.
똥이 아니라
쇠똥구리라고….

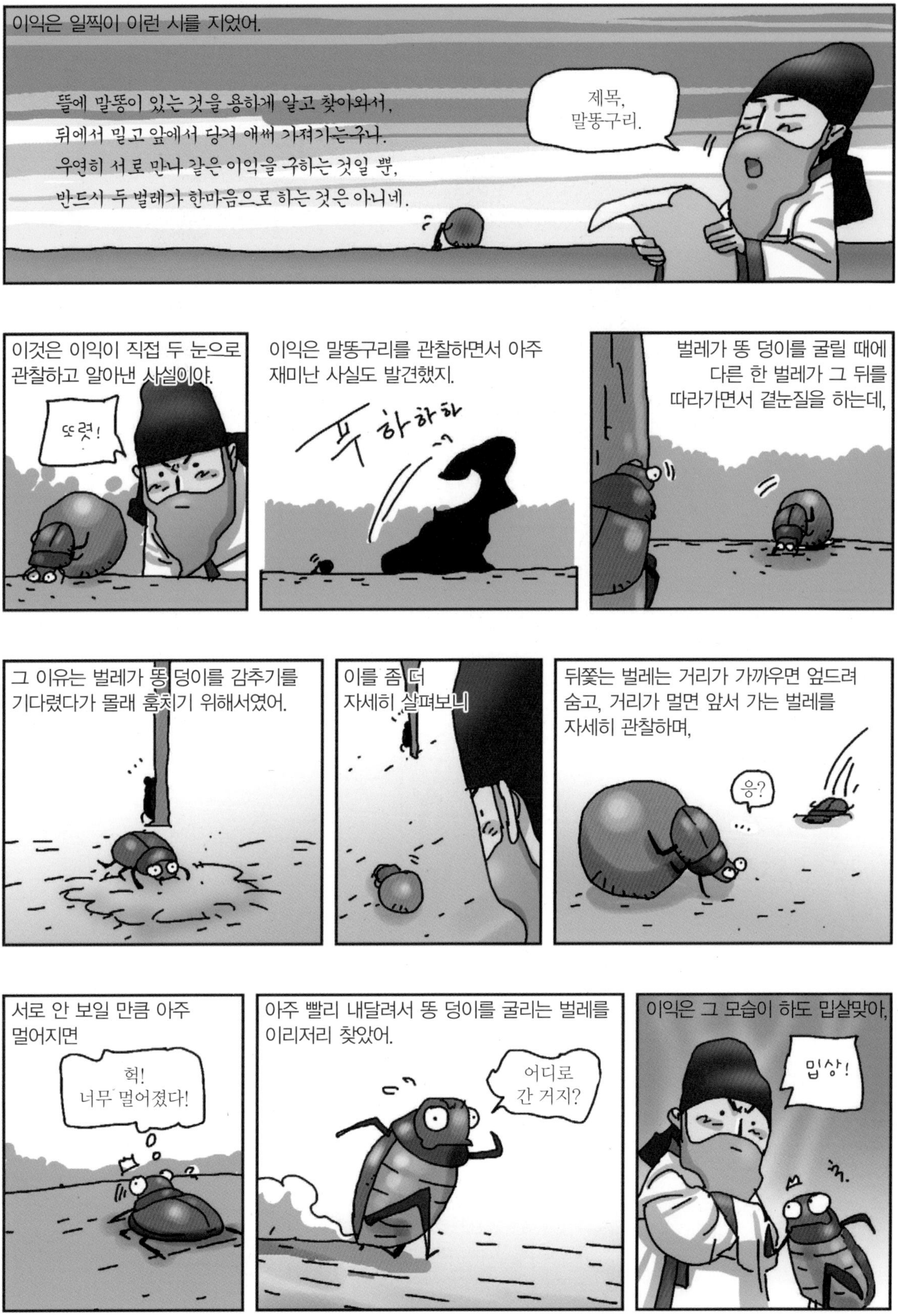
이익은 일찍이 이런 시를 지었어.
제목, 말똥구리.
뜰에 말똥이 있는 것을 용하게 알고 찾아와서,
뒤에서 밀고 앞에서 당겨 애써 가져가는구나.
우연히 서로 만나 같은 이익을 구하는 것일 뿐,
반드시 두 벌레가 한마음으로 하는 것은 아니네.
이것은 이익이 직접 두 눈으로 관찰하고 알아낸 사실이야.
또렷!
이익은 말똥구리를 관찰하면서 아주 재미난 사실도 발견했지.
푸하하하
벌레가 똥 덩이를 굴릴 때에 다른 한 벌레가 그 뒤를 따라가면서 곁눈질을 하는데,
그 이유는 벌레가 똥 덩이를 감추기를 기다렸다가 몰래 훔치기 위해서였어.
이를 좀 더 자세히 살펴보니
뒤쫓는 벌레는 거리가 가까우면 엎드려 숨고, 거리가 멀면 앞서 가는 벌레를 자세히 관찰하며,
응?
서로 안 보일 만큼 아주 멀어지면
헉! 너무 멀어졌다!
아주 빨리 내달려서 똥 덩이를 굴리는 벌레를 이리저리 찾았어.
어디로 간 거지?
이익은 그 모습이 하도 밉살맞아,
밉상!

하루는 아이들과 한가로이 거닐다가 장난삼아 절구 한 수를 짓기도 했대.
작은 벌레가 굴리는 똥은 소합 덩이보다 가벼운데,
두 마리가 힘겹게 굴리는 것은 단지 한 덩이뿐이로다.
함께 흙 속에다 비밀스레 감추지만, 어찌 알리오, 다른
벌레가 달게 먹을 진수성찬을 훔치려고 기다리는 것을.
제목, 욕심쟁이!
쟤들 좀 봐!

이익은 설명한 것들 말고도 곤충의 종류가 엄청나게 많다면서
그중에는 사람이 먹을 수 있는 것도 있다고 했지.
중국 책에는 먹을 수 있는 다양한 곤충들에 대한 기록이 있는데
MENU

이익은 그 기록들을 바탕으로 설명해 놓았어.
웨이터, 여기 주문!
MENU
《예기》*의 〈내칙〉 편을 보면
예기
내칙

*《예기(禮記)》 – 예(禮)의 이론과 실제를 기술한 유교의 경전.

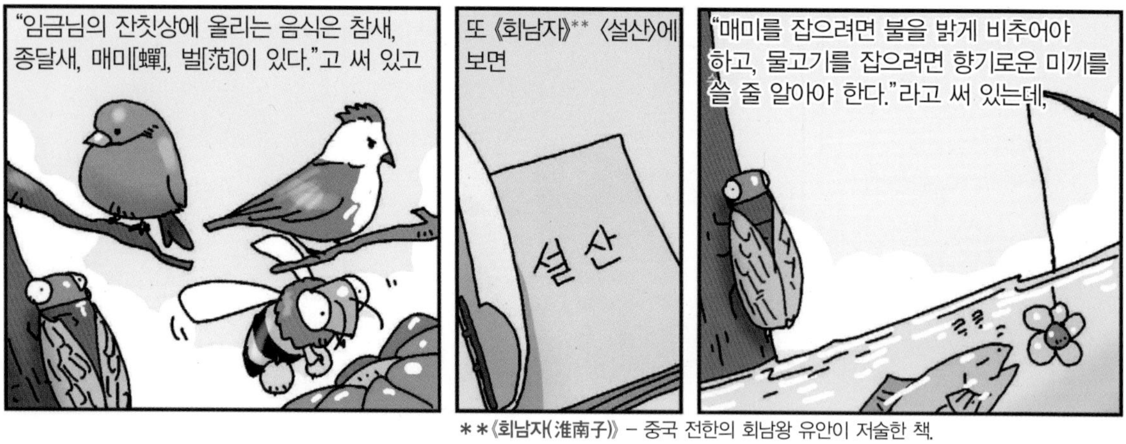
"임금님의 잔칫상에 올리는 음식은 참새, 종달새, 매미[蟬], 벌[范]이 있다."고 써 있고
또 《회남자》** 〈설산〉에 보면
설산
"매미를 잡으려면 불을 밝게 비추어야 하고, 물고기를 잡으려면 향기로운 미끼를 쓸 줄 알아야 한다."라고 써 있는데,

**《회남자(淮南子)》 – 중국 전한의 회남왕 유안이 저술한 책.

이에 근거해 이익은 매미를 잡을 때는 불을 밝히고 잡았던 것으로 추측하지.
잡았다!!
매미는 반찬으로 먹기 위해 잡았을 것으로 보여.
또 젓갈 종류에는 우리가 잘 알지 못하는 달팽이젓, 개미 알젓이 있다고 해.
젓?!!

그리고 《주례》*에는 이렇게 씌어 있대.
잔칫상에 올리는 음식으로 조개, 개미 알, 메뚜기 새끼 등이 있다.
특히 개미 알 같은 경우에는 개미집 속에 흰 좁쌀처럼 들어 있고, 또 너무 작아서 모으기가 매우 어렵다고 해.
아고, 눈알이야…

*《주례(周禮)》 – 주(周)대의 관제를 기록한 유교 경전.

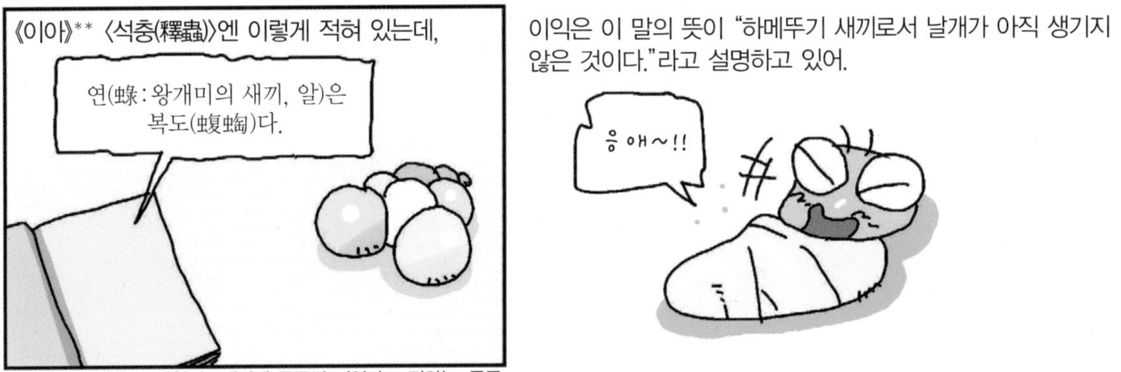
《이아》** 〈석충(釋蟲)〉엔 이렇게 적혀 있는데,
연(蝝 : 왕개미의 새끼, 알)은 복도(蝮蜪)다.
이익은 이 말의 뜻이 "하메뚜기 새끼로서 날개가 아직 생기지 않은 것이다."라고 설명하고 있어.
응애~!!

**《이아(爾雅)》 – 기원전 2세기에 주공이 지었다고 전하는, 중국에서 가장 오래된 사전.

이익은 메뚜기의 종류가 하나가 아니라고 설명해.
더듬이가 길고 다리가 긴 놈은 잘 뛰고
슈퍼뚜기!
빛깔이 푸른 것, 검은 것, 알록달록한 것 등 다양하게 있다고 썼지.

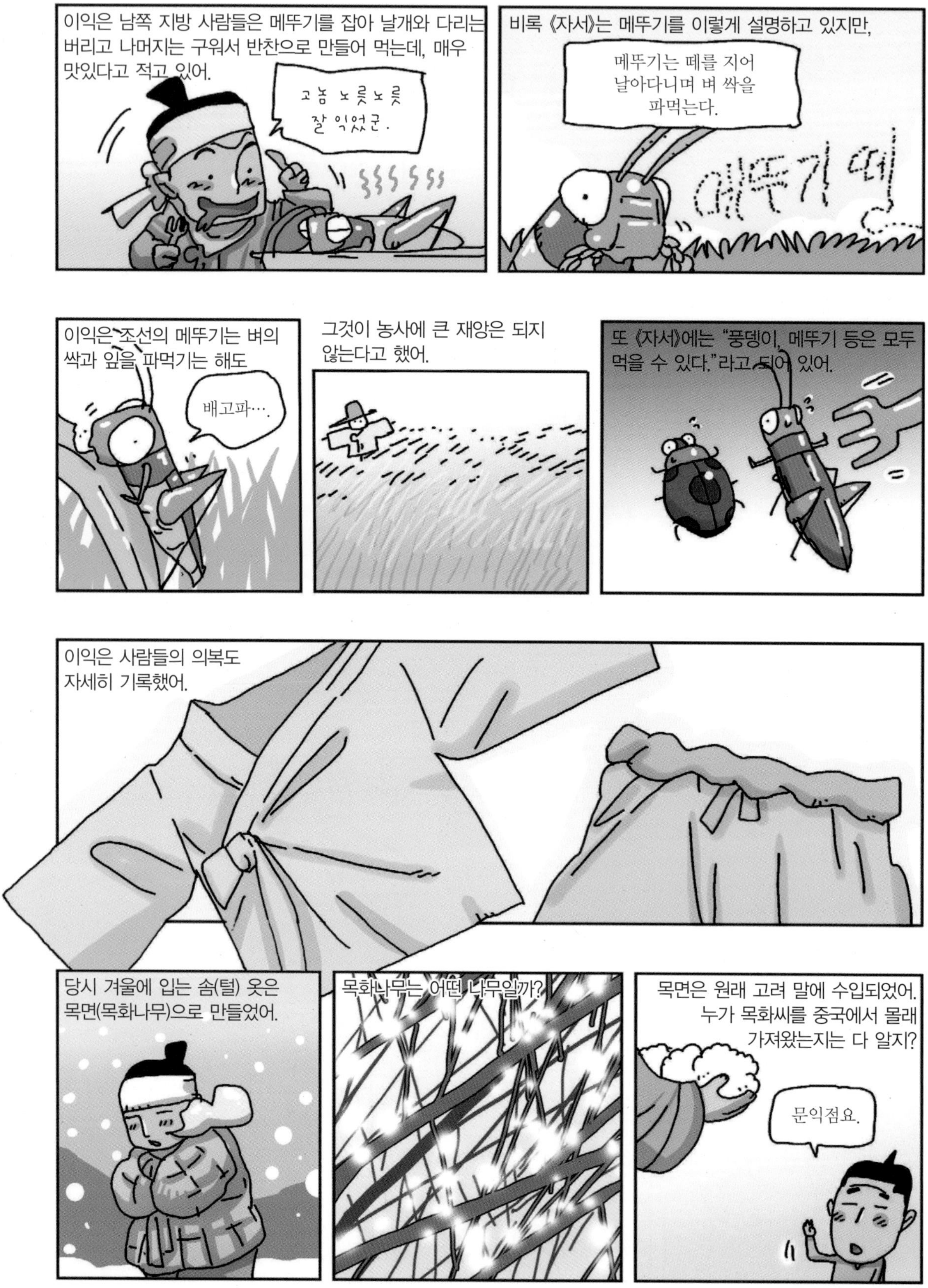

이익은 남쪽 지방 사람들은 메뚜기를 잡아 날개와 다리는 버리고 나머지는 구워서 반찬으로 만들어 먹는데, 매우 맛있다고 적고 있어.
고놈 노릇노릇 잘 익었군.
비록 《자서》는 메뚜기를 이렇게 설명하고 있지만,
메뚜기는 떼를 지어 날아다니며 벼 싹을 파먹는다.
메뚜기 떼
이익은 조선의 메뚜기는 벼의 싹과 잎을 파먹기는 해도
배고파….
그것이 농사에 큰 재앙은 되지 않는다고 했어.
또 《자서》에는 "풍뎅이, 메뚜기 등은 모두 먹을 수 있다."라고 되어 있어.
이익은 사람들의 의복도 자세히 기록했어.
당시 겨울에 입는 솜(털) 옷은 목면(목화나무)으로 만들었어.
목화나무는 어떤 나무일까?
목면은 원래 고려 말에 수입되었어. 누가 목화씨를 중국에서 몰래 가져왔는지는 다 알지?
문익점요.

문익점이 붓 뚜껑에 목화씨를 가지고 오면서 비로소 목면이 재배되기 시작했고
이익이 살던 당시에는 목면을 나라 전체에서 재배했지.
그러나 당시에도 목면을 심지 않는 지방이 많았는데, 사람들은 그 이유를 풍토와 기후가 맞지 않아서라고 했지.
안 심어.
그런데 이익은 사람들이 사실을 잘못 알고 있기 때문에 그런 말을 한다고 했어.
당시 목면 재배 상황을 보면 황해도 황주, 봉산, 충청도 문의, 옥천 등지에는 목면이 토질에 알맞아서 많이 심지만
경기도 지방에서는 거의 찾아볼 수가 없었어.
없네….
경기도
이익이 바닷가에 살면서 근방의 목면 재배 실태를 보니까
수원에 속하는 쌍부면이라는 지역은 단 한 집도 목면을 심지 않았어.
저리 치워!
고작 40~50리밖에 안 되는 거리인데 토질이 그렇게 달랐을까?
A
B
?
이익이 살던 우명(牛鳴)이라는 곳도 바닷가로, 역시 목면을 심지 않은 걸 보면
관심 없어!
이는 토질이 다르기 때문이 아니라 농사짓는 풍속이 바뀌지 않은 탓이라고 이익은 설명했지.
오직 쌀!!

당시엔 전국 사방을 두루 살펴봐도 목면이 생산되지 않은 곳이 없었어.
이익은 목면이 나지 않는 이유는 토질이 아니라 바로 사람 때문이라고 봤지.
너 때문이야!!
이와 같은 예는 다른 작물에서도 볼 수 있어.
나 말고 또 있어?
가령 호남 지방에 가 보면 소마(蘇麻)라는 나무가 없어서 수유(茱萸) 나무 열매로 기름을 짜서 등불을 켰는데
이는 생산된 지 100년이 다 되어 가는 남과(호박)가
나 100살.
호남 지방에만큼은 보급되지 않은 탓이었어.
호남이 어디여~
이익은 목면이 생산되지 않는 것도 이와 비슷한 이유라고 보았지.
같은 처지….
달걀이 닭이 될 수는 있지만
암탉이 품지 않으면 절대로 병아리가 될 수 없고,
누에가 실을 만들 수는 있지만

뽕잎을 먹이지 않으면
누에고치를 만들 수 없는 법.
뽕잎을
달라!!
파업
이익은 달걀을 품도록 해 주지도 않고 누에를 먹이지도 않으면서
배고파….
병아리가 부화되고 누에고치가 만들어지기를 기다리는 것이 과연 옳은 일이냐고 반문하지.
하~ 암.
잠~잠~
간혹 목면을 시험 삼아 심어 보는 사람이 있지만
잘
크려나….
결국은 기존의 농사 풍속에 젖어서 마땅한 방법을 찾지 못하고
잘되기만을 기다리다가 결국 목면 농사를 망치고는
망했다!!
꽥
토질이 맞지 않아서라고 하는데,
땅 탓이라고!
이는 자신은 목면 재배에는 아무것도 모르는 사람이라고 광고하는 것과 똑같다고 이익은 말했지.
바보
제대로 재배하는 방법을 습득하지도 못했으면서 농사만 잘되기를 바라니 어찌 잘되겠냐는 소리지.
비나이다~
비나이다~
목면은 당시 농가에 큰 보탬이 될 수 있는 작물이었어.

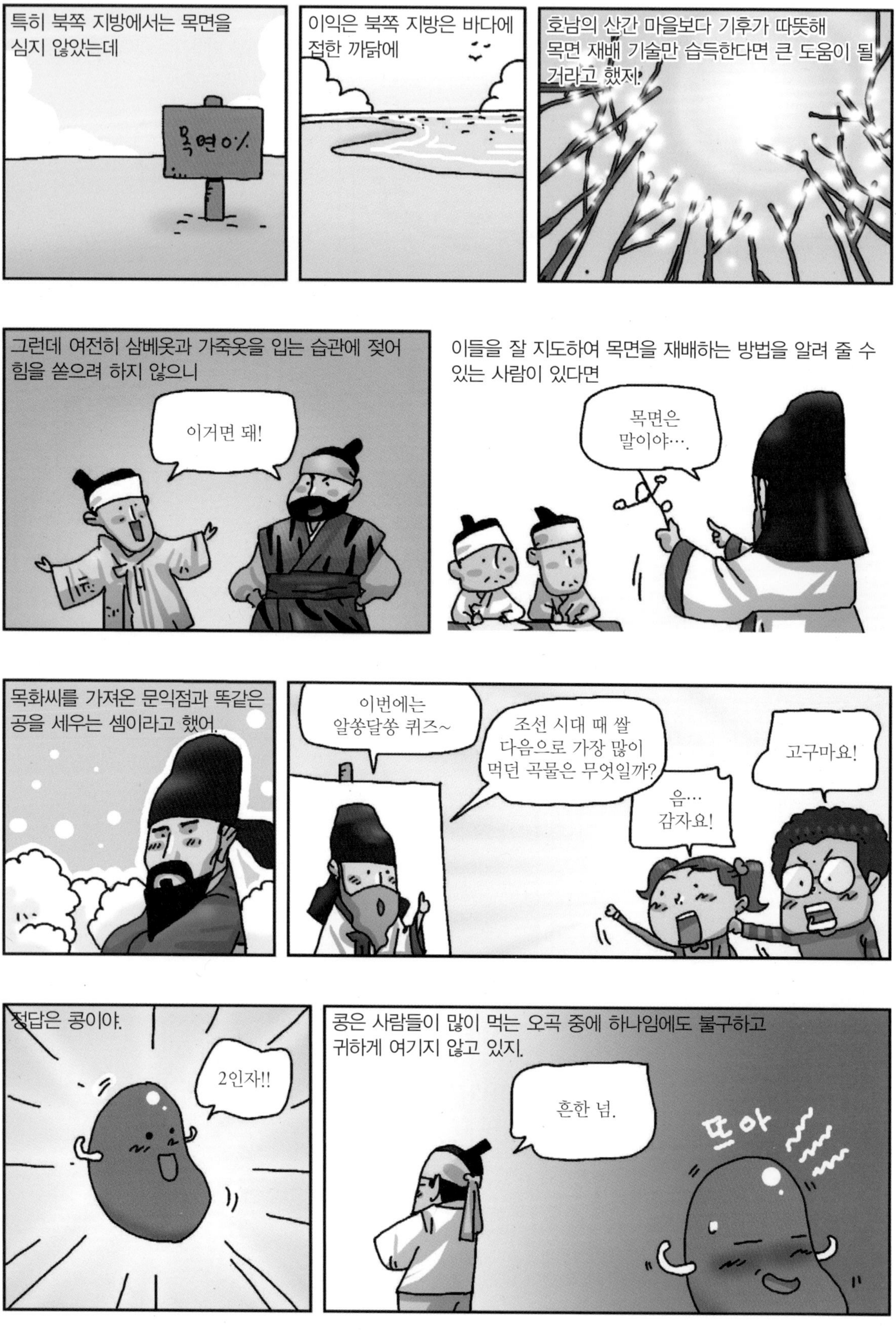
특히 북쪽 지방에서는 목면을
심지 않았는데
목면0%
이익은 북쪽 지방은 바다에
접한 까닭에
호남의 산간 마을보다 기후가 따뜻해
목면 재배 기술만 습득한다면 큰 도움이 될
거라고 했지.
그런데 여전히 삼베옷과 가죽옷을 입는 습관에 젖어
힘을 쏟으려 하지 않으니
이거면 돼!
이들을 잘 지도하여 목면을 재배하는 방법을 알려 줄 수
있는 사람이 있다면
목면은
말이야….
목화씨를 가져온 문익점과 똑같은
공을 세우는 셈이라고 했어.
이번에는
알쏭달쏭 퀴즈~
조선 시대 때 쌀
다음으로 가장 많이
먹던 곡물은 무엇일까?
음…
감자요!
고구마요!
정답은 콩이야.
2인자!!
콩은 사람들이 많이 먹는 오곡 중에 하나임에도 불구하고
귀하게 여기지 않고 있지.
흔한 놈.
또아

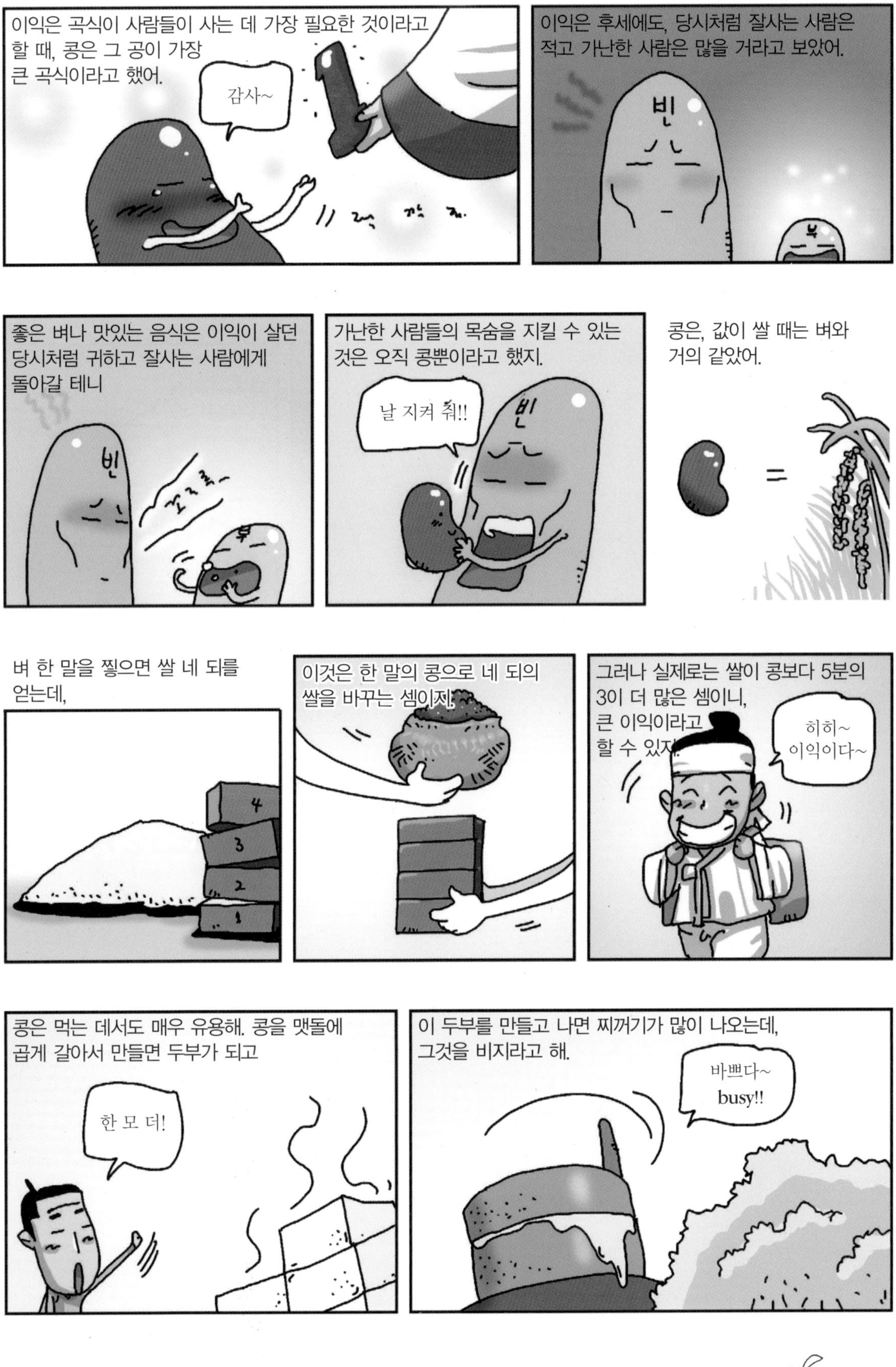
이익은 곡식이 사람들이 사는 데 가장 필요한 것이라고 할 때, 콩은 그 공이 가장 큰 곡식이라고 했어.
감사~
이익은 후세에도, 당시처럼 잘사는 사람은 적고 가난한 사람은 많을 거라고 보았어.
빈
좋은 벼나 맛있는 음식은 이익이 살던 당시처럼 귀하고 잘사는 사람에게 돌아갈 테니
빈
가난한 사람들의 목숨을 지킬 수 있는 것은 오직 콩뿐이라고 했지.
날 지켜 줘!!
빈
콩은, 값이 쌀 때는 벼와 거의 같았어.
벼 한 말을 찧으면 쌀 네 되를 얻는데,
4
3
2
1
이것은 한 말의 콩으로 네 되의 쌀을 바꾸는 셈이지.
그러나 실제로는 쌀이 콩보다 5분의 3이 더 많은 셈이니, 큰 이익이라고 할 수 있지.
히히~ 이익이다~
콩은 먹는 데서도 매우 유용해. 콩을 맷돌에 곱게 갈아서 만들면 두부가 되고
한 모 더!
이 두부를 만들고 나면 찌꺼기가 많이 나오는데, 그것을 비지라고 해.
바쁘다~ busy!!

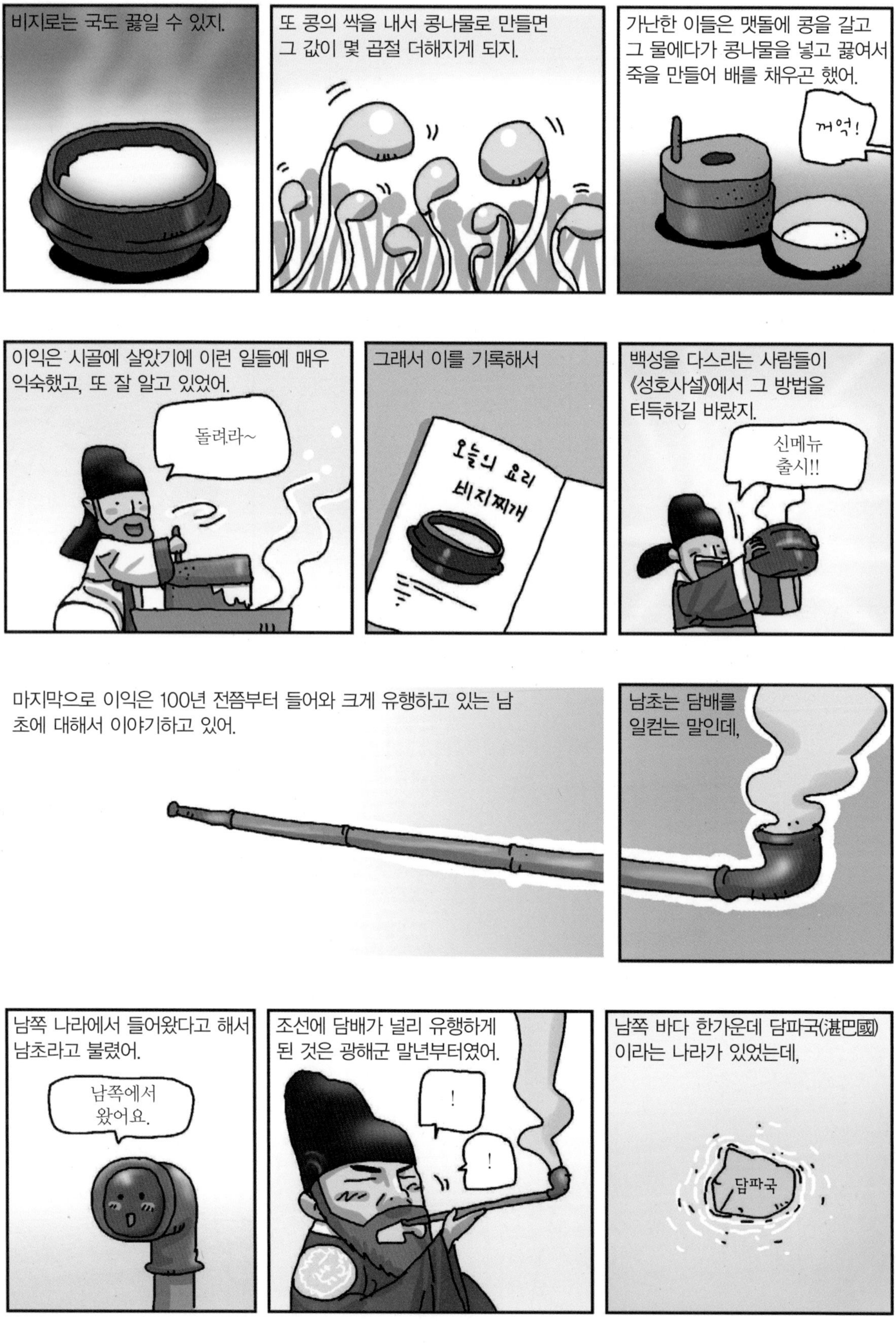
비지로는 국도 끓일 수 있지.
또 콩의 싹을 내서 콩나물로 만들면 그 값이 몇 곱절 더해지게 되지.
가난한 이들은 맷돌에 콩을 갈고 그 물에다가 콩나물을 넣고 끓여서 죽을 만들어 배를 채우곤 했어.
꺼억!
이익은 시골에 살았기에 이런 일들에 매우 익숙했고, 또 잘 알고 있었어.
돌려라~
그래서 이를 기록해서
오늘의 요리
비지찌개
백성을 다스리는 사람들이 《성호사설》에서 그 방법을 터득하길 바랐지.
신메뉴 출시!!
마지막으로 이익은 100년 전쯤부터 들어와 크게 유행하고 있는 남초에 대해서 이야기하고 있어.
남초는 담배를 일컫는 말인데,
남쪽 나라에서 들어왔다고 해서 남초라고 불렸어.
남쪽에서 왔어요.
조선에 담배가 널리 유행하게 된 것은 광해군 말년부터였어.
!
!
남쪽 바다 한가운데 담파국(湛巴國)이라는 나라가 있었는데,
담파국

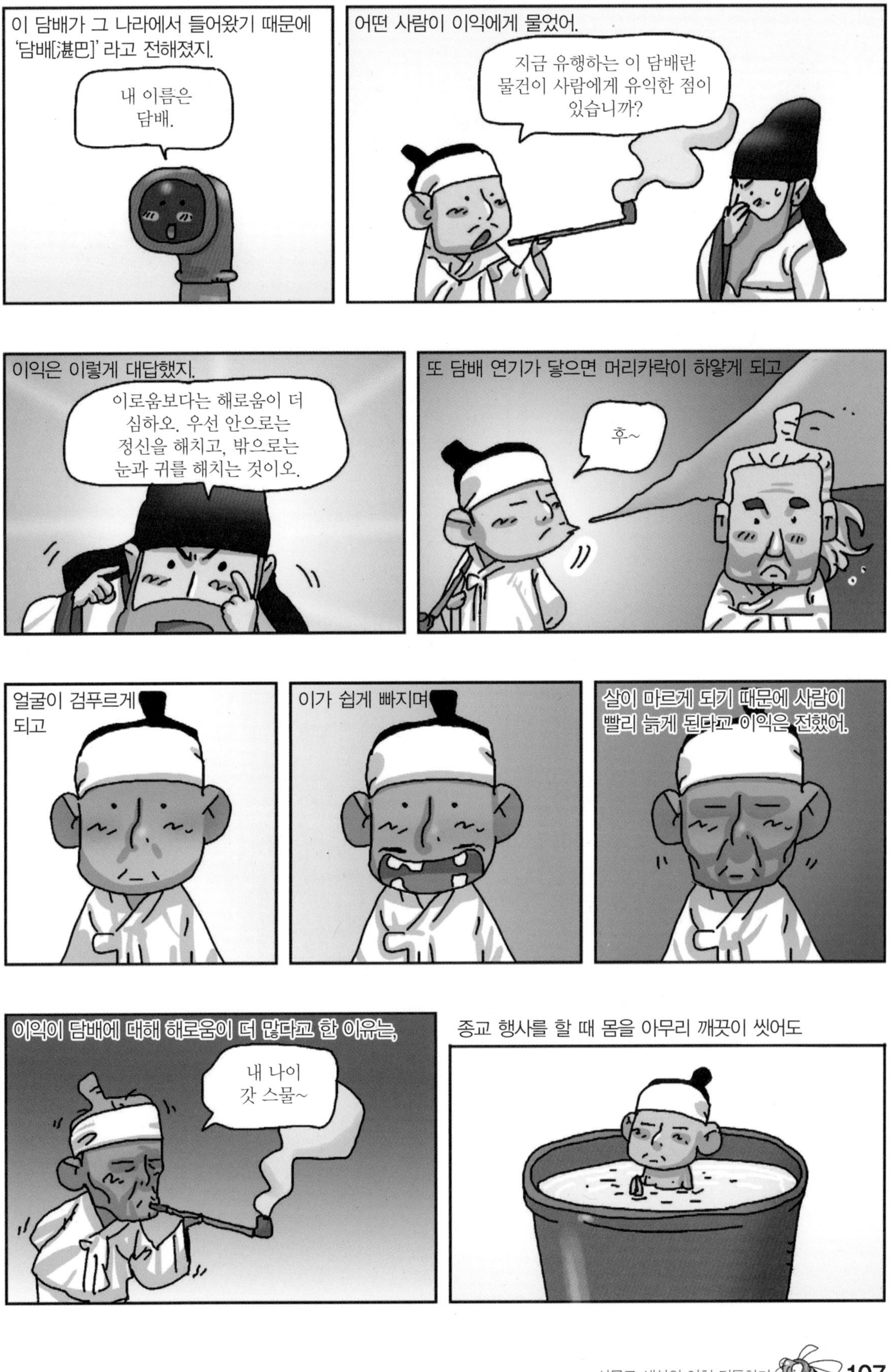

이 담배가 그 나라에서 들어왔기 때문에 '담배[湛巴]'라고 전해졌지.
내 이름은 담배.
어떤 사람이 이익에게 물었어.
지금 유행하는 이 담배란 물건이 사람에게 유익한 점이 있습니까?
이익은 이렇게 대답했지.
이로움보다는 해로움이 더 심하오. 우선 안으로는 정신을 해치고, 밖으로는 눈과 귀를 해치는 것이오.
또 담배 연기가 닿으면 머리카락이 하얗게 되고
후~
얼굴이 검푸르게 되고
이가 쉽게 빠지며
살이 마르게 되기 때문에 사람이 빨리 늙게 된다고 이익은 전했어.
이익이 담배에 대해 해로움이 더 많다고 한 이유는,
내 나이 갓 스물~
종교 행사를 할 때 몸을 아무리 깨끗이 씻어도

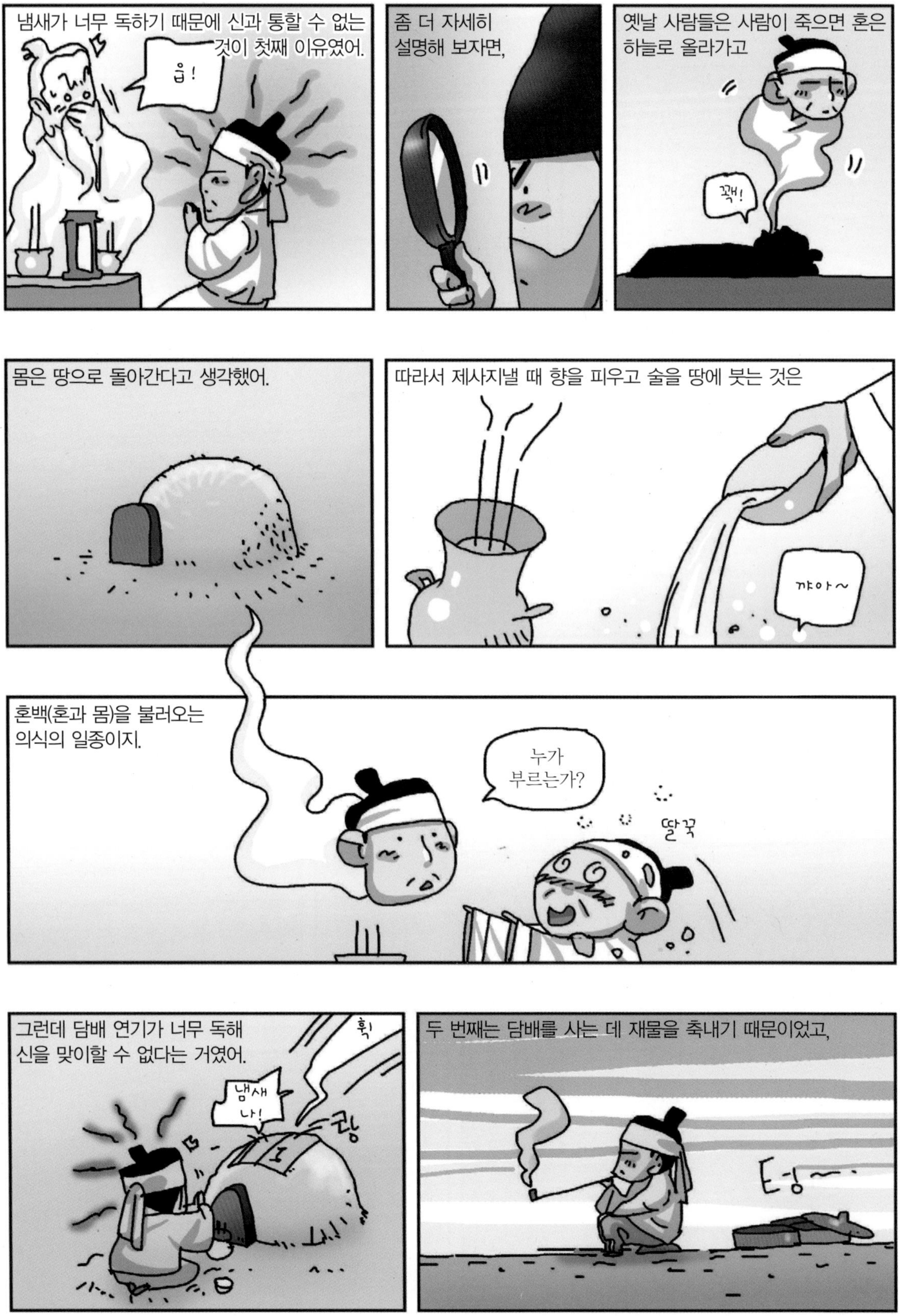
냄새가 너무 독하기 때문에 신과 통할 수 없는 것이 첫째 이유였어.
읍!
좀 더 자세히 설명해 보자면,
옛날 사람들은 사람이 죽으면 혼은 하늘로 올라가고
꽥!
몸은 땅으로 돌아간다고 생각했어.
따라서 제사지낼 때 향을 피우고 술을 땅에 붓는 것은
혼백(혼과 몸)을 불러오는 의식의 일종이지.
누가 부르는가?
딸꾹
그런데 담배 연기가 너무 독해 신을 맞이할 수 없다는 거였어.
휙
냄새 나!
두 번째는 담배를 사는 데 재물을 축내기 때문이었고,

세 번째는 이 세상에는 할 일이 무척 많은데
할 일이 태산이네….
젊은 사람, 늙은 사람을 막론하고 1년 내내 하루 종일 담배를 구하는 데 급급하여 잠시도 쉬지 못하기 때문이라고 했어.
담배를 구하기 위한 이런 마음과 힘을
담배!!
학문에 쏟는다면 반드시 크게 어진 사람이 될 것이고,
가 아니라 공부!!
글을 짓는다면 훌륭하고 아름다운 문장을 쓸 수 있을 것이며,
떨어지는 낙엽이 내 가슴에….
살림을 돌본다면 부자가 될 거라고 이익은 말했지.
몸과 마음의 부자 되세요~!!
금연

문익점과 목화씨 반출 사건

붓 뚜껑에 숨긴 목화씨

문익점은 1360년(공민왕 9) 문과에 급제하여 관직에 임용되었고, 1363년에 국왕의 사신으로 원나라에 갔습니다. 이때 원나라에서는 공민왕을 폐하고 충선왕의 아들인 덕흥군을 왕으로 세워 고려로 진군하게 했고, 문익점은 이를 지지했습니다. 하지만 덕흥군이 패했고, 문익점은 그 뒤 귀국했다가 그 혐의로 관직에서 물러나게 되었습니다.

그러나 문익점은 귀국할 때 당시에 중국에서 가지고 나갈 수 없었던 목화씨를 몰래 가지고 들어왔습니다. 이때 목화씨를 몰래 가지고 오기 위해 붓 뚜껑에 숨겨 왔다는 이야기는 유명하지요. 이후에 낙향하여 진주에서 장인이었던 정천익과 함께 3년간 목화씨를 재배하여 마침내 성공했습니다. 처음에는 목화에서 씨를 제거하고 실을 뽑을 줄 몰라서 어려움을 겪었습니다. 하지만 정천익이 호승·홍원이란 사람에게서 씨를 빼는 씨아와 실을 뽑는 물레를 만드는 방법을 배워 왔고, 이를 보급시켜 목화가 전국으로 보급될 수 있었습니다.

목화가 가져온 풍요

목화의 보급은 당시 많은 사람들의 생활에 큰 변화를 가져왔습니다. 일반 백성들의 의복 재료가 종래의 삼베에서 무명(면포)으로 바뀌게 되면서 의생활이 훨씬 향상되었어요. 문익점은

목화의 씨를 빼는 기구 씨아.

목면을 보급한 공으로 1375년(우왕 1)에 다시 관직에 임명되었습니다. 그러나 전제田制 개혁 문제를 둘러싸고 조정에서 이성계파와 이색 · 우현보 등의 의견이 갈라졌는데, 이때 문익점은 이색 등과 함께 사전私田 혁파를 반대하다가 조준의 탄핵을 받아 다시 관직에서 물러나게 되었습니다. 그가 죽은 후 조선 태종 때는 이러한 공로를 높이 여겨 후손인 문중용에게 벼슬을 내렸으며, 1440년(세종 22)에는 영의정에 추증되었고 세조 때는 부민후를 추봉했습니다. 정치적 반대 세력으로부터도 그 공을 인정받을 만큼 문익점의 목화씨 반출과 재배는 당대와 후대에 큰 영향을 끼쳤던 것이지요. 지금도 경상남도 산청군 단성면 사월리의 문익점 면화 시배지가 사적 제108호로 지정되어 있고, 이곳에 문익점 기념관과 사적비가 세워져 있습니다. 이러한 문익점의 목화 전래와 재배, 가공 등에 대한 내용은 《목면화기木綿花記》에 자세히 실려 있습니다.

다른 견해

문익점의 목면 전래에 대해 고려 이전에 이미 목화가 재배되고 있었다는 역사적 견해가 있습니다. 그러나 고려 이전 시기의 기록에 나타나는 면포綿布는 대개 누에 실에서 뽑아낸 것을 말합니다. 목면포木綿布는 중국에서도 송나라 말에서 원나라 초에 처음으로 보급되었기 때문에 우리나라에서 목화가 재배되기 시작한 것은 문익점 이후 고려 말이라고 보는 것이 가장 타당하다고 할 수 있습니다.

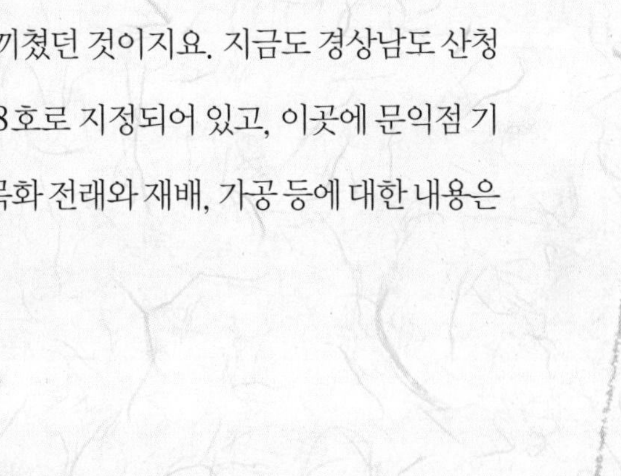

제6장
나라를 부강하게 만드는 법
이익은 백성과 나라를 부강하게 하는 것에 대해 많은 관심을 가졌어.
부강
부강
주변의 사물을 보면서 깊게 생각하고 이치를 깨달았으며, 단순한 관찰을 넘어서서
관찰
한 나라와 백성이 부강하게 사는 법까지 생각했지.
잘사는 방법이라….
이 장에서는 〈만물문〉의 내용 중에서 이익이 국가와 백성을 부강하게 하기 위해 관심을 가졌던 말과 군사 무기,
금과 은
그리고 생활에서 실천할 수 있는 검소함에 대해 살펴볼 거야.
옛날에는 전쟁을 어떻게 했을까?
칼로 싸웠어.
화살도 쏘고.
맞아. 말을 타고 칼이나 창, 화살 등을 이용해서 적과 싸웠어.

만약에 말이나 칼, 화살이 없거나
부족하게 되면 어떻게 될까?
당연히 전쟁에서 질 테고 나라는 부강해질 수 없을 거야.
이익은 그 점을 생각했어.
와아아~이
이익은 먼저 북쪽 지역의 말과 조선의
말을 비교할 때
조선의 말이 현격히 떨어진다는
것을 느꼈어.
왜 그런지 지금부터 이익의 말을
들어 보자.
흠!
흠!
옛날부터 북쪽의 변방에서는 말을 기를 때 콩을 삶아 먹이거나 죽을
끓여 먹이지 않고
안 먹어!
죽
콩
마음대로 돌아다니면서 산과 들판의
갈대를 뜯어먹도록 내버려 두었어.
그래서 이 지역의 말들은 다 자라도 겉으로
보기에는 살도 찌지 않았고, 윤택한 모습도 없지.
볼품없군!
하지만 성질이 억세고 사나우며
추위와 굶주림을 잘 견딜 수 있었기
때문에
다
덤벼!!
배가 부르지 않아도
멀리 달릴 수 있었어.
금식
100일!

그리고 수컷들은 모두 생식기를 잘랐는데
이렇게 거세를 시키면
그렇다고 죽진 않아!!
길들이기 편하고, 부리기 쉬웠지.
이 말들은 고삐를 풀어놓아도
자유다!!
도망가지 않았고
서로 물어뜯거나 발길질을 하지도 않았어.
친구야~
이렇게 말이 온순해졌으니까 그 말을 관리하는 사람은 당연히 쉬웠겠지.
시원 하시죠?
한 사람이 수십 마리의 말을 몰고 다녀도 무리를 어지럽히지 않고 마음대로 편하게 말들을 다스릴 수 있었지.
우르르르….
이 말들은 재갈을 물리거나 굴레를 씌우지 않아도 사람이 시키는 대로 달리며
오른쪽!
왼쪽!
호랑이나 범이 앞을 가로막아도 두려워하지 않고 앞으로 달려 나간다고 해.
두두 두두
또 이 지역 사람들은 별일이 없을 때에는 말을 완전히 풀어놓아 자유롭게 쉴 수 있게 했지.

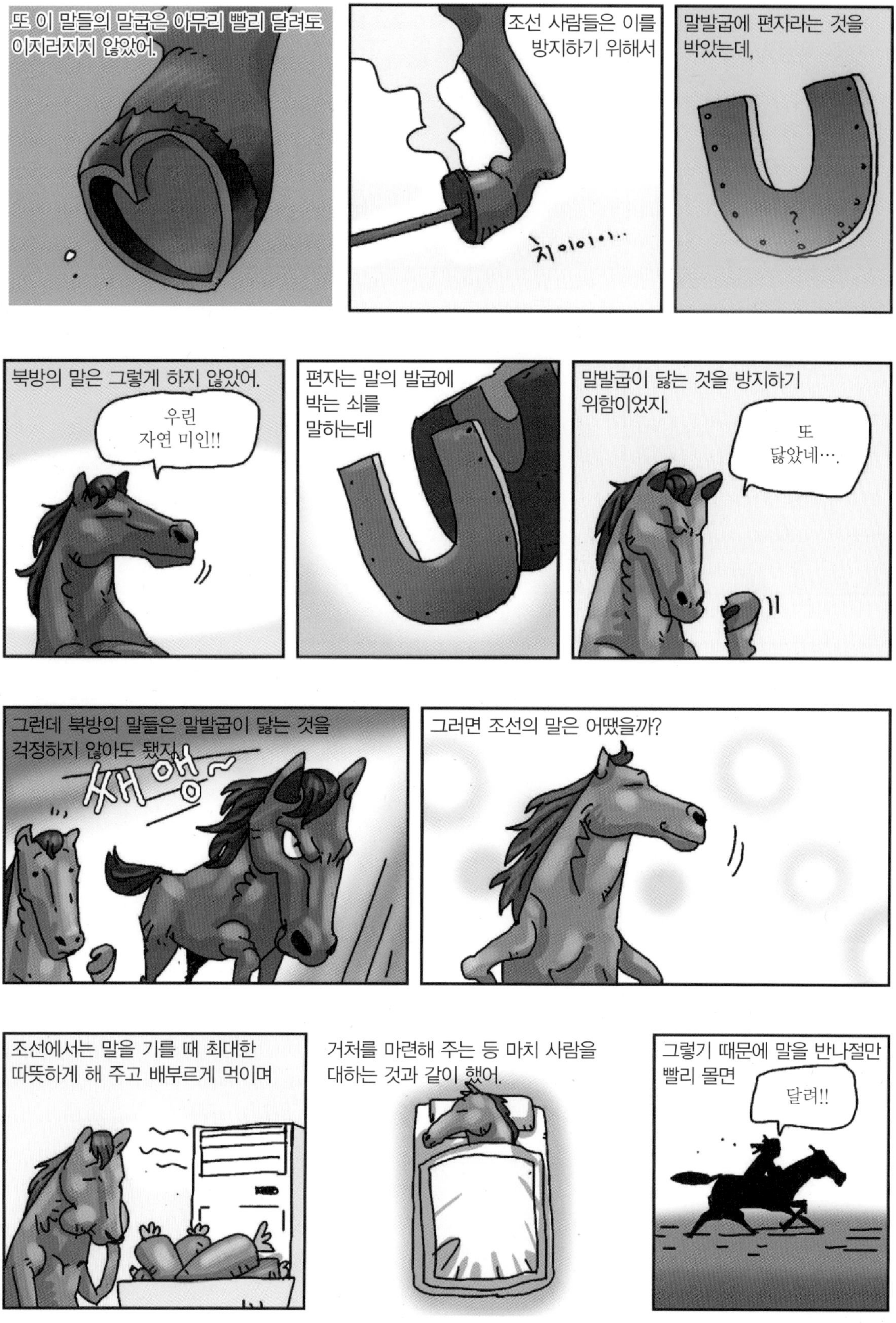

또 이 말들의 말굽은 아무리 빨리 달려도 이지러지지 않았어.
조선 사람들은 이를 방지하기 위해서
치이이이이..
말발굽에 편자라는 것을 박았는데,
북방의 말은 그렇게 하지 않았어.
우린 자연 미인!!
편자는 말의 발굽에 박는 쇠를 말하는데
말발굽이 닳는 것을 방지하기 위함이었지.
또 닳았네….
그런데 북방의 말들은 말발굽이 닳는 것을 걱정하지 않아도 됐지.
쌔앵~
그러면 조선의 말은 어땠을까?
조선에서는 말을 기를 때 최대한 따뜻하게 해 주고 배부르게 먹이며
거처를 마련해 주는 등 마치 사람을 대하는 것과 같이 했어.
그렇기 때문에 말을 반나절만 빨리 몰면
달려!!

입에서 거품을 토하고, 전신에 구슬땀을 흘렸지.
거기에 성질도 나빠서 잘 싸우고
퍽
행렬을 이탈해 떼를 지어 울부짖으니 이 말들을 제어할 대책이 마땅히 없었대.
아우~
늑대냐!!
더러운 오물이 묻으면 부지런히 털어 주고
깨끗이~
꼴이나 콩을 배부르게 먹이며
꺼억~
추우면 덮어 주고 더우면 가려 주어 눈, 바람에 시달리지 않기 때문에
근육이나 골격이 연약할 수밖에 없었지.
으으으…
뿐만이 아니라 장사꾼들이 부리는 말은 하루도 쉴 새가 없어서
쉬고 싶다….
쉽게 늙고, 오래 살지 못했어.
귀한 사람들이 타는 말은 달리는 데에 익숙하지 않아서 급한 일이 있을 때는 오히려 사용하지 못하는 일이 많았지.
느긋
뛰는 게 낫지!!
이런 상태의 말을 가지고 전쟁에 나갔다고 생각해 보렴.
돌격!!

전투에 임해서 말을 달렸는데 조금만 달려도 헉헉대며 쓰러져 버리고,
헉
헉
헉
무리에서 이탈해 버리고,
늑대냐고!!
우~
말을 탄 병사도 그 말을 제어할 수 없다면 전쟁에서 이길 수가 있을까?
말이 계속 잘 먹고 잘 쉬다가
갑자기 전쟁에 끌려 나와서 싸우려고 하니 얼마나 지치겠어?
헉
헉
헉
그렇다면 이를 해결하기 위한 방법이 필요하겠지?
이익은 크게 두 가지 방법을 주장했어. 하나는 먼저 말의 사육 방식을 바꾸는 것이었고,
식단이 바뀌었네?
다른 하나는 말의 종자를 더 좋은 것으로 구하는 것이었지.
우선 말을 기르는 데 방목을 하되
자유다~!!
바다로 둘러싸인 섬에다 목장을 설치하여 말의 종자가 점점 연약하게 하지 말고
산골짜기 높고 건조한 곳에 목장을 만들어 굳세고 용감해지도록 하자고 했어.

들에서 방목을 하는 말은 물을 마시고 풀을 뜯어먹는 데에 불편함이 없고,
순간적으로 달리는 데에도 익숙해서 전쟁에서 유용하게 쓸 수 있어.
쌔앵
하지만 집에서 기르는 말은 일일이 챙겨 주고 돌봐 주며,
바람과 서리에 노출되지 않기 때문에 체력이 약할 수밖에 없지.
이런 말들을 하루 아침에 갑자기 황야에 풀어놓는다면 반드시 여위고 병들게 될 거야.
이익은 말을 잘 기른 사람에게도 군대에 주는 것과 같은 포상이 꼭 필요하다고 했어.
이익은 중국을 예로 들었어. 중국 당나라 때 장만세라는 사람이 암컷 3,000마리를 길러 후에 70만 마리로 번식시켰는데,
70만 마리~
이는 당시 값비싼 비단 한 필로 말 한 필을 바꾸던 때임을 생각하면 대단한 일이었지.
훗날 중국의 대시인 두보는 〈사원행〉이라는 시에서 다음과 같이 썼어.
제목 사원행, 낭독 두보….

옛날 태복(말을 기르는 벼슬) 장만세는, 망아지를 잘 키워
훌륭한 말로 만들었네. 천육이라는 우두머리 종을 시켜,
재빠르고 좋은 말을 각별히 기르게 했네.
당시에 늘어난 말이 40만 필이 넘었으나,
장만세는 그의 재주가 낮다고 탄식했네.
또 당나라 현종은 왕모중이라는 사람에게 명하여 안팎의 모든 말을 기르는 곳을 감독하게 했는데,
뒤에 말이 43만 마리로 늘어났다고 해.
43만 마리~
왕모중은 원래 고구려 사람인데, 고구려 멸망 후에 당으로 끌려가 당 현종의 노비가 되었다가,
고향은 고구려….
공을 세워 재상의 지위에 오른 사람이야.
재상
그러면 좋은 품종의 말을 기르기 위한 방법에 대해 살펴보자.
제주에서 생산되는 말은 본래 서역의 '대완'이라는 나라에서 온 것들인데,
대완에서 왔어요~
몸집이 크며 번식도 잘되는 종자라고 해.
그런데 좋은 말들은 모조리 몰아다 군사용으로 쓰고 남아 있는 것들은 모두 늙고 약한 것들뿐이었지.

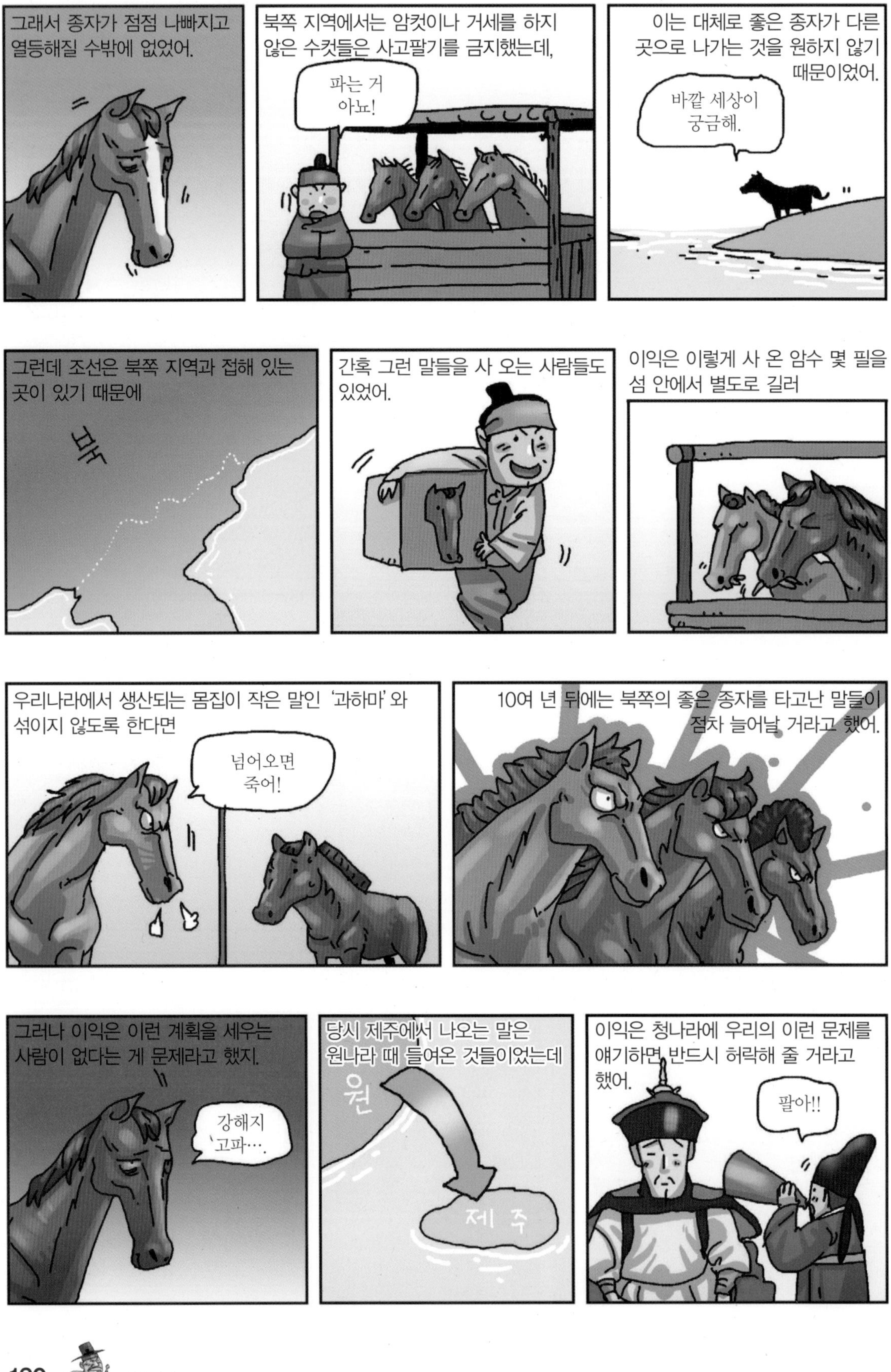

그래서 종자가 점점 나빠지고 열등해질 수밖에 없었어.
북쪽 지역에서는 암컷이나 거세를 하지 않은 수컷들은 사고팔기를 금지했는데,
파는 거 아뇨!
이는 대체로 좋은 종자가 다른 곳으로 나가는 것을 원하지 않기 때문이었어.
바깥 세상이 궁금해.
그런데 조선은 북쪽 지역과 접해 있는 곳이 있기 때문에
북
간혹 그런 말들을 사 오는 사람들도 있었어.
이익은 이렇게 사 온 암수 몇 필을 섬 안에서 별도로 길러
우리나라에서 생산되는 몸집이 작은 말인 '과하마'와 섞이지 않도록 한다면
넘어오면 죽어!
10여 년 뒤에는 북쪽의 좋은 종자를 타고난 말들이 점차 늘어날 거라고 했어.
그러나 이익은 이런 계획을 세우는 사람이 없다는 게 문제라고 했지.
강해지고파….
당시 제주에서 나오는 말은 원나라 때 들여온 것들이었는데
원
제주
이익은 청나라에 우리의 이런 문제를 얘기하면 반드시 허락해 줄 거라고 했어.
팔아!!

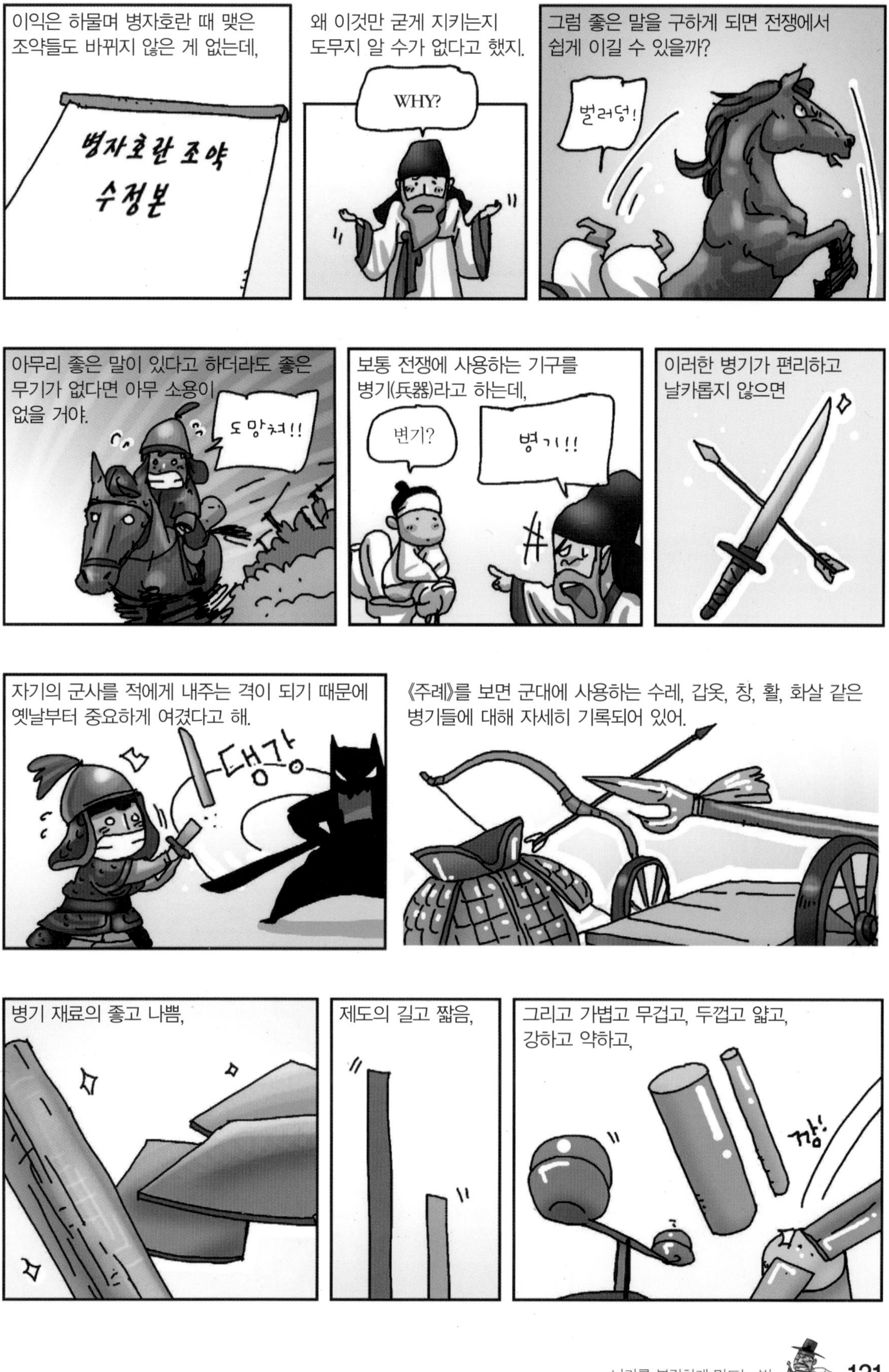
이익은 하물며 병자호란 때 맺은 조약들도 바뀌지 않은 게 없는데,
병자호란 조약 수정본
왜 이것만 굳게 지키는지 도무지 알 수가 없다고 했지.
WHY?
그럼 좋은 말을 구하게 되면 전쟁에서 쉽게 이길 수 있을까?
벌러덩!
아무리 좋은 말이 있다고 하더라도 좋은 무기가 없다면 아무 소용이 없을 거야.
도망쳐!!
보통 전쟁에 사용하는 기구를 병기(兵器)라고 하는데,
변기?
병기!!
이러한 병기가 편리하고 날카롭지 않으면
자기의 군사를 적에게 내주는 격이 되기 때문에 옛날부터 중요하게 여겼다고 해.
댕강
《주례》를 보면 군대에 사용하는 수레, 갑옷, 창, 활, 화살 같은 병기들에 대해 자세히 기록되어 있어.
병기 재료의 좋고 나쁨,
제도의 길고 짧음,
그리고 가볍고 무겁고, 두껍고 얇고, 강하고 약하고,
깡!

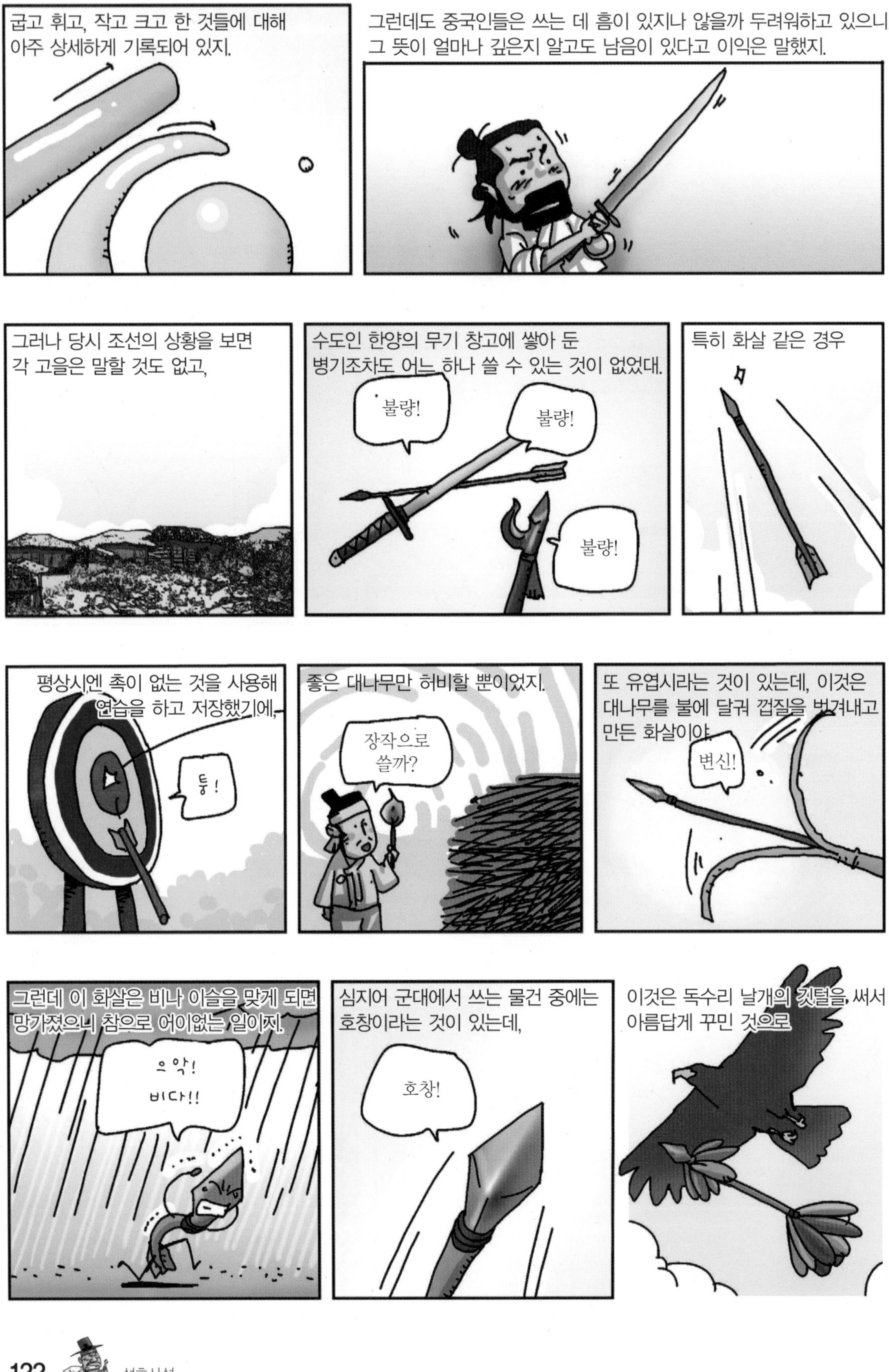
굽고 휘고, 작고 크고 한 것들에 대해 아주 상세하게 기록되어 있지.
그런데도 중국인들은 쓰는 데 흠이 있지나 않을까 두려워하고 있으니, 그 뜻이 얼마나 깊은지 알고도 남음이 있다고 이익은 말했지.
그러나 당시 조선의 상황을 보면 각 고을은 말할 것도 없고,
수도인 한양의 무기 창고에 쌓아 둔 병기조차도 어느 하나 쓸 수 있는 것이 없었대.
불량!
불량!
불량!
특히 화살 같은 경우
평상시엔 촉이 없는 것을 사용해 연습을 하고 저장했기에,
퉁!
좋은 대나무만 허비할 뿐이었지.
장작으로 쓸까?
또 유엽시라는 것이 있는데, 이것은 대나무를 불에 달궈 껍질을 벗겨내고 만든 화살이야.
변신!
그런데 이 화살은 비나 이슬을 맞게 되면 망가졌으니 참으로 어이없는 일이지.
으악! 비다!!
심지어 군대에서 쓰는 물건 중에는 호창이라는 것이 있는데,
호창!
이것은 독수리 날개의 깃털을 써서 아름답게 꾸민 것으로

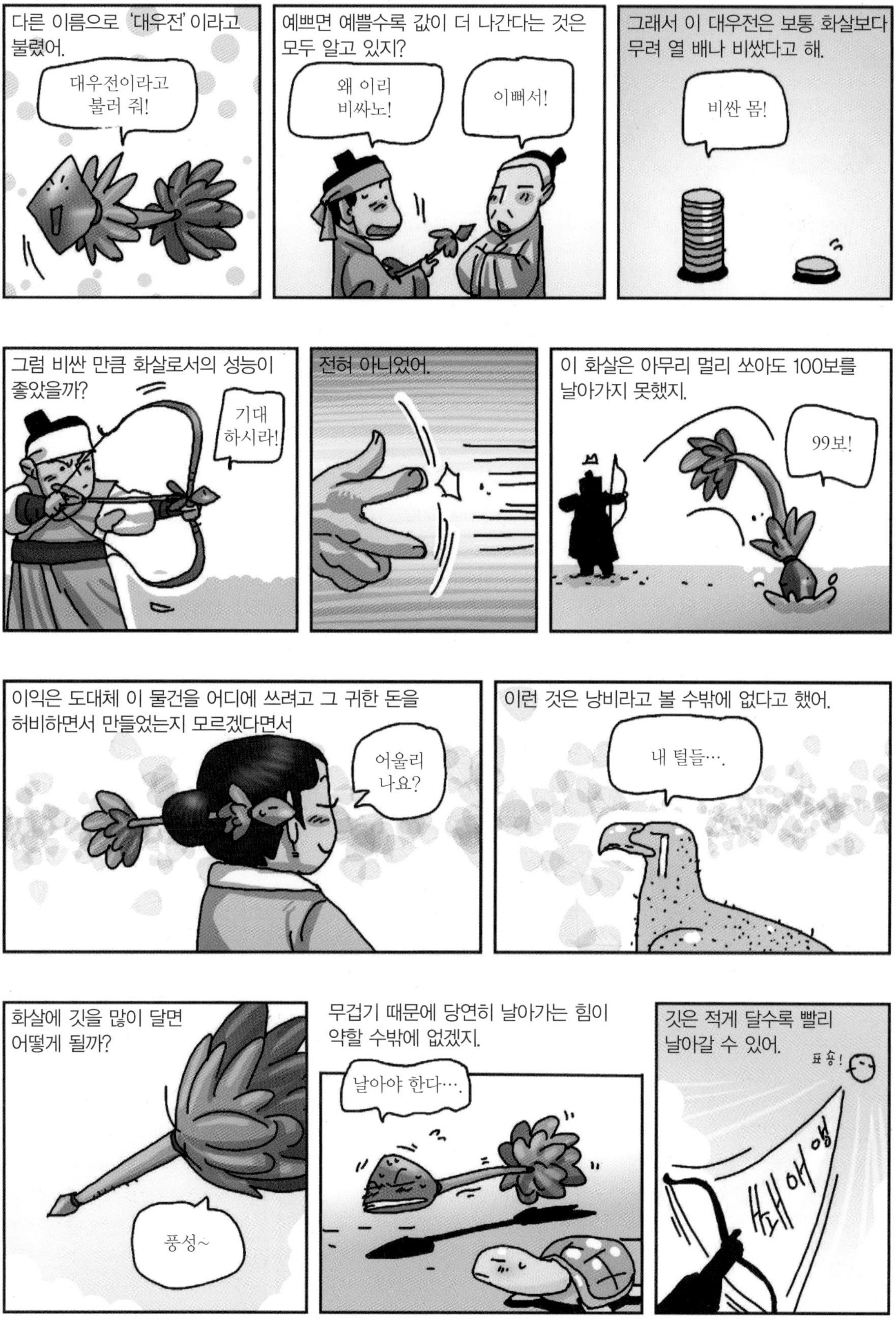

다른 이름으로 '대우전'이라고 불렸어.
대우전이라고 불러 줘!
예쁘면 예쁠수록 값이 더 나간다는 것은 모두 알고 있지?
왜 이리 비싸노!
이뻐서!
그래서 이 대우전은 보통 화살보다 무려 열 배나 비쌌다고 해.
비싼 몸!
그럼 비싼 만큼 화살로서의 성능이 좋았을까?
기대 하시라!
전혀 아니었어.
이 화살은 아무리 멀리 쏘아도 100보를 날아가지 못했지.
99보!
이익은 도대체 이 물건을 어디에 쓰려고 그 귀한 돈을 허비하면서 만들었는지 모르겠다면서
어울리 나요?
이런 것은 낭비라고 볼 수밖에 없다고 했어.
내 털들….
화살에 깃을 많이 달면 어떻게 될까?
풍성~
무겁기 때문에 당연히 날아가는 힘이 약할 수밖에 없겠지.
날아야 한다….
깃은 적게 달수록 빨리 날아갈 수 있어.

그래서 화살을 깍지에 끼고 흔들어서 그 깃이 많은지 적은지를 살피는 것이 꼭 필요했지.
그런데 시대마다 그 풍속이 다르고 사람이 하는 일도 점점 솜씨가 좋아져,
화살의 달인!!
싸리나무로 만든 화살과 돌로 만든 화살촉은 질이 낮은 물건이 되었으니
인기 없어!
이 또한 알 수 없는 일이라고 이익은 말했지.
내 인기… 흑!
그럼, 좋은 화살은 어떻게 만드는데?
이익은 우선 화살을 직접 사용하는 무신들로 하여금 좋은 재료를 가리게 하고,
이 나무가 제격!
튼실~
만드는 공정을 잘 살피게 해서,
감시하냐…
화살촉이 무딘 것은 버리고 날카로운 것만 사용하게 하도록 해야 한다고 했어.
그리고 옛날의 책들을 참고해서 병기를 만드는 방법과 제도에 대해 자세히 기록해서
화살 만드는 방법
한 편의 글로 만들어 궁중의 서고에 간직해 두고,
필요할 때마다 늘 꺼내 보면서 병기를 만드는 기준으로 삼고,
아~
화살의 모든 것

대우전과 같이 쓸모없는 병기들은 절대 만들지 못하도록 법으로 금지시키면
또 만들면 죽어~
아무런 낭비 없이 튼실한 병기를 갖출 수 있게 될 거라고 했어.
번쩍!
그러면 좋은 말과 좋은 병기를 만들 수 있는 기술과 능력이 있다고 해서 전쟁에서 이길 수 있고, 나라가 부강해질 수 있을까?
승리는 우리 것!!
이익은 좋은 말과 병기를 실제로 만들기 위해서는 국가에 많은 돈이 있어야 한다고 했어.
잔고
0원
중국 삼국시대 촉나라의 제갈량*은
와룡 선생이라고도 …
《출사표》에서 이렇게 적고 있어.
남쪽 지방을 정벌하니 무기가 넉넉하다.

*제갈량 – 정치가 겸 전략가.

이익은 그 당시 무기가 넉넉했던 것은 그 지역, 즉 남방 지방에 재물이 많았기 때문이라고 했지.
쉽게 말하면 나라의 금고라고 할 수 있는 국고에 재물이 많이 있어야 좋은 말과 병기를 개발할 수 있고,
나도 돈을 들여야!

백성들도 가난에서 벗어날 수 있을 거라는 얘기였어.
해방이다~
재물이 없는 상태를 가난이라고 하지?
0원
가난
국고가 텅 비면 나라가 가난해지는 것이기 때문에
텅~
나라는 재물을 모으는 데 큰 힘을 쏟지 않으면 안 돼.
당시에 재물은 흔히 곡식과 베(섬유)를 말했어.
그런데 이런 것들은 오래 사용하다 보면 싫증이 나기 마련이어서
똑같은 옷들뿐.
먹는 음식에서는 점점 귀하고 맛있는 것을 찾게 되고
옷에서는 점점 고운 비단을 찾게 되어 사치스러워지기가 쉬웠어.
이익은 이러한 사치가 커지면 커질수록 나라 살림에 문제가 생길 수 있으므로
콸
사치
콸
콸
쓰는 용도를 금지하고 억제하여
그토록 갖고 싶던….
함부로 사치품들을 사지 못하게 해야 한다고 했어.
그러나 사면 안 되지.
이익은 좀 더 근본적으로 나라가 모아야 할 재물을 고심했는데
무엇이 좋을까….
? ? ?

바로 금(金)과 은(銀)이었어.
왜 하필 그거였을까?
Why?
만약 나라에 전쟁이 일어나면 군사를 일으켜야 하는데
일어나~ 좀!!
zzz
그러려면 금과 은같이 쉽게 필요한 것으로 바꿀 수 있는 가벼운 보물이 필요하지.
번쩍!
또 군사들을 격려하고 전쟁에서 공을 세운 자들에게 상을 주어야 했는데
그때 가장 좋은 것이 금과 은이었어.
참 잘했어요.
더구나 군사를 일으켰을 때 소요되는 군량미는 계속 조달하기 어렵기 때문에
밥 좀….
산간 마을에서 많든 적든 곡식을 사야 했는데,
쌀 있어요?
슈퍼
그때도 당장 사용하기 쉬운 금, 은이 꼭 필요했어.
그러니 국고에 금과 은이 바닥나면 부유한 나라가 될 수 없게 되는 것이지.
텅~
옷과 음식은 날마다 필요한 것이지만, 오래 보존하기는 어려워.
욱!

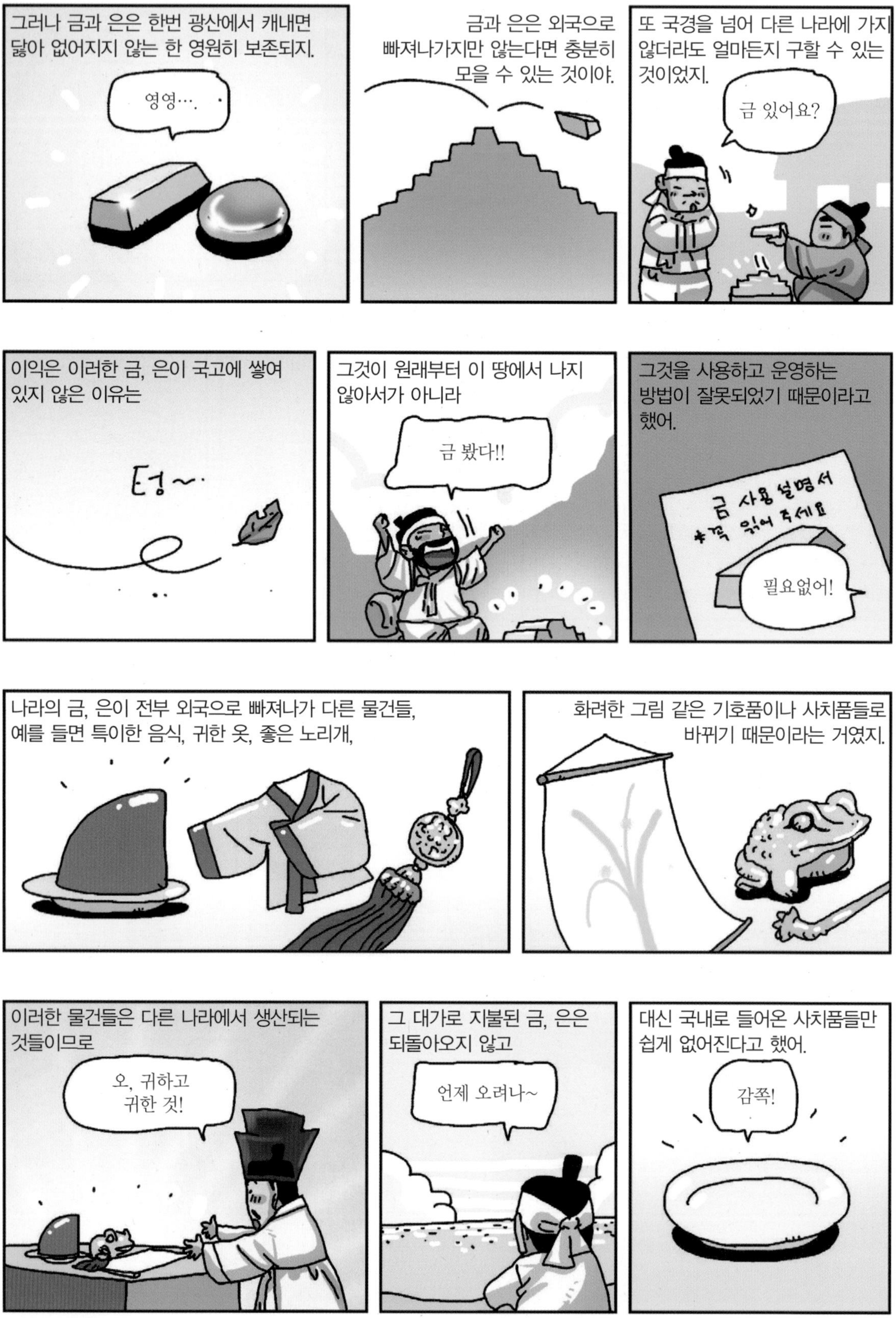
그러나 금과 은은 한번 광산에서 캐내면 닳아 없어지지 않는 한 영원히 보존되지.
영영….
금과 은은 외국으로 빠져나가지만 않는다면 충분히 모을 수 있는 것이야.
또 국경을 넘어 다른 나라에 가지 않더라도 얼마든지 구할 수 있는 것이었지.
금 있어요?
이익은 이러한 금, 은이 국고에 쌓여 있지 않은 이유는
텅~
그것이 원래부터 이 땅에서 나지 않아서가 아니라
금 봤다!!
그것을 사용하고 운영하는 방법이 잘못되었기 때문이라고 했어.
금 사용 설명서
*꼭 읽어 주세요
필요없어!
나라의 금, 은이 전부 외국으로 빠져나가 다른 물건들, 예를 들면 특이한 음식, 귀한 옷, 좋은 노리개,
화려한 그림 같은 기호품이나 사치품들로 바뀌기 때문이라는 거였지.
이러한 물건들은 다른 나라에서 생산되는 것들이므로
오, 귀하고 귀한 것!
그 대가로 지불된 금, 은은 되돌아오지 않고
언제 오려나~
대신 국내로 들어온 사치품들만 쉽게 없어진다고 했어.
감쪽!

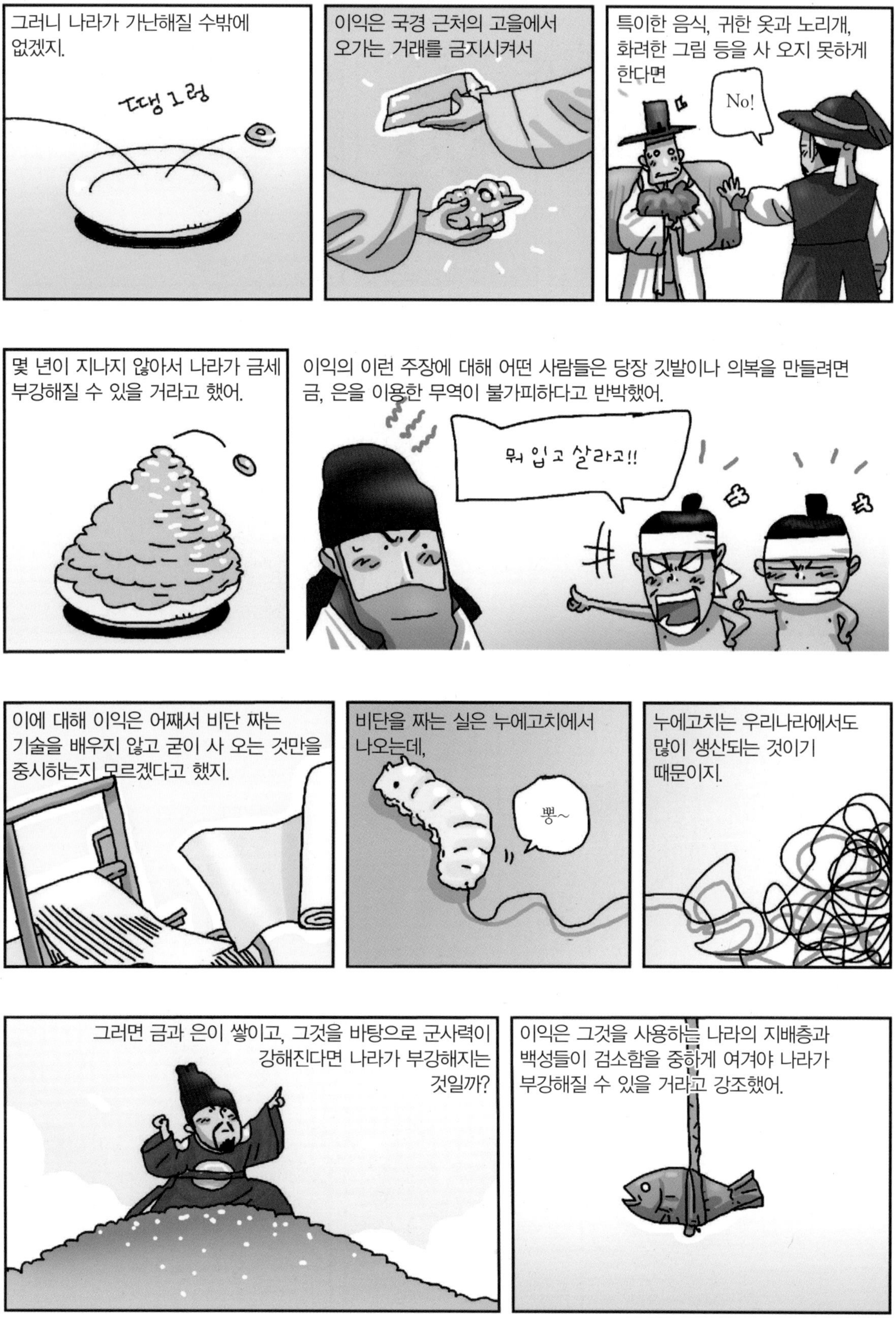
그러니 나라가 가난해질 수밖에 없겠지.
땡그랑
이익은 국경 근처의 고을에서 오가는 거래를 금지시켜서
특이한 음식, 귀한 옷과 노리개, 화려한 그림 등을 사 오지 못하게 한다면
No!
몇 년이 지나지 않아서 나라가 금세 부강해질 수 있을 거라고 했어.
이익의 이런 주장에 대해 어떤 사람들은 당장 깃발이나 의복을 만들려면 금, 은을 이용한 무역이 불가피하다고 반박했어.
뭐 입고 살라고!!
이에 대해 이익은 어째서 비단 짜는 기술을 배우지 않고 굳이 사 오는 것만을 중시하는지 모르겠다고 했지.
비단을 짜는 실은 누에고치에서 나오는데,
뿅~
누에고치는 우리나라에서도 많이 생산되는 것이기 때문이지.
그러면 금과 은이 쌓이고, 그것을 바탕으로 군사력이 강해진다면 나라가 부강해지는 것일까?
이익은 그것을 사용하는 나라의 지배층과 백성들이 검소함을 중하게 여겨야 나라가 부강해질 수 있을 거라고 강조했어.

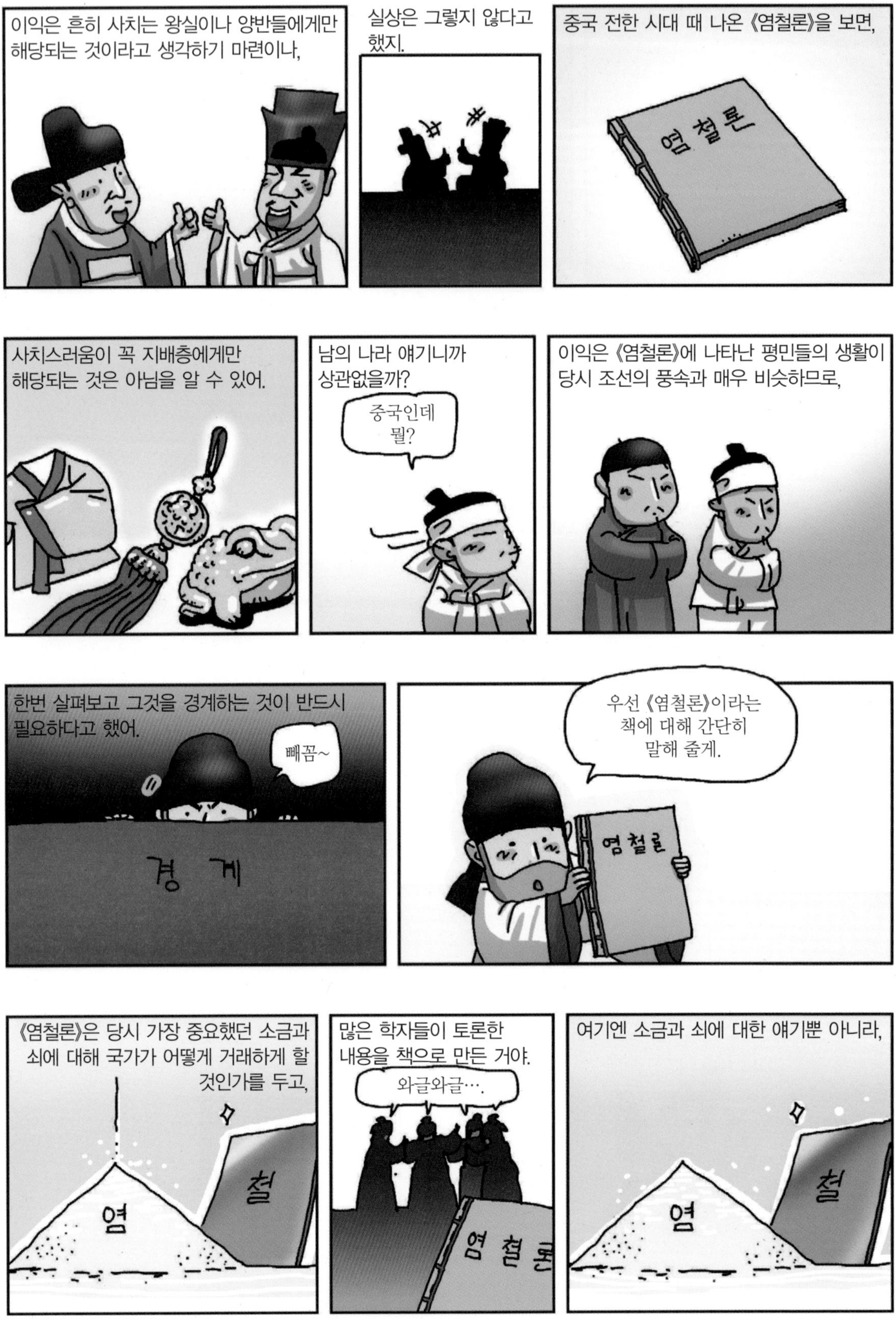
이익은 흔히 사치는 왕실이나 양반들에게만 해당되는 것이라고 생각하기 마련이나,
실상은 그렇지 않다고 했지.
중국 전한 시대 때 나온 《염철론》을 보면,
염철론
사치스러움이 꼭 지배층에게만 해당되는 것은 아님을 알 수 있어.
남의 나라 얘기니까 상관없을까?
중국인데 뭘?
이익은 《염철론》에 나타난 평민들의 생활이 당시 조선의 풍속과 매우 비슷하므로,
한번 살펴보고 그것을 경계하는 것이 반드시 필요하다고 했어.
빼꼼~
경계
우선 《염철론》이라는 책에 대해 간단히 말해 줄게.
염철론
《염철론》은 당시 가장 중요했던 소금과 쇠에 대해 국가가 어떻게 거래하게 할 것인가를 두고,
염
철
많은 학자들이 토론한 내용을 책으로 만든 거야.
와글와글….
염철론
여기엔 소금과 쇠에 대한 얘기뿐 아니라,
염
철

당시 평민들의 생활 모습도 나와 있어.
예전의 평민들은 집 안에서 잔치하며 즐기거나 문밖에서 편안하게 놀러 다니는 것을 볼 수 없었대.
그리고 밖에 다닐 때는 식량을 짊어지고 다녔고,
머물러 있을 때는 밭에서 잡초를 뽑았지.
이름 모를 잡초야~
항상 부지런히 일하며 절약하여 재물이 넉넉했고,
부모의 상을 당해도 슬픔을 앞세우고 화려하게 하지 않았으며
부모를 모실 때에도 알맞게 하고 사치하지 않았어.
많이 드세요~
식사는 좁쌀 밥과 나물국으로 했고,
큰 잔치가 벌어질 때나 제사 때가 아니면 술과 고기를 먹지도 못했지.
잔치용.
사람이 죽어 장례를 지낼 때에도 무덤을 만들지 않고 나무도 심지 않았으며
침실에서 제사를 지내고 위패를 사당에 모시지도 않았지.

그런데 당시의 평민들은 어땠을까?
무늬가 있는 술잔을 쓰고, 그림이 그려진 탁자를 쓰며,
종과 첩조차도 비단옷을 입고, 실로 짠 신발을 신으며 호화로운 생활을 했다는 거야.
으악, 비싼 옷인데!
평민들도 쌀밥과 고기를 먹으며
또 고기야?
재물이 없으면서도 있는 척하고
잔액 0
가난하면서도 잘사는 척하기 일쑤였고,
있는 척!
부모가 계실 때는 사랑과 공경을 하지 않다가
이제나 저제나….
설
돌아가시면 흙을 산처럼 쌓아 무덤을 만들고
나무를 심어 숲을 이루게 하는 등 무덤을 화려하게 만드는 것을 좋게 여겼지.
어느 것이 산이고 어느 것이 무덤인가.
부모 상을 치를 때는 슬퍼하는 마음이 없더라도 거하게 치러
장례를 끝내고 나면 집안 살림이 거덜났대.
상 한번 더 치렀다가는….
휑~

또 딸을 시집보낼 때에는
수레에 가득 물건을
실어 보냈는데
함이오~
부유한 자는 지나치게 하려고 하고, 가난한 자는 그런 풍속을
따라가려고 애썼지.
찡찡
이런 이유로 백성들은 흉년이
들면 살아남기 힘들었는데,
OTL
그것을 생각하지 않고 청렴하게
사는 사람이 많지 않은 게
현실이었대.
욱신
이익은 《염철론》에서 보이는 이 이야기가
비록 중국의 옛날 이야기이긴 하지만,
옛날 옛날에..
당시 조선에서도 그때와 비슷한 일들이
많이 나타나고 있어서 큰 문제라고 했어.
커져라~
커져라~
그래서 그것을 경계해야
한다고 했지.
욱신
욱신
그러나 더 중요한 것은 일반
평민들의 사치스러움보다
정치를 담당하는 지배층, 특히 관료들의 생활 태도라고
이익은 강조했어.
관료들의 검소함은 당연히 일반 백성들의 검소함으로
이어질 수밖에 없기 때문에 더욱 중요하다는 거였지.
검소

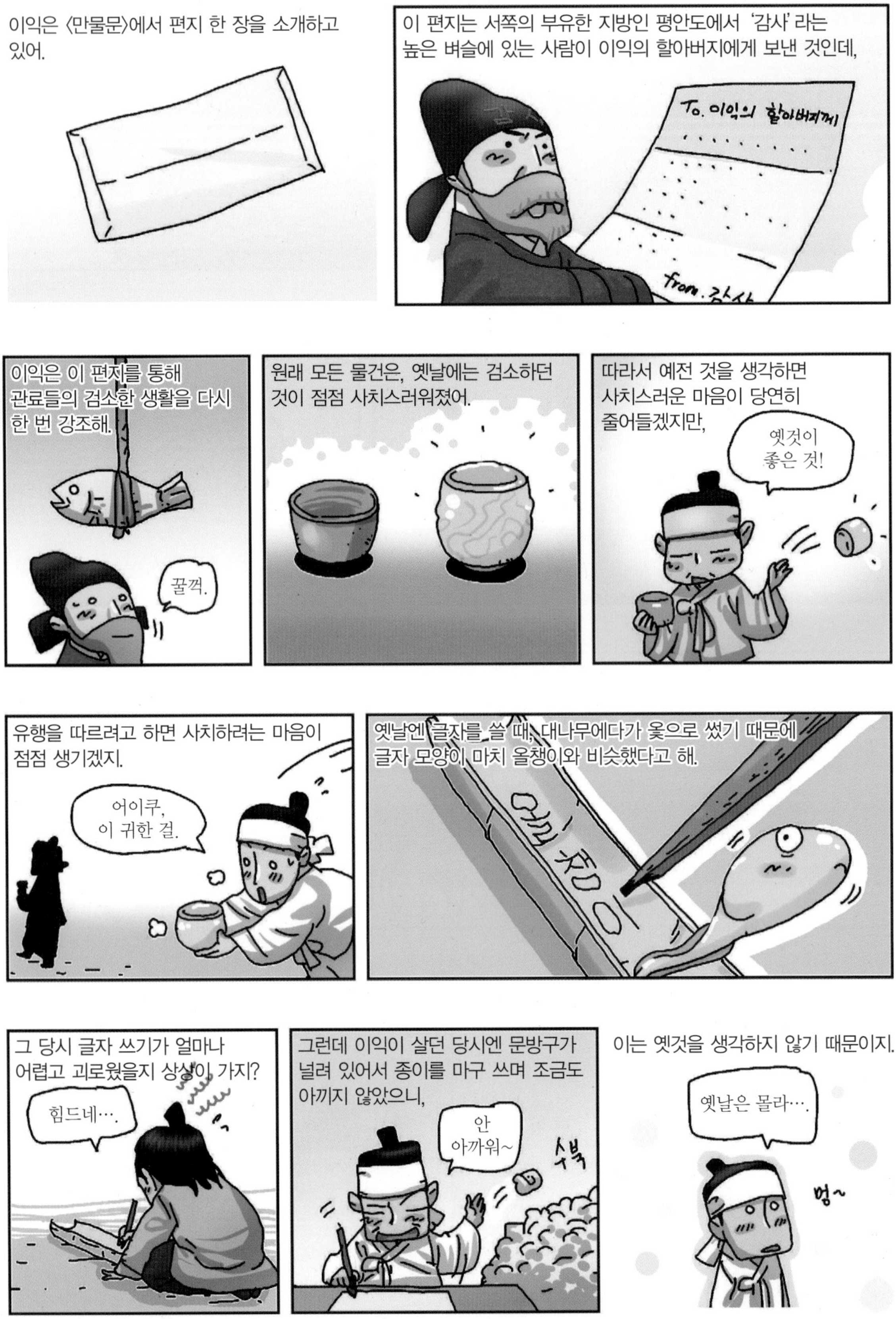
이익은 〈만물문〉에서 편지 한 장을 소개하고 있어.
이 편지는 서쪽의 부유한 지방인 평안도에서 '감사'라는 높은 벼슬에 있는 사람이 이익의 할아버지에게 보낸 것인데,
감사
To. 이익의 할아버지께
from. 감사
이익은 이 편지를 통해 관료들의 검소한 생활을 다시 한 번 강조해.
꿀꺽.
원래 모든 물건은, 옛날에는 검소하던 것이 점점 사치스러워졌어.
따라서 예전 것을 생각하면 사치스러운 마음이 당연히 줄어들겠지만,
옛것이 좋은 것!
유행을 따르려고 하면 사치하려는 마음이 점점 생기겠지.
어이쿠, 이 귀한 걸.
옛날엔 글자를 쓸 때, 대나무에다가 옻으로 썼기 때문에 글자 모양이 마치 올챙이와 비슷했다고 해.
올챙이
그 당시 글자 쓰기가 얼마나 어렵고 괴로웠을지 상상이 가지?
힘드네….
그런데 이익이 살던 당시엔 문방구가 널려 있어서 종이를 마구 쓰며 조금도 아끼지 않았으니,
안 아까워~
수북
이는 옛것을 생각하지 않기 때문이지.
옛날은 몰라….
멍~

이익이 소개한 그 편지는 이익의 할아버지가 평안도의 성천이라는 고을의 부사로 계실 때
웬 편지?
부사
평안도 관찰사 김응조라는 분이 보낸 것이었어.
감사
상자 속에 보관되어 집안에 내려온 거였지.
이익은 이 편지가 관찰사라는 높은 신분에 있는 사람이 보낸 것인데도
관찰사
크기도 작을뿐더러
종이의 품질 또한 얇고 거칠다면서,
사포로 쓸까?
거칠
거칠
이는 재정을 절약하고자 하는 당시 풍속이 잘 나타난 거라고 했어.
절약!
이익은 이와 비교해 당시 마을 수령들이 보내는 편지를 보면, 품질이 가장 나쁜 종이라고 할지라도
김사치에게 건네거라.
그 크기가 최소 두 배 이상이 되고,
종이의 값만 따져도 7~8배 이상 비싸다고 했어.
비싼 몸!!
그러니 하물며 중앙의 권력자에게 보내는 편지들은 어떻겠냐고 묻지.
편지요~
…

이익은 중국 사람들이 쓴 것 중 호화로운 종이에 쓴 편지가 과연 있겠냐고 꼬집어.
종이는 사대부가 직접 만들지 않았어.
쓸 줄만 안다해!
종이를 만드는 돈은 백성들로부터 나오는데,
세금 징수요~
조선의 지배층들은 이를 걱정하지 않았어.
걱정 없어!
이익은 지배층들의 이런 태도만 보더라도 백성들의 어려운 삶을 생각하는 정치는 없다는 것을 알 수 있다며
틀렸네.
버려!
휙
참으로 안타까운 현실이라고 탄식했어.
쯧쯧..
이익은 정치를 하는 데 밝지 못하다는 것은 공정하지 못하기 때문이고,
안 보여.
공정
공정하지 못한 것은 바로 청렴하고 깨끗하지 못하기 때문이라고 했지.
청렴이 뭐야?
그리고 청렴하지 못한 것은 그들의 생활이 검소하지 않기 때문이고
킁!
검소하지 않은 생활은 그들이 생활에서 스스로 만족하면서 분수에 맞게 사는 법을 모르기 때문이라고 했어.
아직도 배고프다!

이익은 진정으로 만족하면서 사는 법을 알고자 한다면 가장 중요한 근본을 먼저 생각해야 한다고 했어.
근본이라….
물건이라는 것은 반드시 검소함을 그 근본으로 하고 있고,
검소
검소
우리의 몸은 반드시 천함을 그 근본으로 하고 있어.
천한 몸….
따라서 자신이 귀하게 되어도
어흠!
지난날 자신의 천할 때를 생각하고
천했던 몸이니….
그것을 바탕으로 검소한 생활을 한다면,
꿰매 입자!
정치를 하는 데 공명은 저절로 나타나게 된다는 거였지.
검소함 최고!
짝짝짝
그렇게만 한다면 나라를 다스리는 데 어려움이 없을 것이며,
만능 리모컨.
이치대로 흘러갈 거라고 이익은 말했어.
이치

이익은 중국 한나라 때의 역사가 사마천이 지은 《사기》*를 예로 들면서
〈만물문〉을 끝내고 있어.
사 기

*《사기》 – 상고의 황제로부터 전한 무제까지의 사적을 엮은 책.

옛날 진나라의 시황제는
저울로 글의 무게를 달아 하루의 할당량을 정해 주었다고 해.
오늘 할 일
10킬로그램!
책에는 반드시 일정한 무게가
있었으니까 무게로 할당량을 정했던
것이지.
물론 이 이야기의 핵심은
종이의 무게가
아니야.
무겁다….
당시 진시황이 천하의 모든 일을
결정하는 데에,
심지어는 글의 무게를 달아
하루의 분량을 정할 만큼
10kg
사람들에게 폭압을 행사했다는
이야기이지.
흑! 언제
끝내냐….
이익은 진시황의 사례를
당시 사회에 적용해서,

만약 한 사람이 쓸 종이의 무게를 일정하게 정해서 이를 넘는 자들에게 죄를 묻는다면,
죄!
백성들의 생활에 큰 도움을 줄 수 있으리라고 했어.
검소함이 최고!
이익은, 이런 내용은 깊이 생각하고 여러 자료를 참고해서 쓴 것이 아니라,
집안의 물건을 정리하다가 문득 떠오르는 대로 적은 것이라고 밝혔어.
이익의 《성호사설》 〈만물문〉에 나오는 말과 군사 무기, 금과 은,
그리고 검소함이 묻어나는 편지에 대한 글을 보면,
검소!
결국 국가가 부강해지려면 지배층들의 검소한 생활 태도와 이를 본받은 백성들의 검소함이 있어야 하고,
이러한 생활 태도들은 반드시 국가의 재물을 늘려 국가를 부유하게 할 수 있다는 것을 알겠지?
강대국
그리고 전쟁이라는 불행한 상황이 닥쳐도 좋은 말과 좋은 병기들이 있다면 당연히 국가를 위기로부터 지킬 수가 있다는 것도 알았지?
네~~!

사마천의 《사기》

기전체 서술 방식의 모범

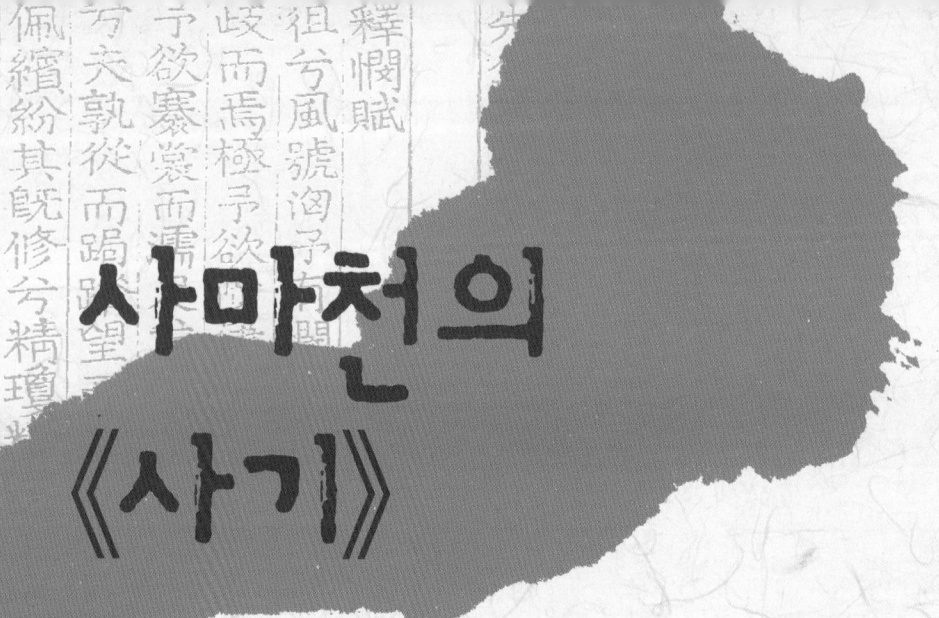

《사기》는 기전체 형식으로 쓰인 중국 최초의 역사서입니다. 기전체는 역사를 서술할 때 본기本紀 · 열전列傳 · 표表 · 지志로 구성하여 서술하는 방법입니다. 본기는 왕의 전기傳記와 국가의 중대사를 왕의 재위 연월에 따라 기록했고, 열전은 신하의 세가표世家表, 전기傳記, 외국의 것을 나란히 기록했습니다. 본기 · 열전이 주로 실리기 때문에 두 글자를 따서 기전체라고 했지요. 표는 연표, 세계표, 인명표가 있고, 지는 본기 · 열전에 들어가지 않는 사회의 중요 사항을 서술했습니다. 이러한 기전체는 하나의 사건에 관한 자료가 본기 · 열전 · 지 등에, 그리고 지에서도 경우에 따라서는 여러 지에 분산 · 기록되어 있기 때문에 역사적 사건의 전체상을 파악하는 데 어려움이 있지만, 군주와 신하의 권선징악을 평가하는 데에는 적합하기 때문에 중국과 우리나라의 정사 체제로 자리 잡게 되었습니다. 우리나라의 대표적 역사책인 김부식의 《삼국사기》도 기전체로 서술된 것이지요.

《사기》의 숨은 매력

《사기》의 원래 명칭은 《태사공서太史公書》로 총 130편이 있습니다. 전한의 무제 때까지 약 3,000여 년의 중국 역사가 서술되어 있습니다. 사마천은 《사기》를 쓰기 위해 사고史庫에 보관

사마천

된 제자백가들의 책을 참고했고, 전국을 돌아다니면서 부족한 자료들을 수집하여 보충했다고 해요. 그리고 《사기》에 서술된 무제 이후의 역사는 사마천 이후 조소손이라는 사람이 쓴 것이지요.

물론 《사기》 이전에도 역사서는 존재했습니다. 왕실의 연대기 서술은 《사기》 서술 이전부터 관행으로 행해져 왔습니다. 노나라의 공자가 지은 《춘추春秋》가 대표적인 예지요. 이 책은 기록된 사건에 대한 도덕적 평가를 내리고 있다는 점이 높이 평가되어 유교 경전으로 추앙되고 있습니다. 하지만 사마천의 《사기》는 과거의 복잡한 사건들을 질서 정연하게 기술하여 역사학에 좀 더 가까워졌습니다. 《사기》에 나타난 과거의 사실들은 대부분 각자의 연대기를 따로 가지고 있던 많은 독립적인 제후국에서 유래하는, 서로 모순되는 자료에서 나온 것들입니다. 사마천은 그러한 자료들을 단순히 시간 순서대로 정리한 것이 아니라 기전체 형식으로 분류하여 서술했으므로 역사적으로 중요하다고 할 수 있지요.

죽은 뒤 세상의 빛을 보다

사마천은 《사기》를 살아 있을 때는 세상에 내놓지 않았습니다. 죽기 전에 딸에게 몰래 맡겼지요. 이 책이 세상에 알려진 것은 외손자 대에 이르러서였고, 《사기》라는 이름이 붙게 된 것은 중국의 삼국시대 이후, 책이 만들어지고 나서 300년이 훨씬 지난 뒤였어요. 《사기》는 역사적으로 매우 중요한 역사서이기도 하지만 문학적으로도 매우 중요하며, 이후에 많은 사람들이 《사기》에 주석을 달아 책으로 출판하기도 했답니다.

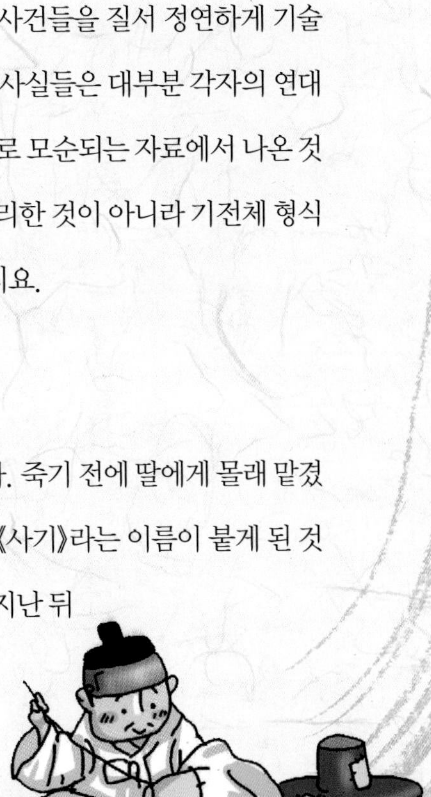

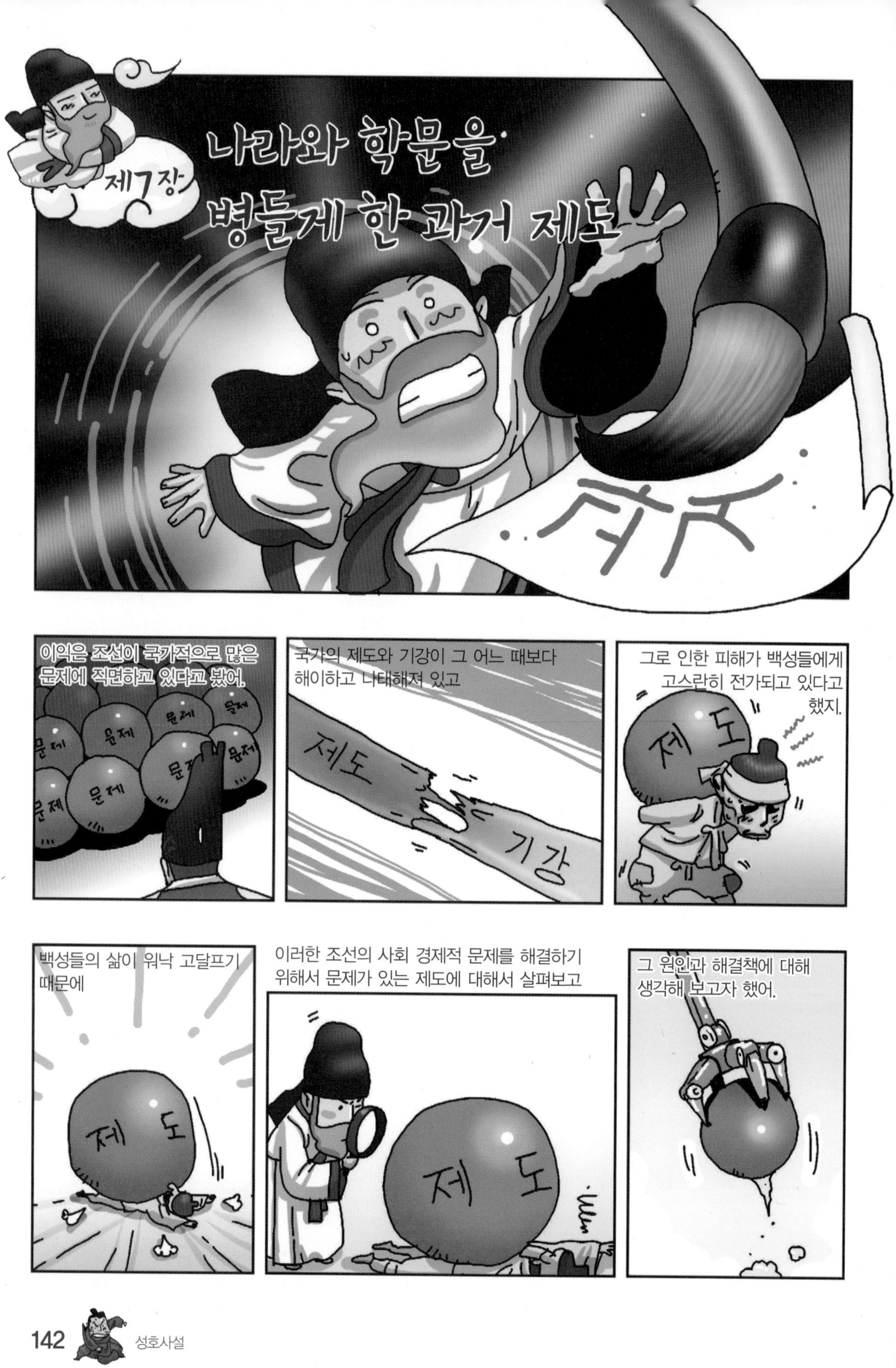
제7장
나라와 학문을 병들게 한 과거 제도
이익은 조선이 국가적으로 많은 문제에 직면하고 있다고 봤어.
문제
국가의 제도와 기강이 그 어느 때보다 해이하고 나태해져 있고
제도
기강
그로 인한 피해가 백성들에게 고스란히 전가되고 있다고 했지.
제도
백성들의 삶이 워낙 고달프기 때문에
제도
이러한 조선의 사회 경제적 문제를 해결하기 위해서 문제가 있는 제도에 대해서 살펴보고
제도
그 원인과 해결책에 대해 생각해 보고자 했어.

이익은 특히 과거 제도와
신분 제도
과거
신분
그리고 토지 제도와 조세 제도가 가장 큰 문제라고 했지.
크다….
토지
조세
조선에서 관리가 되는 길은 무엇이지?
과거 시험에 합격해 등용되는 거요.
조선 시대 때는 과거라는 시험 제도가 있었어.
그런데 과거 제도는 조선 초기에 비해서 많은 문제점이 드러나고 있었어.
문제 투성이
1.문제
2.문제
3.문제
4.문제
5.
그 문제점과 해결책에 대해서 한번 알아보도록 하자.
문제
과거 시험을 보는 이유는 인재를 등용하는 것이지.
인재로 뽑습니다.
그런데 과거 시험만 보고 인재를 등용하지 않는다면,
0명
시험을 실시하는 이유가 도대체 무엇인지 알 수 없겠지.
뭐야?
조선의 과거 제도는

자(子), 오(午), 묘(卯), 유(酉)가 든 해에
정기적으로 보는 식년시가 있었는데,
올해는 자!
식년시에서 문과에 33명, 생원과, 진사과에
각각 100명을 뽑게 되어 있었지.
문과
33명
생원과
100명
진사과
100
보통 벼슬을 시작해서 끝내는
기간을 30년 정도로 잡을 때
올해가 말년!
이 30년 동안 문과 및 생원, 진사과에
합격하는 인원은 모두 2,330명이 되겠지.
2330
당시 중앙 조정에서 근무하는
벼슬자리는
병조*에서 관장하는 자리를 제외하고
펑
제외
이조**에서 세 명의 후보자를 추천해서 올리는 자리가
성적표
성적 관리

*병조(兵曹) – 중앙 부처의 6조 중 군사 업무를 담당하는 부서. **이조(吏曹) – 문관의 선임, 공훈의 사정, 관리 성적의 평정 등의 일을 관장한 부서.

400자리가 채 되지 않았어.
지방 관리도 이와 비슷했지.
지방
그뿐만 아니라 그 가운데 무과, 선음***,
조상 덕~

***선음(先蔭) – 조상의 공으로 벼슬에 나가는 것.

천문*, 유품** 등의 300자리가 그 안에 포함되어 있었기 때문에,
IQ200!
자격증=
능력!
이를 제외한 자리는 겨우 500여
자리에 불과했지.
500

*천문(薦聞) – 학식이 뛰어나 천거되는 것. **유품 – 정일품에서 종구품까지 십팔 품계를 통틀어 이르던 말.

그러니 이 500개의 자리로 2,330명이나 되는 과거
합격자들을 모두 관리에 임명할 수가 없게 되는 것이야.
그러므로 생원, 진사는
권력자와의 연줄을 통해 벼슬에
오르는 일이 많아,
어렵게 문과에
합격하더라도
합격이다!
그를 끌어 줄 수 있는 권력이
없고
저리 가!
처음에 벼슬길에 나서지 못하게 되면 이후에는 벼슬에 나가기가
하늘의 별따기처럼 어려워졌지.
아… 벼슬….
이렇게 운영되고 있는 관리 임용 제도는
여러 가지 폐해를 낳을 수밖에 없었고,
뽀직!
그 폐해는 다시 이 땅의 백성들에게
그대로 전가되어 악순환은 계속되었어.
윽!
그 폐해에 대해
몇 가지만 간추려
살펴보도록 할게.

당시엔 관원도 평민도 아닌 생원, 진사로 늙어 죽는 사람들이 매우 많았어.
꽥!
진사
상황이 이러한데도 그들은 자신의 분수에 만족하지 못하고
한자리 얻으러.
남아 있는 자리라도 얻으려고 안달이 났지.
부르르…
거기에 더해 그 자손들도 조상의 덕으로 각종 조세 부담에서 벗어났으니
부담 없어!
이것이 첫 번째 폐해라고 할 수 있어.
1
간혹 벼슬길에 나아간다 하더라도 뇌물을 바치거나
이런 걸 다….
아부함으로써 벼슬자리를 얻고 있으니
시원하시죠?
이미 선비로서의 본분을 잃은 것과 마찬가지지.
본분
그렇게 관리가 된 이들은 정사를 돌볼 때
자기를 도와준 사람이나 다른 이의 청탁을 감히 거절할 수 없었을 거야.
사과는 잘 드셨는가?
반면 백성들을 다스릴 때에는 함부로 착취하는 일이 많았지.
쏴 싹!

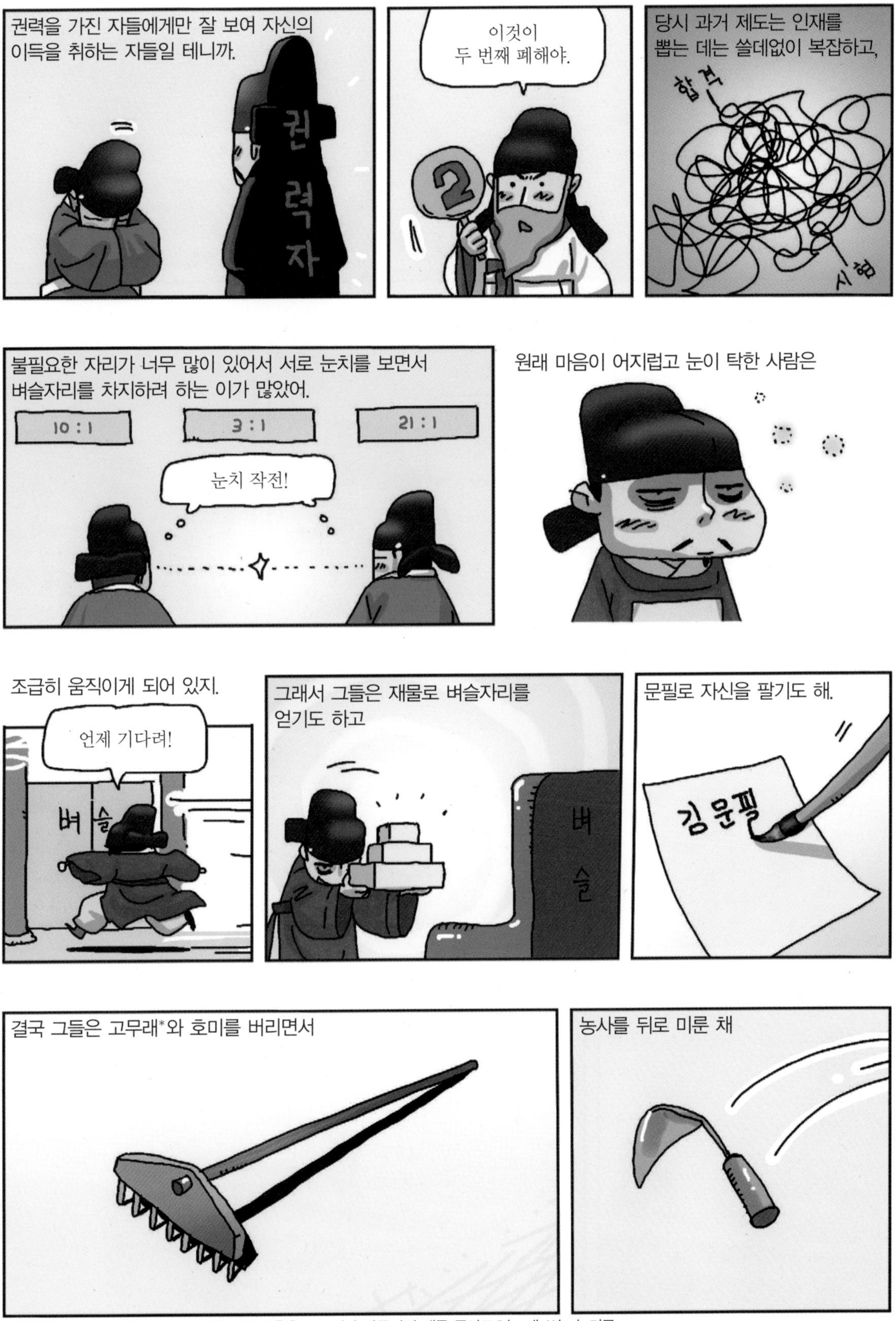
권력을 가진 자들에게만 잘 보여 자신의 이득을 취하는 자들일 테니까.
권력자
이것이 두 번째 폐해야.
2
당시 과거 제도는 인재를 뽑는 데는 쓸데없이 복잡하고,
합격
시험
불필요한 자리가 너무 많이 있어서 서로 눈치를 보면서 벼슬자리를 차지하려 하는 이가 많았어.
10 : 1
3 : 1
21 : 1
눈치 작전!
원래 마음이 어지럽고 눈이 탁한 사람은
조급히 움직이게 되어 있지.
언제 기다려!
벼슬
그래서 그들은 재물로 벼슬자리를 얻기도 하고
벼슬
문필로 자신을 팔기도 해.
김문필
결국 그들은 고무래*와 호미를 버리면서
농사를 뒤로 미룬 채

*고무래 – 곡식을 그러모으고 펴거나, 밭의 흙을 고르거나 아궁이의 재를 긁어모으는 데 쓰는 농기구.

과거를 통해 벼슬에 나가려고 분주히 서두르다가 가문을 망치고 말지.
가문의 수치!!
이것이 세 번째 폐해야.
3
과거의 네 번째 폐해는 학문 본래의 목적과 관계가 있어.
학문
원래 군자가 학문을 하는 이유는 세상의 이치와 도를 구하는 것인데,
당시 학문은 과거에 도움이 되는 것만 공부하는 것이었어.
족집게 문제집!
족집게
어려서부터 늙을 때까지
귀로 듣고 눈으로 본 것에만 익숙해져서 거기에서 벗어나지 못하고 있었지.
이익은 제 자식이 총명하면 좋은 일에 종사할 수도 있고,
장하다.
ABCOEF
군자가 될 수도 있으며
세상이 잘 다스려지도록 임금을 보좌하여 백성을 잘 보살필 수도 있는데,
이런 일들에 모두 관심을 끊은 채
오로지 과거 시험에 나오는 것만을 외우고 있으니
관심 없어!
답만 외우면 돼!

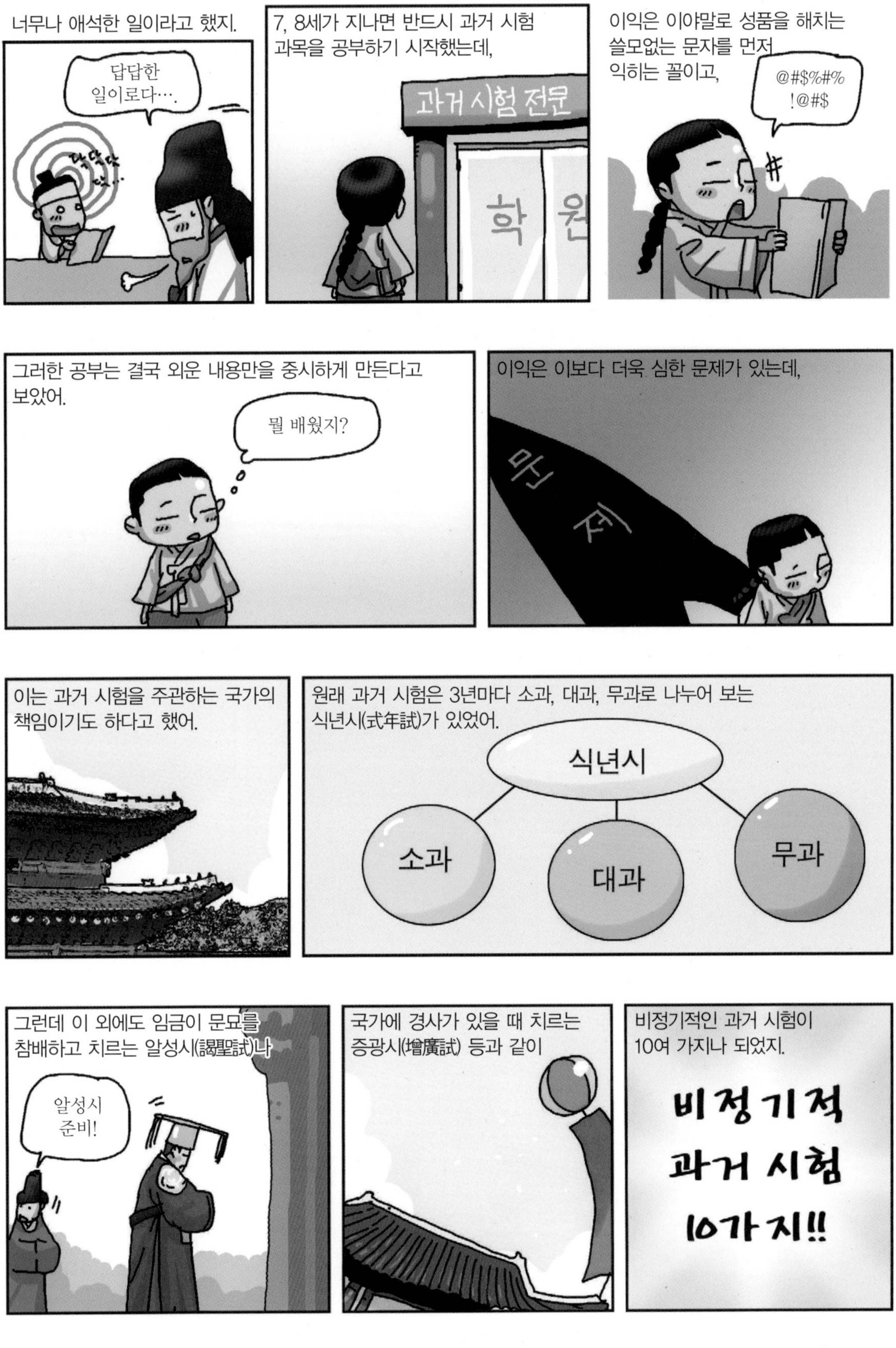
너무나 애석한 일이라고 했지.
답답한 일이로다….
7, 8세가 지나면 반드시 과거 시험 과목을 공부하기 시작했는데,
과거 시험 전문
학원
이익은 이야말로 성품을 해치는 쓸모없는 문자를 먼저 익히는 꼴이고,
@#$%#% !@#$
그러한 공부는 결국 외운 내용만을 중시하게 만든다고 보았어.
뭘 배웠지?
이익은 이보다 더욱 심한 문제가 있는데,
문제
이는 과거 시험을 주관하는 국가의 책임이기도 하다고 했어.
원래 과거 시험은 3년마다 소과, 대과, 무과로 나누어 보는 식년시(式年試)가 있었어.
식년시
소과
대과
무과
그런데 이 외에도 임금이 문묘를 참배하고 치르는 알성시(謁聖試)나
알성시 준비!
국가에 경사가 있을 때 치르는 증광시(增廣試) 등과 같이
비정기적인 과거 시험이 10여 가지나 되었지.
비정기적 과거 시험 10가지!!

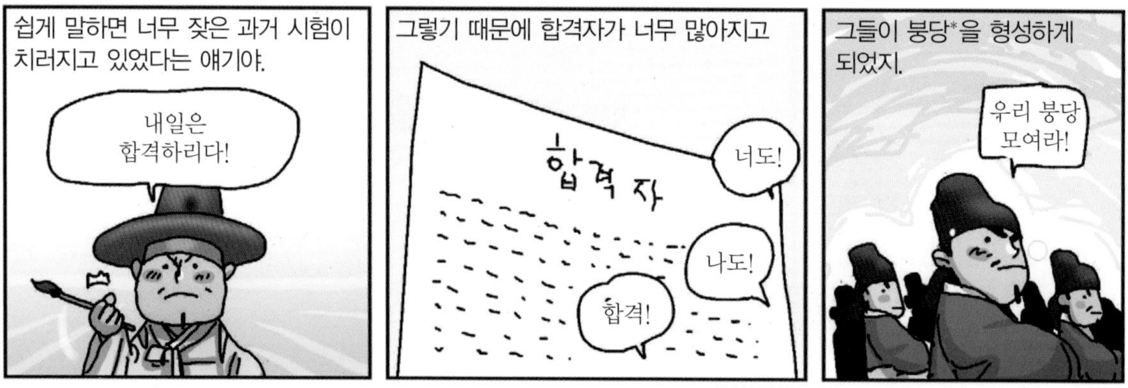
쉽게 말하면 너무 잦은 과거 시험이 치러지고 있었다는 얘기야.
내일은 합격하리다!
그렇기 때문에 합격자가 너무 많아지고
합격자
너도!
나도!
합격!
그들이 붕당*을 형성하게 되었지.
우리 붕당 모여라!

*붕당(朋黨) - 이념과 이해에 따라 이루어진 정치 집단.

실제로 3년 동안 문과에 합격한 자가 어떤 때는 100명을 넘기도 했어.
전원 합격!
조정에서는 이런 잦은 시험이 선비들을 위한 것이라고 했지만,
선비를 위해서~
실제로는 선비들의 원망의 대상이 되었어.
과거원망 폐지
과거에 합격한 사람이 모두 벼슬길에 나갈 수 없게 되면서 문제가 생겼기 때문이지.
나까지!
그럼 나는!!
누구는 벼슬자리를 얻지만 누구는 버려진 사람이 되니,
성공~
실패….
어찌 기쁜 마음을 가질 수 있겠어?
자고로 힘이 서로 비슷해지면 결국 싸우게 되고,
지위를 얻기 어려워지면 서로 시기하고 질투하게 되어 있어.
흥!!
아무리 둘러보아도 자신에게 이득이 되는 곳은 하나뿐인데,

그곳을 뚫고 오려는 사람은 8~9명이나 되는 것이지.
그러니 서로 패가 갈려 붕당을 형성하게 되고,
모여!
모여!
이것은 당시 과거 제도가 가진 명백한 한계인 셈이었지.
당근!
이익은 인원을 적게, 또 올바로 뽑는 것만이 이를 해결하는 가장 좋은 방법이라고 했어.
소수 정예!
어떤 이들은 이미 뽑은 인원이 많아서
또 뽑았다!
이 문제를 해결할 수 있는 방법이 없다고 했지만,
정녕 방법이 없는가….
이익은 이에 대해 맹자의 말로 화답을 하지.
7년 된 병에 3년 묵은 쑥을 구하는 격이니….
그것이 잘못되고 있고, 그것을 알았다면 즉시 그만두어야 하는 것이 옳지 않겠어?
그만!!
이익은 만약 어쩔 수 없다면 이를 해결할 수 있는 한 가지 방법이 있다고 했어.
우선 과거 시험에 뽑힌 사람 중에서 인재를 고르고
당신!

덕을 숭상하게 하는 방법을 더하는 것이지.
오, 덕이여~
덕
즉 과거로 사람을 뽑고,
과거
덕행이나 정치 능력이 뛰어난 인물을 추천하는 천거제를 합치는 방법이었지.
과거
우선 육조와 한성부의 장관 · 차관,
강화와 개성의 유수관(留守官),
팔도의 감사(監司)들로 하여금
3년마다 문과에 합격한 사람을 몇 명 천거하게 한 다음
추천합니다!
임금과 정부의 고관들이 추천서를 직접 심사하고,
음….
한곳에서 모여서 점수를 매기는 거지.
10
9
그리하여 2점 이상을 받은, 시문에 능하고 덕을 숭상할 줄 아는 사람을
턱걸이~
2점
임금 앞에서 경전을 강연하는 자리에 앉히는 것이야.
밑줄 쫘악~
이익은 이 방법을 쓰려면 홍문관*의 관원이 되는 자격에 대한 법규를 없애야 한다고 말했어.
홍문관 자격 법규

*홍문관 – 궁중의 경서, 문서 따위를 관리하고 임금의 자문에 응하는 일을 맡아 보던 관아.

재능이 있고 실무에 능통한 사람에게 정사를 맡기는 일은 중요해.
탁월한 선택이십니닷!
정사
이익은 일단 관리가 되면 죄를 짓는 경우와 같이 특별한 일을 제외하고는
절대로 놀리는 일이 없도록 해야 하며,
오로지 벌열만을 숭상하고 귀족과 노니는 자들은
벌열
벼슬길에 오르는 걸 법으로 금지시켜야 한다고 했지.
이리 오너라~
이런 원칙을 가지고 몇 해 동안 정책을 추진한다면 문제는 당연히 해결될 거라고 이익은 말해.
근데, 문과는 그렇게 하면 될 것 같은데 성격이 다른 무과는 어떻게 하나요?
아주 좋은 질문이야.
당신엔 무과의 상황도 문과와 크게 다르지 않았어.
오히려 문과보다 더 심했지.
문과
황해도와 평안도의 서북 지방은 옛날부터 무예를 숭상하는 지역이었어.

하여 집집마다 무과에 합격한 사람들이 많았는데,
너도 무과?
너도?
이들 역시 과거 시험에는 합격했으나 벼슬길에 나가지 못한 사람들이 대부분이었어.
뽑히면 뭐 해.
군사적 능력이 뛰어난 이들은
타앗!
위로는 전술을 운영하는 고급 장교가 되지 못하고,
난 고급!
아래로는 병졸을 거느리는 장교가 되지 못하고 있었어.
하나에 정신!
둘에 통일!
이는 국가로서도 크나 큰 손해였지.
이들은 관직에 나가지 못했기 때문에 국가에 원한을 품으며 분노하다가
팍
팍
일생을 마치곤 했어.
팍
팍
이익은 이런 문제점을 고치기 위해서 3년마다 무경*과 무예를 다시 시험 보게 해서
그 가운데 50~60명을 뽑아서 임용할 것을 주장했지.
이렇게 일정한 규정을 만들어 놓고 어기지만 않는다면,

*무경(武經) – 병법에 관한 책.

설사 벼슬자리를 얻지 못한다 해도 자신이 임용되지 않은 것을 원망할 리가 없다는 거였지.
할 말 없다….
탈락!
그리고 수령과 변방의 장수들도 앞의 예와 같이 천거로 임용하면 된다고 했어.
이 장군을 추천!
산적을…
이것이 과거로 사람을 뽑는 것과 천거로 인재를 등용하는 것을 병행하는 과천합일(科薦合一) 설이야.
합체!!
과거
천거
이번엔 붕당에 대한 이익의 견해를 살펴보자.
붕당의 폐해는 과거 제도의 폐해와 관련이 있기 때문에 알 필요가 있어.
과거 제도와 무슨 관계야!!
꽝
붕당은 뜻을 같이하는 정치인들의 집단이야.
붕당이 생긴 근본 이유는 과거를 통해 유능한 인재를 많이 뽑았지만
벼슬이 한정되어 있어,
딱 한 자리!
자리 싸움이 치열해진 탓이었어.
싸움을 하려다 보니, 지역이나 학문에 따라 뜻을 같이하는 사람들이 집단을 만들게 된 거지.
여기 붙어라!!

이러한 붕당은 물론 긍정적인 면도 있었어.
우리도 알고 보면 달라.
각 붕당들은 서로 대립하기도 했지만
서로를 견제하여 권력이 한쪽에 집중되는 것을 막았으며,
좋은 정책에 대해서는 협력하여 올바른 정치를 구현하기도 했거든.
사이좋게!
하지만 결국 협력보다는 대립이 많아졌고
부르르르….
대립의 정도 또한 점점 심해져,
결국 각 붕당들은 자기들만을 위한 정치를 하기 시작하면서 사회의 큰 문제가 되기 시작했지.
내 갈 길을 가겠어!
그래서 이익은 붕당의 문제점을 살펴서 그 해결책을 찾으려고 했어.
어디서부터 잘못된 걸까?
당나라 문종은 이런 말을 남겼어.
하북 지방의 적은 물리치기 쉽지만, 조정의 붕당은 제거하기 어렵구나….
이것은 붕당이란 것이 그만큼 막대한 힘을 가졌다는 소리겠지.
붕당
국가

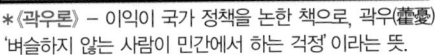

그리고 임금조차도 붕당이 문제가 많다는 사실을 알고 있으면서
붕당들을 어찌 할꼬….
그것을 없앨 방법을 모르고 있다는 이야기이기도 하지.
아, 골치야!
붕당의 반대는 탕평(蕩平)이야.
탕
평
따라서 탕평을 크게 외치면 붕당의 폐해가 금방 없어질 것 같지만
탕평~!
실제로는 그렇지 않아.
붕당~
이익이 살던 시대에는 '탕평당(蕩平黨)'이라는 것까지 등장해서
탕평당
이쪽도 저쪽도 아닌 중간 지점에서 붕당을 만들었지.
이들 붕당은 사람을 천거할 적에는 양쪽에서 다 취하고
다 좋다!
발언을 하면 양쪽을 모두 비난했어.
둘 다 나빠!
이익은 《곽우론》*에 붕당론을 실어 놓았는데
곽우론
붕당론~
거기서 붕당의 폐해를 막기 위해서는 관리들이 백성의 뜻을 잘 살펴
백성의 뜻….
백성의 생활을 안정되게 하면 상을 주고,
찰칵
안정상

*《곽우론》 – 이익이 국가 정책을 논한 책으로, 곽우(藿憂)란 '벼슬하지 않는 사람이 민간에서 하는 걱정'이라는 뜻.

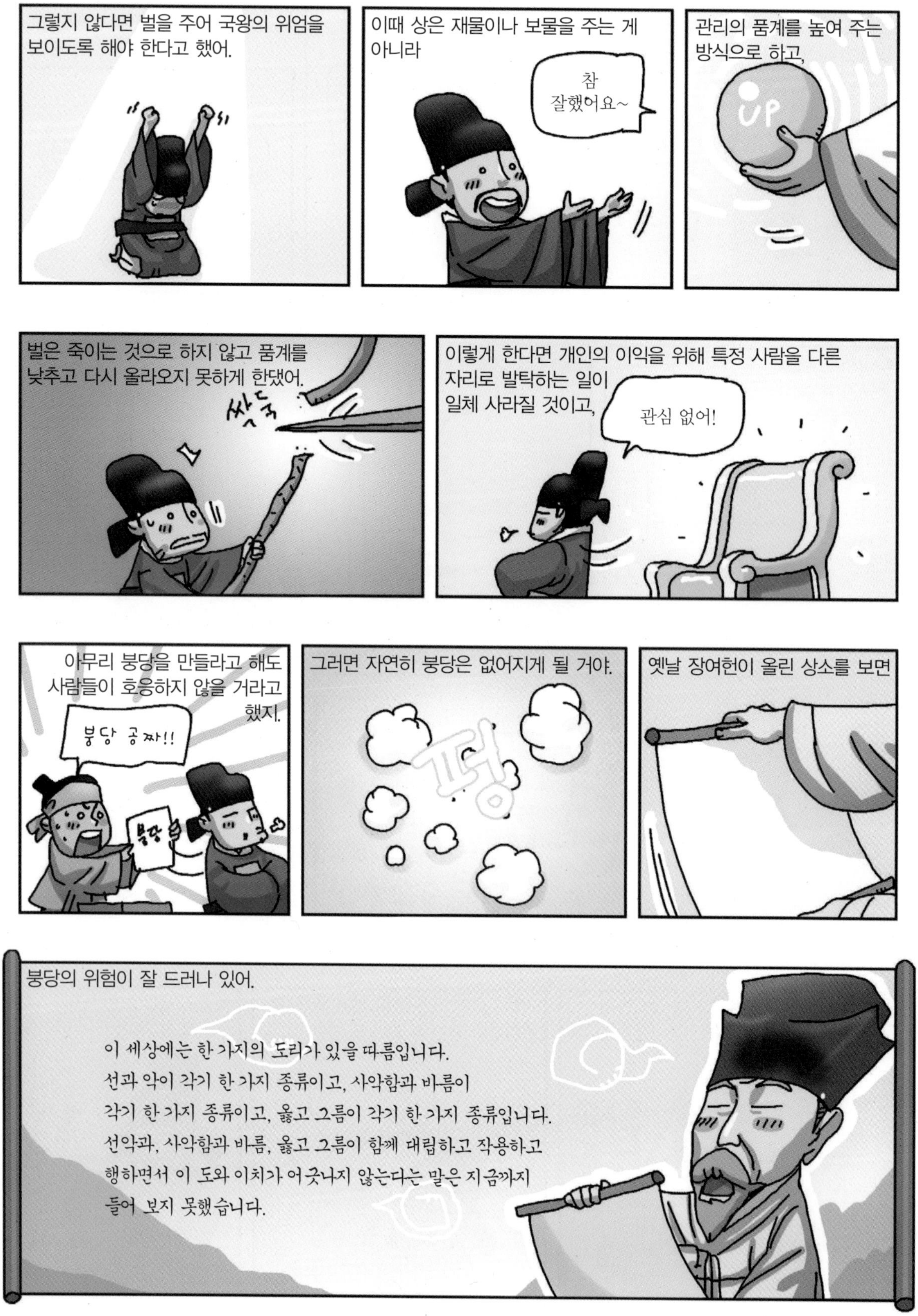
그렇지 않다면 벌을 주어 국왕의 위엄을 보이도록 해야 한다고 했어.
이때 상은 재물이나 보물을 주는 게 아니라
참 잘했어요~
관리의 품계를 높여 주는 방식으로 하고,
UP
벌은 죽이는 것으로 하지 않고 품계를 낮추고 다시 올라오지 못하게 한댔어.
싹둑
이렇게 한다면 개인의 이익을 위해 특정 사람을 다른 자리로 발탁하는 일이 일체 사라질 것이고,
관심 없어!
아무리 붕당을 만들라고 해도 사람들이 호응하지 않을 거라고 했지.
붕당 공짜!!
붕당
그러면 자연히 붕당은 없어지게 될 거야.
펑
옛날 장여헌이 올린 상소를 보면
붕당의 위험이 잘 드러나 있어.
이 세상에는 한 가지의 도리가 있을 따름입니다.
선과 악이 각기 한 가지 종류이고, 사악함과 바름이
각기 한 가지 종류이고, 옳고 그름이 각기 한 가지 종류입니다.
선악과, 사악함과 바름, 옳고 그름이 함께 대립하고 작용하고
행하면서 이 도와 이치가 어긋나지 않는다는 말은 지금까지
들어 보지 못했습니다.

정원석(鄭元奭)의 상소에도 붕당의 위험성은 잘 나타나 있지.
군자라면 100명이 붕당을 만들더라도 국가에 유익하지만, 소인이라면 한두 사람이 붕당을 만들어도 반드시 정치에 해로울 것입니다.
예를 들어 중국의 순임금 때 정치를 어지럽힌 네 명의 흉악한 사람과
주나라 무왕 때 정치를 크게 일으킨 열 명의 어진 사람을
한 조정에 두고서 정치를 한다는 것은 실제로 불가능하지 않겠어?
기름
물
안 섞여….
그러나 이익은 만약 무게를 다는 저울이 없다면
군자와 소인을 어떻게 구별할 수 있겠냐고 했지.
이익은 현명한 임금이 세상을 다스리고
어진 정승과 훌륭한 보필자가 있다면 소인도 군자로 바꿀 수 있을 거라고 했어.
우리 소인이 달라졌어요~
따라서 단지 어진 이는 진출시키고 간사한 자를 물리치는 것에만 마음을 둔다면
어진 자
간사한 자 출입 금지!
간사 출입 금지
분명히 어진 사람을 소인이라고 하고 간사한 사람을 군자라 하는 자가 생길 거라고 했지.
소인배!!

그렇기 때문에 법을 세우는 것이 가장 좋은 방법이야.
법
법이 위에서 굳건히 세워지게 되면
법
풍속
풍속은 아래에서 자연스럽게 바뀌게 될 테니까.
법
풍속.

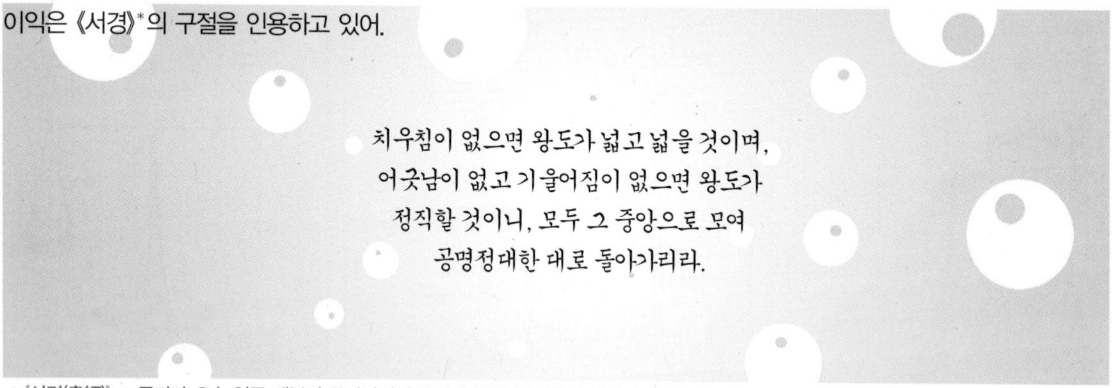
이익은 《서경》* 의 구절을 인용하고 있어.
치우침이 없으면 왕도가 넓고 넓을 것이며,
어긋남이 없고 기울어짐이 없으면 왕도가
정직할 것이니, 모두 그 중앙으로 모여
공명정대한 대로 돌아가리라.

*《서경(書經)》 – 공자가 요순 임금 때부터 주나라까지 정사에 관한 문서를 수집하여 편찬한 책.

이것이 탕평의 뜻인데,
탕평
탕평의 요점은 치우치고 사사로운 마음을 막는 것이야.
치우치고 사사로이 굴면 당연히 어긋나고 기울어지게 되며,
넓고 공평하게 하면 바르고 곧게 될 거야.
이로운 것을 추구하고 해로운 것을 피하는 것은
사
삭
사람들의 똑같은 마음이야.
좋은 게
좋은 거….

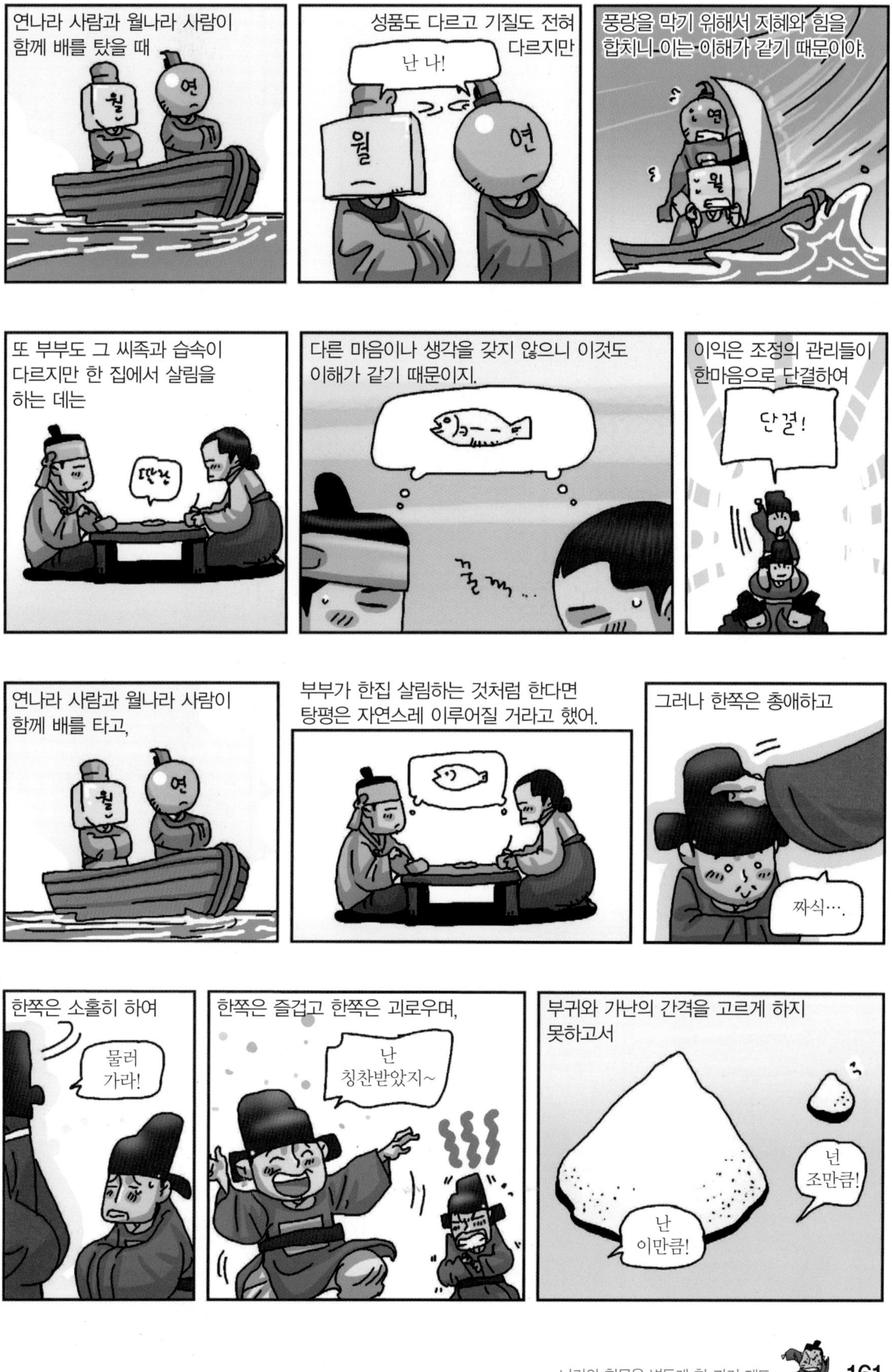

연나라 사람과 월나라 사람이 함께 배를 탔을 때
월
연
성품도 다르고 기질도 전혀 다르지만
난 나!
월
연
풍랑을 막기 위해서 지혜와 힘을 합치니 이는 이해가 같기 때문이야.
연
월
또 부부도 그 씨족과 습속이 다르지만 한 집에서 살림을 하는 데는
다른 마음이나 생각을 갖지 않으니 이것도 이해가 같기 때문이지.
꿀꺽…
이익은 조정의 관리들이 한마음으로 단결하여
단결!
연나라 사람과 월나라 사람이 함께 배를 타고,
월
연
부부가 한집 살림하는 것처럼 한다면 탕평은 자연스레 이루어질 거라고 했어.
그러나 한쪽은 총애하고
짜식….
한쪽은 소홀히 하여
물러 가라!
한쪽은 즐겁고 한쪽은 괴로우며,
난 칭찬받았지~
부귀와 가난의 간격을 고르게 하지 못하고서
난 이만큼!
넌 조만큼!

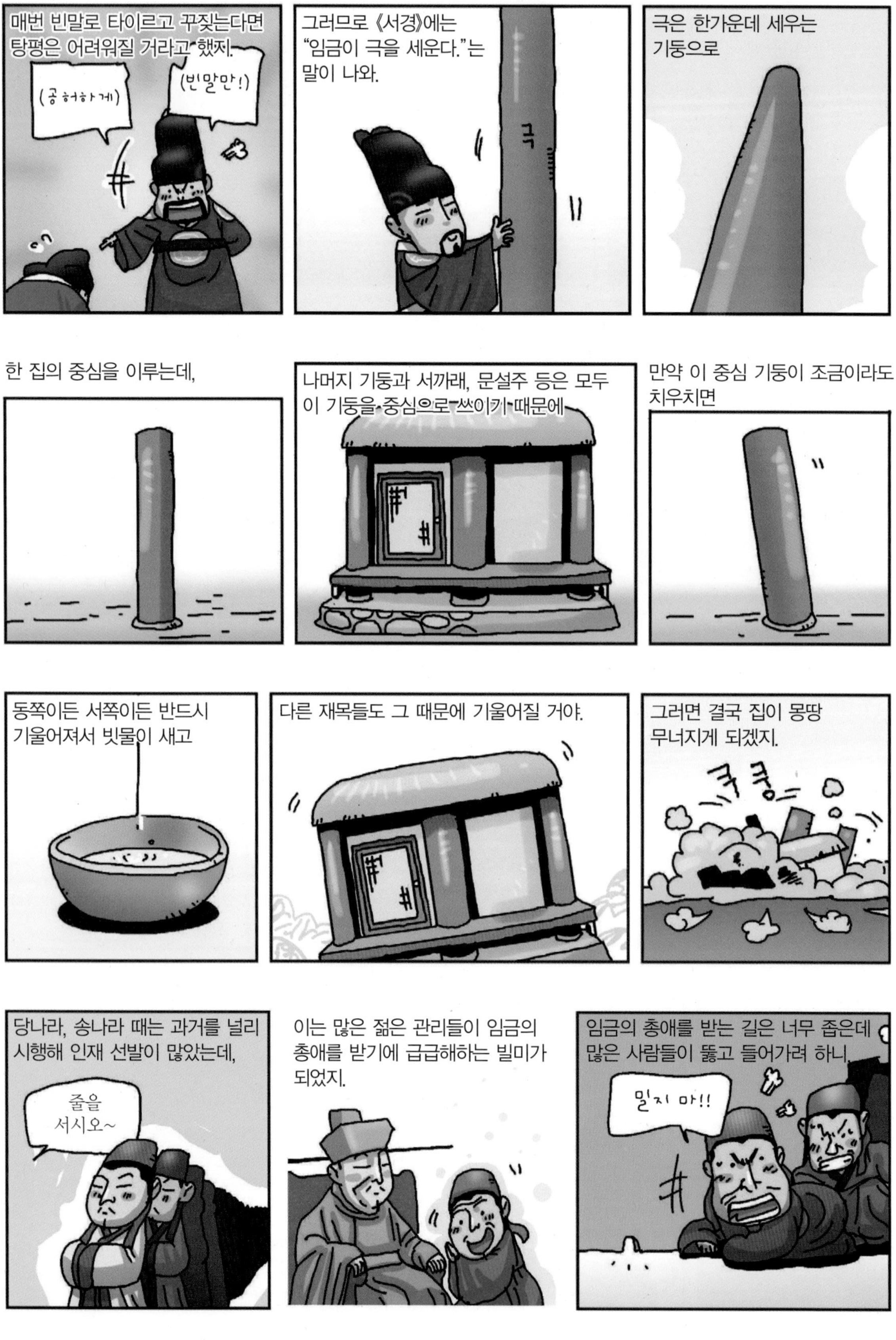
매번 빈말로 타이르고 꾸짖는다면 탕평은 어려워질 거라고 했지.
(공허하게)
(빈말만!)
그러므로 《서경》에는 "임금이 극을 세운다."는 말이 나와.
극
극은 한가운데 세우는 기둥으로
한 집의 중심을 이루는데,
나머지 기둥과 서까래, 문설주 등은 모두 이 기둥을 중심으로 쓰이기 때문에
만약 이 중심 기둥이 조금이라도 치우치면
동쪽이든 서쪽이든 반드시 기울어져서 빗물이 새고
다른 재목들도 그 때문에 기울어질 거야.
그러면 결국 집이 몽땅 무너지게 되겠지.
쿠쿵
당나라, 송나라 때는 과거를 널리 시행해 인재 선발이 많았는데,
줄을 서시오~
이는 많은 젊은 관리들이 임금의 총애를 받기에 급급해하는 빌미가 되었지.
임금의 총애를 받는 길은 너무 좁은데 많은 사람들이 뚫고 들어가려 하니,
밀지 마!!

원망이 없는 자가 어찌 없겠어?
나 안 해!!
그러니 등용하고 물리치는 데에 극이 조금만 치우쳐도 왕도는 이루어지지 않게 되는 거지.
넘어간다~
결국 후대에 문제가 되는 당쟁의 화는 대체로 과거를 많이 치러 많은 사람을 뽑았기 때문이야.
밀지 마!
줄 서!
그것을 알면 과거를 줄여 조금 뽑아야 하는데, 여전히 국가는 경사가 있을 때마다 과거를 시행하고 있어.
이익은 도대체 과거와 경사가 무슨 관련이 있는 건지 모르겠다고 토로해.
또 경사야?
그렇담 또 시험?
과거 시험에 합격한 자는 몇 사람일 뿐
2
1
3
수많은 사람이 눈물을 흘리는데 어찌 국가의 기쁜 일을 함께한다는 건지 알 도리가 없댔지.
더구나 과거에 합격한 자들은 대개 귀족이나 세도가의 자식들인데
사방에서 모여든 일반인이 거기에 들어가기는 요원한 일이겠지.
어디라고!
이익은 이것이 마치 극을 중앙에 세우지 않고서 집이 기울어지지 않기를 바라는 것과 무엇이 다르냐고 물어.
그리고 이를 해결하기 위해서는 추천을 통한 천거제를 병행하면서, 임금은 탕평의 본래 뜻을 다시 한 번 잘 생각해 봐야 한다고 조언하지.
탕
평

당쟁: 비판과 견제에서 권력 투쟁으로

당쟁은 조선 패망의 원인?

흔히 조선이 멸망하고 일제의 식민지가 시작된 원인으로 양반 지배층의 당쟁을 듭니다. 현재의 정치에서도 정치의 부정적인 모습을 많은 사람들이 당쟁으로 비유하면서 안타까워합니다. 그렇다면 당쟁이 정말 조선을 멸망하게 했을까요?

당쟁은 다른 말로 붕당 정치라고 합니다. 원래 조선 정치에서 비판과 견제의 원리가 작동한 붕당 정치가 권력만을 쟁취하기 위한 투쟁으로 변질되면서 당쟁의 부정적 시각이 나타나게 된 것이죠. 이러한 당쟁이 조선 사회를 약화시킨 것은 분명하지만, 일제의 식민 사학이 말하듯 조선 멸망의 절대적 원인이 된 것은 결코 아닙니다.

'당쟁' 이란 말은 19세기 조선이 붕괴되기 시작하면서 권력에서 소외된 계층이 나타나게 되었고, 이들이 이전의 조선 정치를 비판적으로 표현한 것에서 비롯되었습니다. 각 당이 권력을 중심에 두고 지극히 관념적인 문제를 둘러싸고 편협하고 배타적으로 대립하게 되면서 평등한 인재 등용의 길이 막히고, 국민들의 현실 생활이 외면되면서 국력이 약화되어 간 데 그 원인이 있던 것이지요.

붕당 정치의 종말

조선에서도 선조 이후 사림파가 정계의 주도 세력이 되면서 견제와 균형의 붕당 정치가 시작되었습니다. 임진왜란과 병자호란 이후 조선 사회에서 진행되던 사회 변동에 어떻게 대응할 것인가를 두고 각 정파가 서로 대립했고, 자신의 정책을 실현하기 위해 권력을 잡고자 하는 권력 투쟁이 가속화되었죠. 하지만 16세기와 17세기 붕당 정치는 권력 투쟁의 정점인 정치적 소용돌이는 많았지만, 강력한 왕권 아래서 각 당 사이의 견제와 균형의 원리가 작동하고 있었습니다.

붕당 정치가 시끄러워진 것은 18세기 들어서 특정 세력, 즉 노론이 일당 독재하는 방향으로 정치 흐름이 전개되고 그들 세력이 세도 정치와 곧바로 연결되면서 시작되었습니다. 이후 정권 주도층은 정치적인 정통성을 상실한 채 사대부 층의 지지도 제대로 받지 못하고 파행적인 정치 운영을 계속하게 되죠. 그 결과 중세의 전형적인 정치 운영 형태인 붕당 정치도 제 기능을 발휘하지 못하게 됩니다. 결국 권력에서 소외된 지배층들이 새로운 사상과 이념을 찾기 시작했고 민중의 성장이 두드러지게 이루어지면서, 이들에 의해 새로운 정치 형태가 모색되기 시작했답니다.

결국 조선 사회가 어려워진 것은 당쟁, 즉 붕당정치 때문이 아니라 붕당 정치의 구조가 무너진 것 때문일 것입니다.

제8장
조선 농민의 고단한 짐,
조세 제도
조
제
도

조선 시대 때는
조세가 백성들에게
가장 큰 부담이었단다.
조세 제도

조세에는 크게 토지에 대한 세금인 전세와 국방의 의무와
국가의 공공 사업에 동원되는 군역과 요역,

그리고 각 지방의 특산품을
국가에 바치는 공납이 있었어.

그리고 조세는 아니지만 국가로부터
빌려 쓴 쌀을 이자를 포함해 갚는
환곡이 있었지.
+
이자

조선 초기의 전세 제도는
과전법이라 불렸는데
과전법

이는 그해 농사를 풍년, 흉년의 상황에 따라 9등급으로 나누어
풍년!
흉년….
가장 수확이 잘된 토지에서는 해마다 1결의 농지에서 20말의 세금을 거두고,
농사가 안 된 토지에 대해서는 1결에 네 말의 세금을 거두는 것이었어.
그런데 이후에는 농사의 풍, 흉에 관계 없이
1결당 네 말로 고정하여 똑같이 거두어 갔는데,
네 말만!
그렇게 해도 재정은 부족하지 않았어.
이것을 영정법이라고 해.
永定法
= 네 말로 고정
이후 임진왜란 때 군사들의 식량을 조달할 목적으로 1결에 1~2말을 더 거두었는데
배고프대.
그것을 삼수미라고 했어.
삼수미
이것은 추가로 거둔 세금이지.
하나 더!
그러나 그 뒤 공물로 바치는 물품들이 날로 늘어나 백성들의 생활은 궁핍해져 갔지.
남은 게 없다….

이익도 이러한 문제를 해결하기 위해 노력을 했으나 실패하고 말았지.
실패….
그 뒤 영의정 김육(金堉, 1580~1658)이 국가 재정에 충당하는 1결당 네 말의 전세 이외에 각 지역에서 특산품으로 내던 공물을 없애고
안 받아!
…
전세와 공물을 쌀로 통일하여 1결당 열두 말의 쌀을 거두었는데
열두 말만!
이를 대동법이라고 하고
대동법
이 쌀을 대동미라고 하지.
대동미
대동법에 따르면 전세는 가벼워지고
전세
공물은 무거워진 거였지만
공물
일반 백성들은 이를 무척 반겼어.*

*실제로 대동미의 액수가 공물의 가치보다는 컸기 때문에 공물의 부담이 커진 것이지만, 백성들은 현물을 납부하는 공납제보다는 편하게 여겼다는 의미이다.

그동안 현물로 바치는 공물의 부담이 얼마나 컸는지를 알 수 있는 거지.
으아아악!!
공물
이는 특산물을 납부하던 공납이 전세로 통합된 것을 의미하기도 해.
전세
공납

그러나 대동미 이외에도 각 도나 읍에서 각종 명목으로 사사로이 거두는 것은 더욱 많아졌고,
또 걷어?
백성들의 생활은 다시 어렵게 되었어.
또 바닥이야….
텅~
이익이 《성호사설》을 쓰던 당시엔 어떤 재상이 잡역상정법이라는 것을 만들어 다시 1결에 6~7말의 쌀을 거두었는데,
1결당 6~7말!
아~.
백성들은 이 제도를 반겼어.
OK!
그렇지만 여전히 사방에서 철마다 바치는 공물은 저절로 있게 마련이었지.
내놔!
줘!
나도!
여기도!
국가에 행사가 있으면 거두고,
축 생일
상을 당하면 거두고,
아이고
외국의 사신이 오면 거두고,
Welcome to
중국에 사신을 보낼 때 또 거두었지.
중국행
사신 가는 데 공물은 왜….
거기에 각 관청에서도 국가의 이러한 행위를 모방해 일만 있으면 거두었고
국가에서 하니까….
따라쟁이.

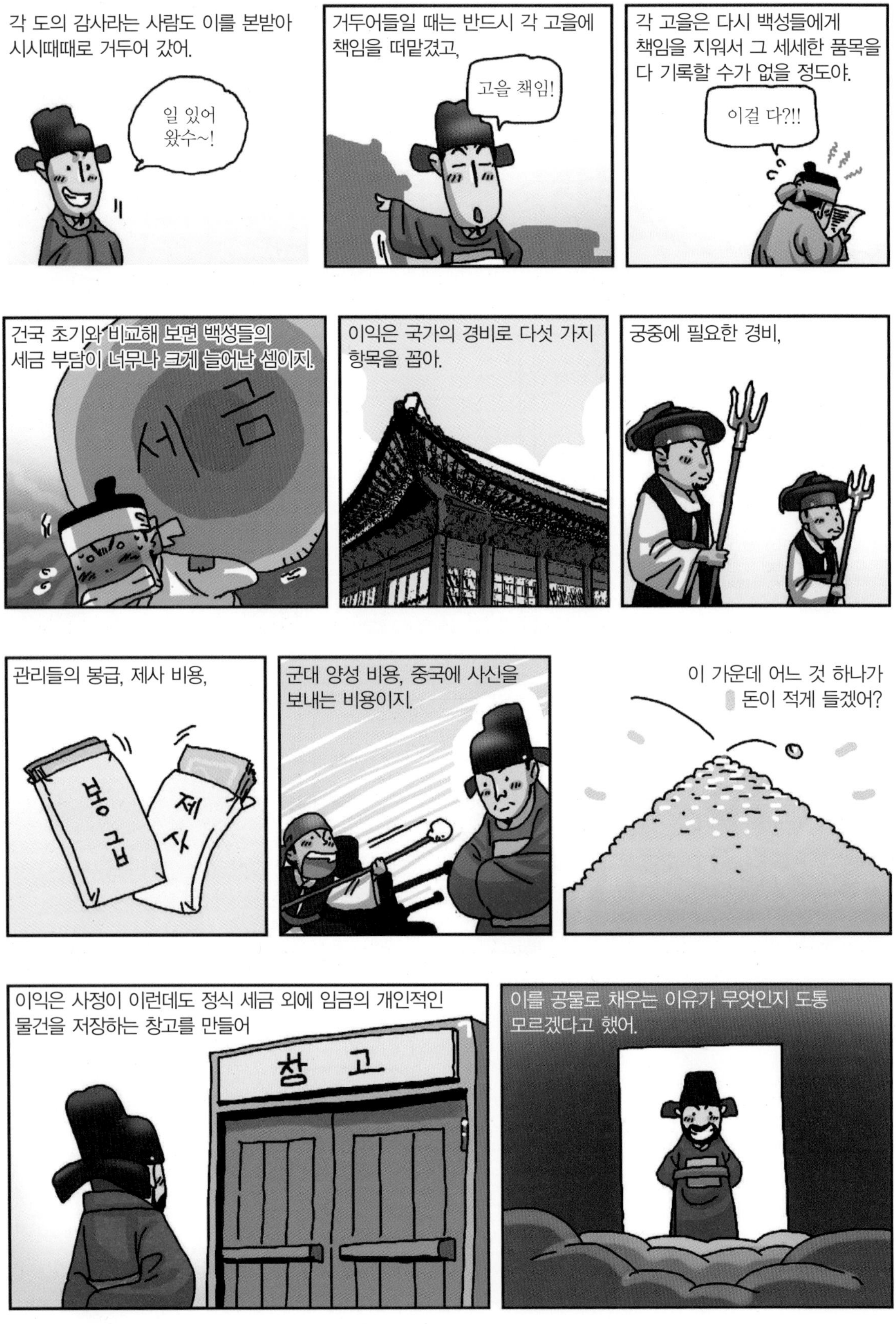
각 도의 감사라는 사람도 이를 본받아 시시때때로 거두어 갔어.
일 있어 왔수~!
거두어들일 때는 반드시 각 고을에 책임을 떠맡겼고,
고을 책임!
각 고을은 다시 백성들에게 책임을 지워서 그 세세한 품목을 다 기록할 수가 없을 정도야.
이걸 다?!!
건국 초기와 비교해 보면 백성들의 세금 부담이 너무나 크게 늘어난 셈이지.
세금
이익은 국가의 경비로 다섯 가지 항목을 꼽아.
궁중에 필요한 경비,
관리들의 봉급, 제사 비용,
봉급
제사
군대 양성 비용, 중국에 사신을 보내는 비용이지.
이 가운데 어느 것 하나가 돈이 적게 들겠어?
이익은 사정이 이런데도 정식 세금 외에 임금의 개인적인 물건을 저장하는 창고를 만들어
창고
이를 공물로 채우는 이유가 무엇인지 도통 모르겠다고 했어.

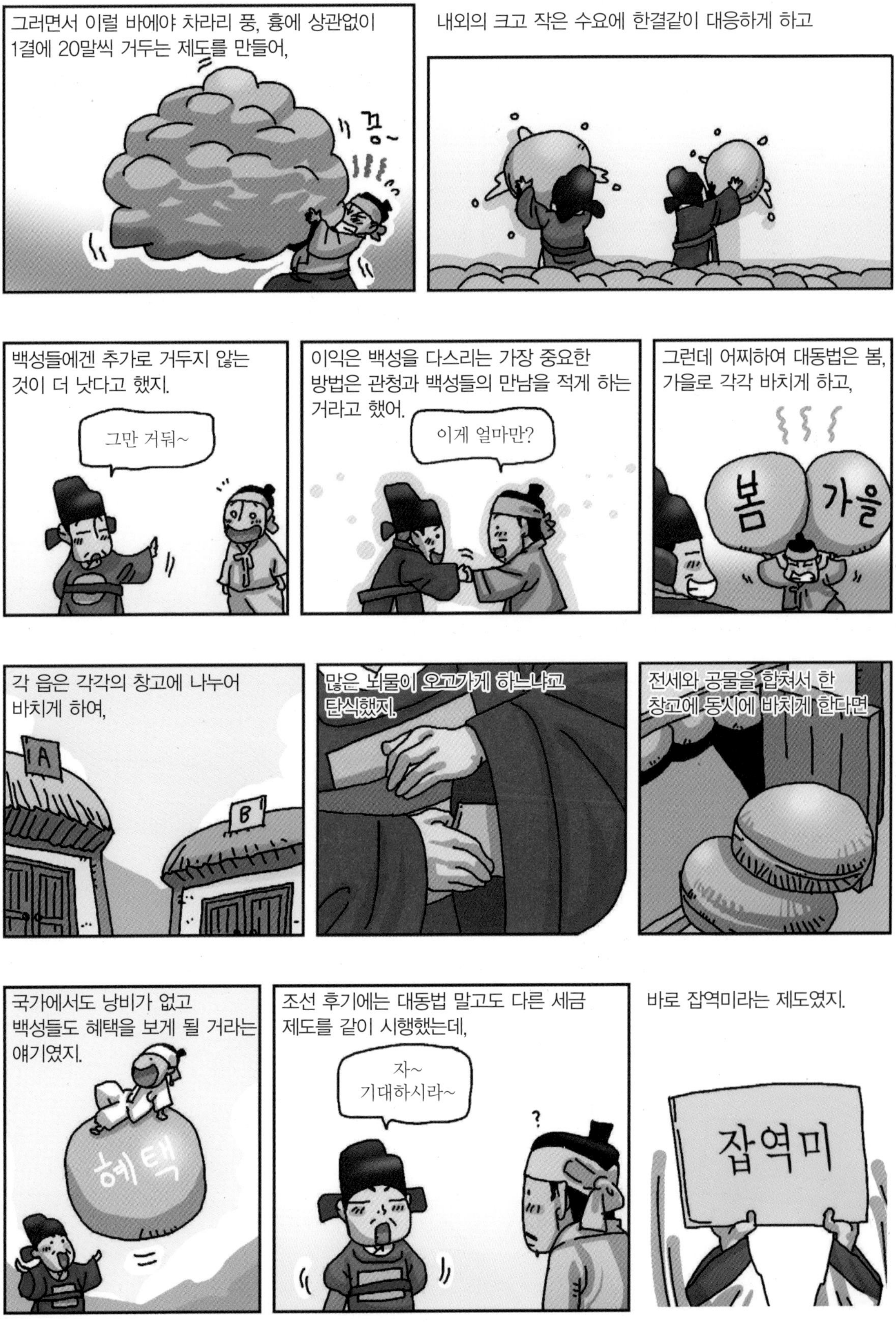
그러면서 이럴 바에야 차라리 풍, 흉에 상관없이 1결에 20말씩 거두는 제도를 만들어,
끙~
내외의 크고 작은 수요에 한결같이 대응하게 하고
백성들에겐 추가로 거두지 않는 것이 더 낫다고 했지.
그만 거둬~
이익은 백성을 다스리는 가장 중요한 방법은 관청과 백성들의 만남을 적게 하는 거라고 했어.
이게 얼마만?
그런데 어찌하여 대동법은 봄, 가을로 각각 바치게 하고,
봄
가을
각 읍은 각각의 창고에 나누어 바치게 하여,
A
B
많은 뇌물이 오고가게 하느냐고 탄식했지.
전세와 공물을 합쳐서 한 창고에 동시에 바치게 한다면
국가에서도 낭비가 없고 백성들도 혜택을 보게 될 거라는 얘기였지.
혜택
조선 후기에는 대동법 말고도 다른 세금 제도를 같이 시행했는데,
자~
기대하시라~
?
바로 잡역미라는 제도였지.
잡역미

잡역미는 대동미 이외에 각 고을에서 쓰기 위해
별도로 거두던 쌀을 말해.
조선 초에 만든 《경국대전》은 국가에서, 즉 조정에서
사용하는 경비에 대해서만 이야기했을 뿐
경국대전
국가 경비만!
각 고을에서 사사로이 쓰는 비용에
대해서는 규정해 놓지 않았어.
고을?
경국대전
이 말은 각 고을에서 자체적으로
세금을 걷을 수 있다는 얘기로 해석될
수 있지.
자체 해결로….
이렇게 되니까 자꾸 이런저런
구실을 붙여서 고을에서 세금을
걷게 되고,
이런~
저런~
그만해!!
그에 따라서 백성들이 진상하는
물건들은 계속 늘어나
그 폐단이 이루 말할 수 없는
지경에까지 이르렀지.
으악!
우르르
그래서 그 뒤에 1결에 열두 말씩
받는 대동법을 정했는데,
대동법
이는 1결에 네 말씩 받는 전세에 비해
그 양이 세 배나 많았어.
3배
그것만으로도 벌써 적당한
선을 넘어선 것인데,
각 고을에서 사사로운 비용으로 거두는
것도 명목이 헤아릴 수
없이 많았기 때문에

백성의 삶은 더욱더 힘들어질 수밖에 없었어.
잡역미를 거두기 위해 국가에서는 상정법을 만들었어.
상정법
앞서 말한 대로 잡역미란 각 고을의 수령이 한 해의 비용을 계산해서
쌀
1 2 3
4 5 6
별도로 거둔 쌀을 말해.
잡역미
그런데 큰 고을은 1결에 네 말씩 받아도 그 양이 충분했지만,
넉넉하니 든든하군.
작은 고을은 1결에 6~7말씩 받아도 부족할 수밖에 없었지.
바닥에 깔렸다….
이처럼 눈에 띄게 차이가 나는데도 불구하고 백성들이 이 법을 편하게 여기는 것은,
상정법
가볍다!
이렇게 한 번에 세금을 내게 됨으로써
한 방!
다른 수많은 징수를 면할 수 있었기 때문이야.
해방!
그러나 이익은, 상정법은 백성들의 생각과는 달리 세금을 고르게 부과하는 뜻에서 보면 어긋나는 것이기 때문에
틱!

국가는 이를 합쳐서 새로운 제도를 정해
두루 시행해야 마땅할 거라고 했지.
새로운 제도
각 고을이 자체적으로 세금을
걷는 당시 상황은
그 폐단이 막심하다는 게 공통된
의견이었거든.
인정!
이익은 이 폐단을 해결하기 위해 먼저 각 고을
수요를 통틀어 계산하고,
땅이 넓은지 좁은지, 용도가 다양한지
간소한지를 비교하여
여러 등급으로 나누자고 했어.
그런 뒤에 1결에 다섯 말씩 내는
중간 제도를 정하되,
큰 고을은 한 말씩 더 내서
국가의 세금에 충당하고,
한 말 더!
작은 고을은 한 말씩 적게 내서
국가 세금에서 그 부족분을
보충하자고 했지.
이렇게 되면 각 고을은 모두 앞의 제도에 따라
각각 여섯 말, 네 말씩 가지게 하되,

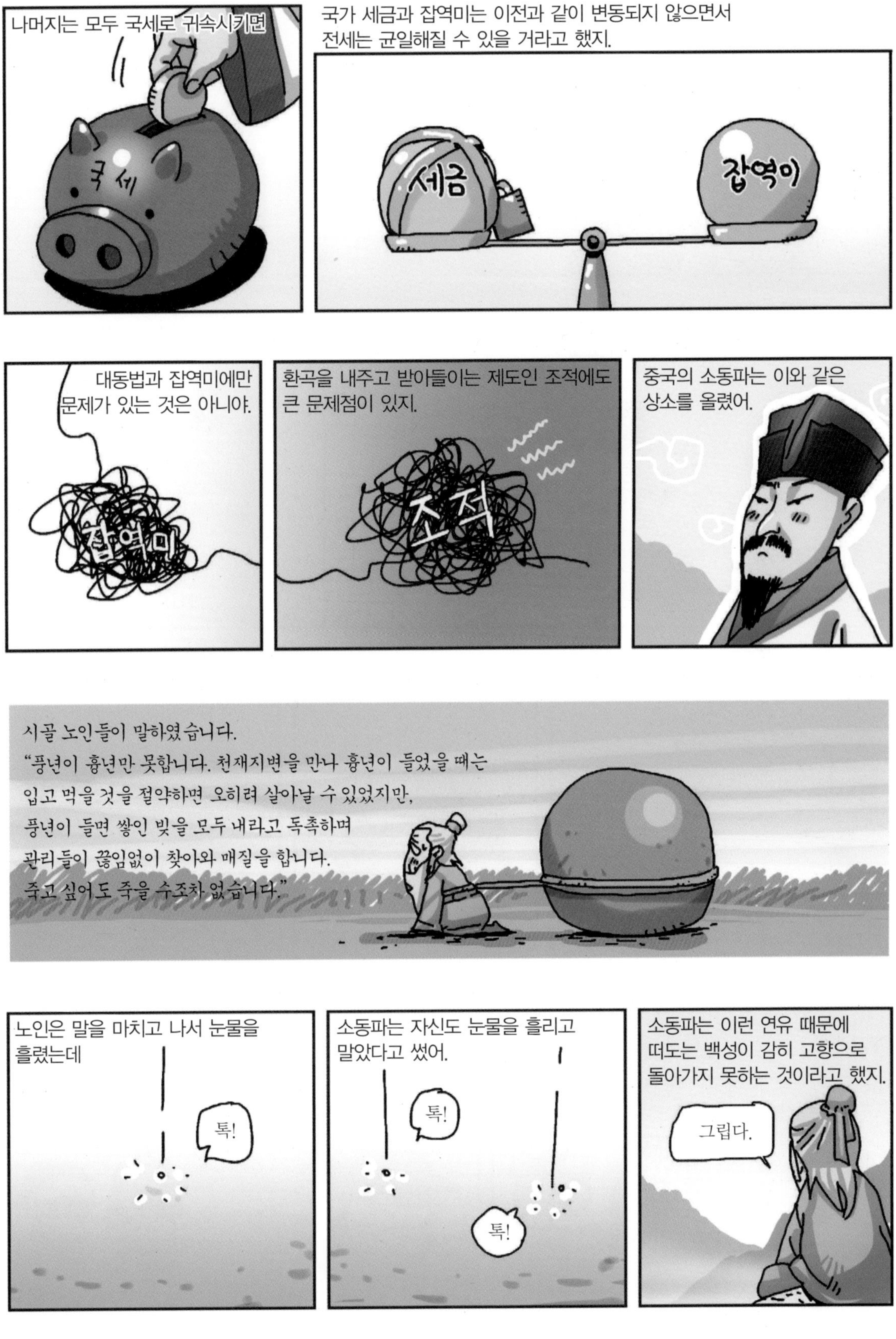
나머지는 모두 국세로 귀속시키면
국세
국가 세금과 잡역미는 이전과 같이 변동되지 않으면서
전세는 균일해질 수 있을 거라고 했지.
세금
잡역미
대동법과 잡역미에만
문제가 있는 것은 아니야.
잡역미
환곡을 내주고 받아들이는 제도인 조적에도
큰 문제점이 있지.
조적
중국의 소동파는 이와 같은
상소를 올렸어.
시골 노인들이 말하였습니다.
"풍년이 흉년만 못합니다. 천재지변을 만나 흉년이 들었을 때는
입고 먹을 것을 절약하면 오히려 살아날 수 있었지만,
풍년이 들면 쌓인 빚을 모두 내라고 독촉하며
관리들이 끊임없이 찾아와 매질을 합니다.
죽고 싶어도 죽을 수조차 없습니다."
노인은 말을 마치고 나서 눈물을
흘렸는데
톡!
소동파는 자신도 눈물을 흘리고
말았다고 썼어.
톡!
톡!
소동파는 이런 연유 때문에
떠도는 백성이 감히 고향으로
돌아가지 못하는 것이라고 했지.
그립다.

공자는 일찍이 "가혹한 정치는 호랑이보다 더 사납다."고 했는데,
공자 가라사대….
소동파는 위 상소에서 홍수와 가뭄이 사람을 죽이는 것은 호랑이보다 100배나 더하고,
사람들이 빚 독촉을 두려워하는 것은 홍수나 가뭄보다 더 심하다고 했어.
빚!
벌떡
이익은 자신도 역시 이 상소를 읽고 안타까운 마음에 눈물을 줄줄 흘리고 말았다고 쓰고 있어.
그러면서 그 정도는 당대에 비하면 새 발의 피나 다름없다고 했지.
따거!
이익이 살던 당시엔 풍년, 흉년에 상관없이 백성들은 세금을 안 내고는 버틸 수 없었고,
조금만 버텨 봐.
관청에서는 한 홉의 곡식도 거두지 않는 때가 없었어.
한 톨당 한 대!
가을, 겨울이 되면 고을의 수령은 멀고 가까움을 가릴 것 없이 각 마을로 군졸을 내보내 세금을 거두었는데,
드디어 거둘 시기….
당사자에게 걷다가 모자라면
왜 이것뿐이야!
먼 일가친척들까지 찾아가 집을 샅샅이 뒤져서라도 모조리 세금을 걷어갔어.
친척을 원망해라!

백성들을 보살펴 주어야 할 고을 수령이 백성들의 사정은 따져 보지도 않고
오직 세금을 내지 않는 백성이 없는 것을 목표로 삼았으니,
올해의 목표!
백성들은 빚을 내서라도 세금을 내야 했지.
빚
이익은 소동파가 이런 조선의 상황을 보았다면
아마 더 많은 눈물을 흘릴 수밖에 없을 거라고 했어.
이뿐만이 아니야. 조적보다 더 심한 제도도 있었어.
더 심한것?!!
원래 각 고을의 사창(社倉)·의창(義倉)에서는 춘공기에 백성들에게 저장된 양곡을 빌려주고 가을에 거두었는데,
가을에 갚아!
양곡이 축나거나 보관 중에 생기는 자연 감소분에 대비하여 대여 원곡(元穀)의 10분의 1을 부가로 징수하였어.
10분의 1 이자!
이를 모곡(耗穀)이라고 하지.
모곡
그런데 받아 둔 모곡은 미처 쓰기도 전에 좀벌레 등이 갉아먹어서,
냠!
냠!
관에서는 다시 백성들에게 더 거두었대.

그러니까 장부의 기록은 날로 증가하게 되고
또 그렇게 쌓은 곡식들은 오래 묵으면서 썩고 마는 악순환이 계속되었어.
윽! 냄새!
더욱이 이 썩은 곡식을 집집마다 다시 강제로 빌려주니
받아!
백성들의 생활은 더욱 어렵고 곤궁해졌지.
백성들이 열 말이라고 받아 오면
?
?
두 말은 이미 부족해 실제로는 여덟 말에 불과했어.
엇?
백성들로선 여덟 말을 받고도 모곡 한 말을 더 보태야 하고,
또 관에서는 흘려서 없어진다는 명목으로 한 말을 더 받았으니
한 말 더!
모두 열두 말을 내게 되는 셈이었지.
거기에 오가는 길에 먹은 양식, 인부의 품값 등 잡다한 비용을 모두 계산하면
으아~ 남는 게 없네.
실제로는 두 배의 비용이 들었다고 해.
적자다!
×2

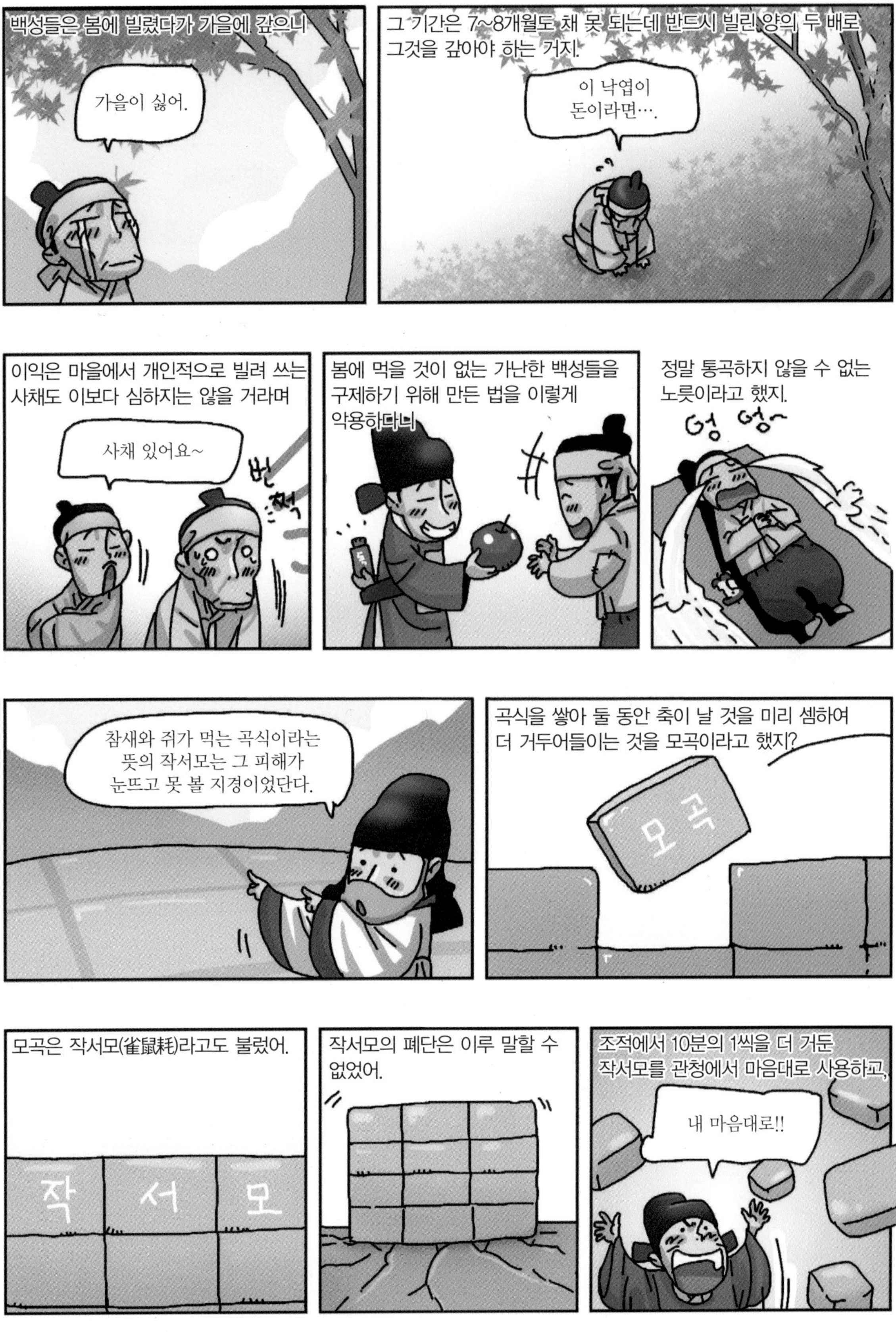
백성들은 봄에 빌렸다가 가을에 갚으니
가을이 싫어.
그 기간은 7~8개월도 채 못 되는데 반드시 빌린 양의 두 배로 그것을 갚아야 하는 거지.
이 낙엽이 돈이라면….
이익은 마을에서 개인적으로 빌려 쓰는 사채도 이보다 심하지는 않을 거라며
사채 있어요~
번쩍
봄에 먹을 것이 없는 가난한 백성들을 구제하기 위해 만든 법을 이렇게 악용하다니
정말 통곡하지 않을 수 없는 노릇이라고 했지.
엉 엉~
참새와 쥐가 먹는 곡식이라는 뜻의 작서모는 그 피해가 눈뜨고 못 볼 지경이었단다.
곡식을 쌓아 둘 동안 축이 날 것을 미리 셈하여 더 거두어들이는 것을 모곡이라고 했지?
모곡
모곡은 작서모(雀鼠耗)라고도 불렀어.
작 서 모
작서모의 폐단은 이루 말할 수 없었어.
조적에서 10분의 1씩을 더 거둔 작서모를 관청에서 마음대로 사용하고,
내 마음대로!!

작서로 인해 없어진 분량에 대해서는 적은 말로 나누어 주어
모자라네….
백성들로 하여금 그 모자란 부분을 배상케 한 거니까.
채워!
그리고 가을에 또 그 작서모에 대한 모곡을 거두어들이니
역시 가을이 최고야~
한마디로 백성들은 모곡을 이중으로 내는 셈이었지.
이는 관청들이 더 거두어들이고 싶은데 더 걷을 만한 이유가 없을 때
더 먹고 싶은데….
작서를 핑계 삼아 세금을 걷는 방식이었어.
여기서 머리카락 나왔소!
정말 부끄럽기 짝이 없는 일이 아닐 수 없지.
흐흑!
이익은 조정에서 이 상황을 정확히 인식해서 모든 문서에 반드시 '작서모'라 쓰게 하고,
작서모
이를 생략하여 단지 '모'라고만 쓰는 경우는 처벌하면 어떻겠냐고 제안했어.
모
그렇게 하면 귀로 듣고 눈으로 보는 사이에
부끄러움을 아는 사람이 반드시 있을 거라고 생각한 거지.
아잉~

부끄러움을 알게 되면 이와 같은
폐단을 없애자고
짜악!
조정에 아뢰는 사람이 많아지게 될 것이고,
점차 이러한 폐단은 없어지게
될 거라고 본 거야.
깨끗이 싹!
이익은 이 문제를 근본적으로 해결하려면
토지 제도에 대해 고민해야 한다고 했어.
토지 제도~
해결 방법….
어떻게?
….
토지 제도를 해결한다는 것은
농민들에게 토지를 골고루 분배해
농민들의 생활을
안정시키는 것을 의미했지.
이익은 이상적인 토지 제도로
중국 수나라 때 시행된 균전제(均田制)를
들고 있어.
균전제
무릇 정치라는 것이 토지의 경계를
바르게 하지 못한다면 문제가 있는 거야.
빈부가 고르지 못하고
강약의 형세가 다르면,
어떻게 나라를 공평하게
다스릴 수가 있겠어?
공평?

이 사람의 것을 빼앗아
저 사람에게 줄 수 없는 것은
토지
각자 자기가 가지고 있는 토지를 자기의
소유라고 여기기 때문이 아니겠어?
내 거야.
철컹
뭐시라?
이익은 사람들이 듣고 본 것을
그대로 따라왔기 때문에
제도를 바꾸려고 하면 저마다 저항만 할 뿐
한번
바꿔….
임금이 천하를 안정시킨
큰 뜻은 전혀 모른다고
했지.
내 마음도
몰라주고.
천하의 토지는 모두 임금의 땅이야.
짐의 것이니….
백성들이 각각 차지하고 있는 땅은 임금의 땅을
일시적으로 소유한 것에 불과할 뿐
원래 본 주인은 아니지.
흐흠!
이익은 일례로 아버지의
물건을 자식들이 나누어
가질 때
나눠
가져라….
많이 가진 자도 있고 적게
가진 자도 있을 경우
아버지가 골고루 나누어 가지라고 하면 많이 가진 자가 그 말을 따르는 것과
같은 이치라고 했어.
골고루!!

이익은 중국 한나라 때 왕망이 한 토지 개혁을 매우 칭찬해.
최고!!
왕망은 천하의 토지를 왕의 토지라는 뜻에서 왕전(王田)이라고 이름 붙였는데,
왕전
이는 토지가 개인의 사유물이 아니라는 것을 먼저 밝히려고 한 거야.
땅 투기 금지!
그 다음 왕망은 부자의 토지를 빼앗아 가난한 자들에게 주려 하였지.
부자
그의 뜻이 원래대로 이루어졌다면, 공자의 뜻을 시행하는 데 부족함이 없었을 거야.
그러나 권세가와 귀족들이 그것을 철저히 반대했지.
무조건 싫소!!
백성들의 마음은 대체로 이익을 따르고, 피해를 피하기 마련이야.
그래서 천하가 시끄러워졌고
왕망도 결국 패하여 죽게 되었지.
후세의 임금들 가운데 토지를 분배해 주는 제도를 만든 경우는 있지만 그 의도만 있었을 뿐 실제 개혁한 예는 거의 없어.

이익은 중국의 주나라 때 시행했다고 전해지는
정전법(井田法)도
반드시 널리 시행된 것은 아니라고 생각했어.
정전법
정전법은 사방 1리의 토지를
'정(井)' 자 모양으로 9등분하여
가운데 한 구역을 국가에 세금을
내는 공전으로 삼고
공전
주위의 8구역을 개인의 사전으로 삼아
여덟 가구에게 나누어 준 뒤,
공전
공전은 여덟 가구가 공동으로
경작하게 한 제도야.
공동
사람들은 모두 진나라의 상앙이
정전법을 폐지한 것을 비판하는데
없었던 일로….
우~
실제 상앙의 힘으로 진나라의
토지는 변혁할 수 있었지만
온 천하에 모두 미치지는 못했어.
등나라는 중국의 한가운데 있었는데
맹자 시대에 이미 정전의 경계가
명확하지 않았지.
어디… 더라?

이익은 이런 걸 보면 옛날에도 정전법이 온 천하에 모두 시행되지 않은 것은 명백하다고 했어.
그렇다면 왕망 역시, 왕전을 혼자 힘으로 만들려 하다가 실패했다고 봐야겠지.
꼴깍!
그러나 천하를 다스리는 임금은 모든 백성들을 한결같이 돌보아야 하고,
그 마음을 잠시도 잊어서는 안 되기 때문에
잊지 않으리….
토지 문제를 어쩔 수 없다고 내버려 둘 수는 없는 거야.
토지
이익은 균전론에 대한 자신의 생각을 이렇게 정리하고 있어.
농지의 일정 부분을 정해서 농부가 영구적으로 농사를 지을 수 있는 영업전(永業田)을 만든다. 이때 이 영업전은 절대로 매매할 수 없다.
영업전
매매 금지
매매를 할 수 없어야 농부들이 영구적으로 최소한의 생계를 꾸릴 수가 있겠지.
밥은 먹고살 수 있으니까….
이익은 또한 농지를 많이 소유한 자의 것을 빼앗지 않고,
제발~
농지가 없는 자를 비난하지 말자고 했어.
제발~ 비난만은!

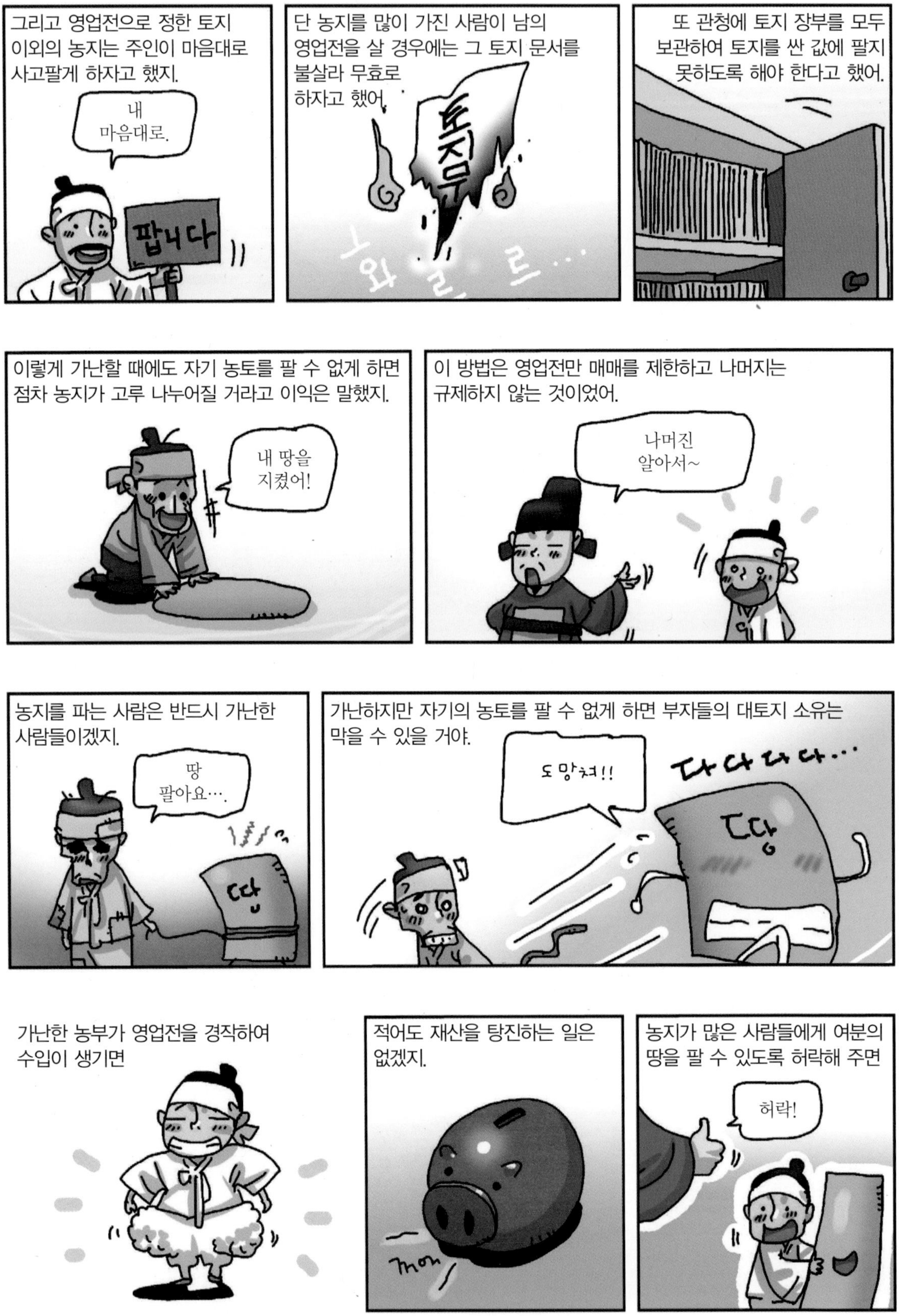
그리고 영업전으로 정한 토지 이외의 농지는 주인이 마음대로 사고팔게 하자고 했지.
내 마음대로.
팝니다
단 농지를 많이 가진 사람이 남의 영업전을 살 경우에는 그 토지 문서를 불살라 무효로 하자고 했어.
토지문
화르르…
또 관청에 토지 장부를 모두 보관하여 토지를 싼 값에 팔지 못하도록 해야 한다고 했어.
이렇게 가난할 때에도 자기 농토를 팔 수 없게 하면 점차 농지가 고루 나누어질 거라고 이익은 말했지.
내 땅을 지켰어!
이 방법은 영업전만 매매를 제한하고 나머지는 규제하지 않는 것이었어.
나머진 알아서~
농지를 파는 사람은 반드시 가난한 사람들이겠지.
땅 팔아요….
땅
가난하지만 자기의 농토를 팔 수 없게 하면 부자들의 대토지 소유는 막을 수 있을 거야.
도망쳐!!
다다다다…
땅
가난한 농부가 영업전을 경작하여 수입이 생기면
적어도 재산을 탕진하는 일은 없겠지.
까아
농지가 많은 사람들에게 여분의 땅을 팔 수 있도록 허락해 주면
허락!

자식들이 나누어
가질 것이고,
변변치 못한 사람들은 농지를 잃고
파산할 것이니,
파산
점차 농지가 균등하게 골고루
나누어질 수 있을 거야.
균전론에 대한 얘기는
균전론
이익이 쓴 《곽우록》에 더 자세히 나와 있으니 참고하렴.
절찬 판매
곽우록
송나라 임훈이 쓴 《본정서》에는
본정서
이익의 균전론과 거의
비슷한 얘기가 나와.
본정서
곽우론
이익은 균전론은 부자들의 마음을
크게 거스르지 않기 때문에
바로 시행하면 내일 반드시 그 혜택을
받는 자가 생기게 될 거라고 했지.
하루
만에!
이익은 또 중국 남북조 시대 북위의 효문제(孝文帝)도
자기와 비슷한 생각을 했다고 썼어.
나와
닮은 꼴….

이익의 주장에 대해 어떤 사람들은 이렇게 말했어.
영업전을 팔지 못하게 하면, 상을 당해 장례를 치를 때처럼 부득이한 경우에는 어떻게 해야 하는가? 이런 예만 보더라도 균전론은 절대로 시행되지 못할 것이다.
이익은 이런 사람이야말로 균전론의 본뜻을 잘 알지 못하는 자들이라고 했지.
제대로 들어 보셔!!
읍!
이익은 이에 대한 답변으로 주자의 말을 인용하고 있어.
천하의 제도에 완전히 이롭기만 하고, 해가 전혀 없게 하는 방법은 있을 수가 없다.
주자는 단지 그 제도를 시행하는 데 이익과 피해가 어떤지를 살필 뿐이라면서,
이익
피해
만약 해로운 점만 지적하여 이로운 점을 시행하지 않는다면 가만히 앉아서 아무 일도 하지 않는 것과 다를 바가 없다고 했지.
세월아~

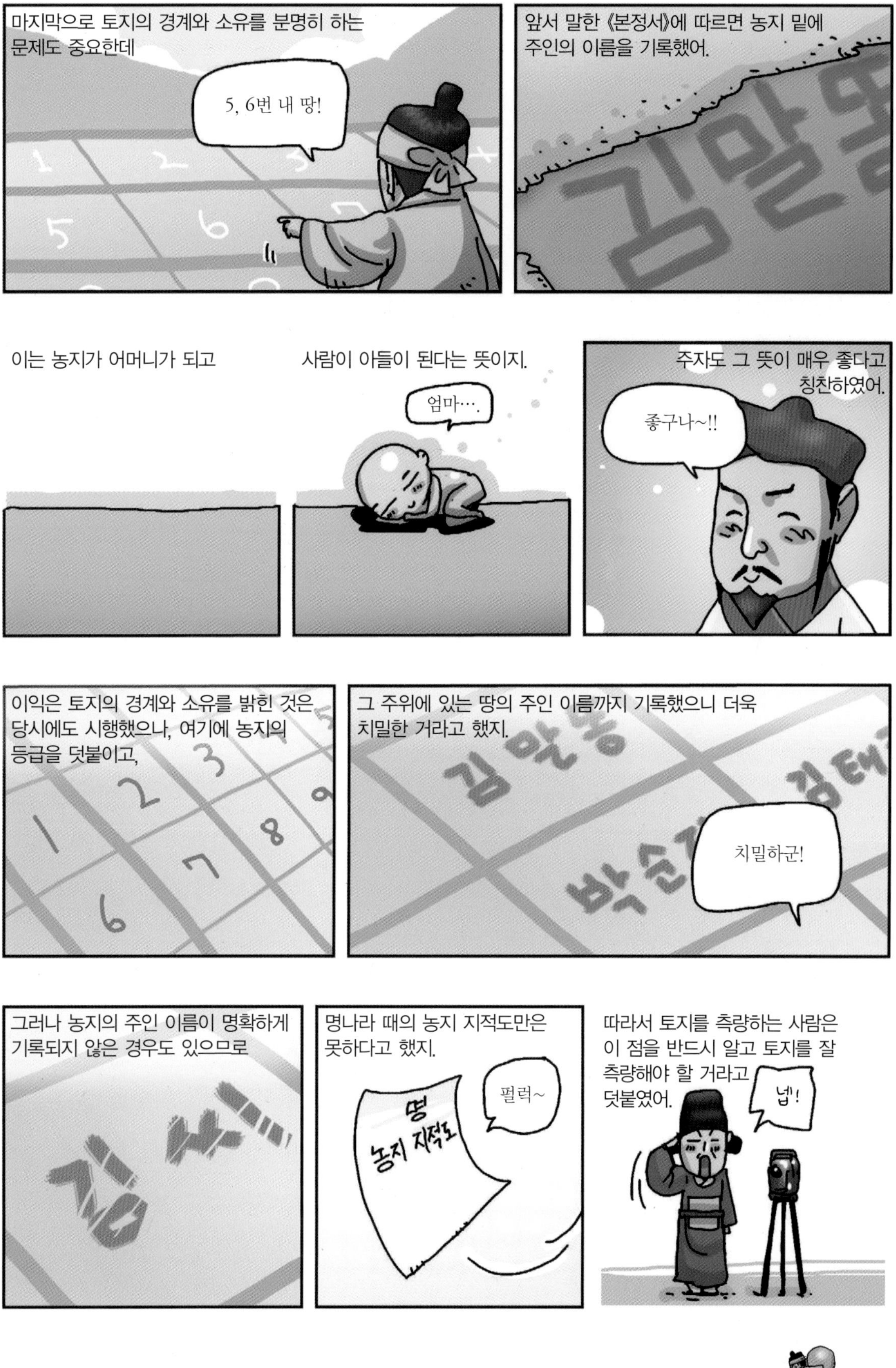
마지막으로 토지의 경계와 소유를 분명히 하는 문제도 중요한데
5, 6번 내 땅!
앞서 말한 《본정서》에 따르면 농지 밑에 주인의 이름을 기록했어.
김말똥
이는 농지가 어머니가 되고
사람이 아들이 된다는 뜻이지.
엄마….
주자도 그 뜻이 매우 좋다고 칭찬하였어.
좋구나~!!
이익은 토지의 경계와 소유를 밝힌 것은 당시에도 시행했으나, 여기에 농지의 등급을 덧붙이고,
그 주위에 있는 땅의 주인 이름까지 기록했으니 더욱 치밀한 거라고 했지.
치밀하군!
그러나 농지의 주인 이름이 명확하게 기록되지 않은 경우도 있으므로
명나라 때의 농지 지적도만은 못하다고 했지.
명
농지 지적도
펄럭~
따라서 토지를 측량하는 사람은 이 점을 반드시 알고 토지를 잘 측량해야 할 거라고 덧붙였어.
넵!

조선 성리학의 큰별 이황

공부에 정진한 생애

조선 중기의 문신인 이황은 태어난 지 7개월 만에 아버지를 여의고 홀어머니 밑에서 자랐습니다. 열두 살 때부터 작은아버지에게 《논어》를 배웠고 20세에는 《주역》을 비롯한 경전을 읽고 성리학을 연구하는 데 매진한 나머지 건강이 나빠지기도 했지요. 1527년(중종 22)에 과거에 합격하고 관직에 들어섰으며, 1546년(명종 1)에 낙향하여 낙동강 상류 토계兎溪에 양진암養眞庵을 짓고 학문의 연구에 힘을 쏟았습니다. 이황의 호인 퇴계는 '토계'에서 비롯된 것이지요.

정치인보다는 학자이기를 지향했던 퇴계 이황

이황은 1548년 단양군수가 되었다가 풍기군수로 옮기게 되었는데, 풍기군수 시절에 조정에 상주하여 조선 시대 사액 서원*의 시초가 된 소수서원을 세웠습니다.

이황은 1549년 병을 얻어 고향으로 돌아와 퇴계의 서쪽에 한서암寒棲庵을 짓고 이곳에서 독서와 사색에 몰두했습니다. 1560년엔 도산서당을 지어 7년간 독서 · 수양 · 저술에 전념하면서 많은 제자들을 길러냈고, 1568년(선조 1)엔 다시 관직을 맡아 선조에게 그의 학문의 결정인 《성학십도聖學十圖》를 저술하여 바쳤습니다. 그리고 이듬해 낙향했다가 1570년 병이 깊어져 70세의 나이로 생을 마치게 되죠.

*사액 서원 – 임금이 이름을 지어서 새긴 편액을 내린 서원. 흔히 서적, 토지, 노비 등도 동시에 하사했다.

조선 주자학의 성립

이황의 학문은 주자학을 기반으로 형성되었습니다. 주자학에서 중요시되는 글뿐만 아니라 주자의 글을 평생의 벗으로 삼아 깊이 연구했고, 이를 알기 쉽게 편집했어요. 특히 주자의 편지글을 초록한《주자서절요朱子書節要》20권은 그가 평생 정력을 바친 편찬물이었답니다. 그의 학문이 원숙하기 시작한 것은 50세 이후인데, 특히 59세에 당대 유명한 성리학자였던 기대승奇大升과 더불어 토론한 '사단칠정四端七情' 론은 역사에 길이 남는 토론이었지요.

이황은 정자와 주자가 체계화한 개념을 수용하여 이를 더욱 풍부히 독자적으로 발전시켰습니다. 특히 이理를 더 중시하는 이기이원론理氣二元論을 주장하였는데, 이러한 이理 우위론적 철학은 이성에 의한 적극적 실천을 강조한 것입니다. 주자학에 바탕을 두면서도 이를 한층 발전시켰던 이황은 불교와 도교는 물론, 유교의 양명학까지도 이단 · 사설로 비판하고 배척했습니다. 이황의 이러한 견해는 조선의 주자학이 성립하는 데 큰 역할을 했습니다.

'퇴계학' 으로 계승

이황의 학문 · 사상은 이후 영남과 경기도 지방을 중심으로 계승되어 학계의 한 축을 이루었습니다. 영남 지방에서 형성된 학통은 유성룡 · 조목 · 김성일 · 황준량 등의 제자에서 시작하여 한말까지 내려왔습니다. 근기 지방에서는 정구 · 허목 등을 매개로 유형원 · 이익 · 정약용 등의 남인 실학자에게 연결되어 이들 학문의 이론적 기초가 되기도 했습니다. 한편 이황의 학문은 일본 주자학 성립에도 큰 영향을 미쳤습니다. 임진왜란 후 일본으로 반출된 이황의 저술은 에도 시대에 11종 46권 45책의 일본판으로 복간되어 오늘날까지 존경을 받고 있으며, 그의 학문은 '퇴계학' 으로 계승되어 지금도 활발히 연구되고 있답니다.

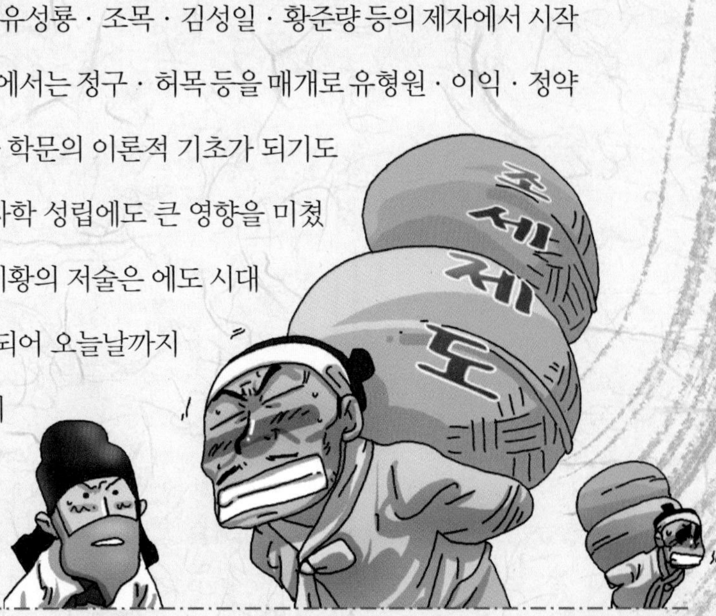
조세제도

제9장
인간은 누구나 평등하다
응애
조선 사회는 정치나 조세 제도의 문제 말고도 신분 제도에 따른 문제도 있었어.
신분제도
가장 대표적인 게 노비 제도와 서얼에 대한 사회적 차별이었지.
우린 사회적 왕따….
이 장에서는 이에 대한 이익의 사상을 살펴볼 거야.
이익은 맨 먼저 종과 주인의 관계와 임금과 신하의 관계를 비교해.
언뜻 보기에 둘의 관계는 거의 비슷해 보이지만
실제로는 전혀 그렇지 않아.
임금은 신하에게 벼슬로 귀하게 대우해 주고 녹봉도 주지만
수고 했다!

주인은 종을 잘 먹이고 잘 입히지는 못할망정
알아서 먹고 입어!
힘들고 궂은 일은 다 시키면서
조금만 밉보이면 화풀이 대상으로 삼아 형벌을 내리지.
쫘작
쫘작
좋은 일이 있을 때도 상을 주기는커녕
우하하하! 오늘 기분 짱!!
조금만 잘못하면 충성을 다하지 않는다며 나무라기 일쑤야.
벌렁
네 놈이 감히 내 앞에서!
게다가 신하가 되는 사람은
어떻게 해서든 벼슬길에 올라 구차하게라도 자신의 이익을 도모하지만
찍!
종은 도망갈 곳조차 없어서 어쩔 수 없이 매여 살 수밖에 없는 신세지.
또 신하가 윗사람을 섬기는 것은 명령에 따라서 행동해야 하는 것뿐이지만
더 세게.
네!
종이 주인을 섬길 때에는 매를 맞거나 치욕을 당하여
똑바로 못해!!
비참한 생활을 하는 것이 보통이야.

또 신하는 임금이 죽으면 머리를 풀지 않지만
종은 주인이 죽으면 나무꾼처럼 머리를 풀어야 했지.
이익은 그 이유를 알 수 없다고 했어.
엥, 누구?
그리고 신하의 죽음에 임금은 직접 문상하거나
애도의 글을 보내는 예의가 있지만
흑~ 감동~
종의 죽음에는 술 한 잔 따르는 일이 없으니 참으로 안타까운 일이라고 했지.
술이 아깝지!
이익에게도 이익의 땅을 돌보던 종이 있었는데,
죽은 지 몇 년이 지난 상태였지.
이익은 우연히 그곳을 지나다가,
그의 무덤에 제사를 지내는 이가 없다는 소리를 듣고 제문(글)을 지어
모년 모월 모일 초야에 묻혀 사는 성호가 옛 종 아무개의 무덤에 제사하노라….

"나라의 옛 풍속에 종과 주인의 관계를 임금과 신하에 비교했다.
임금이 어질면 신하가 반드시 은혜를 갚는 게 당연하지만,
주인이 박대하면서 종에게 충성을 바라는 것이 어찌 이치이겠는가?
충성하란 말이야!!
너는 평생 부지런히 윗사람을 받들었으니,
내 사실 네 덕을 많이 보았다.
아~ 편하다~
그런데 어찌 차마 너를 잊겠는가?
너의 자식이 불초하기에 내 일찍 훈계한 적이 있는데, 결국 파산하여 살 곳을 잃고 떠나가 버렸다.
네 이놈!!
네가 죽어 무덤에 풀이 우거졌는데도 벌초하기를 생각하는 자가 없구나.
이발할 때가….
살아서 고생이 심했는데 죽어 귀신이 되어서도 늘 굶주리니, 어찌 슬프지 않으랴?
내가 우연히 이곳을 지나다 너를 불쌍히 여기는 마음에 약간의 떡과 과일을 갖추어 너의 외손자를 시켜 무덤 앞에 술 한 잔을 붓게 하고,

대충 지은 몇 마디 말로 너의 무덤 곁에서 향을 사르고 고하노라.
네 비록 글자를 모르지만, 귀신의 이치로 보면 통할 수 있는 법,
정성이 있으면 반드시 느낄 것이니 너는 이 음식을 맛있게 먹어라."라고 제사를 지내 주었지.
이익은 이 제사문을 다른 사람들이 보면 분명히 자신을 비웃겠지만,
푸하하..
사람의 정이 여기에 있으니 그렇게 하는 것이 옳다고 생각한다고 했어.
노비 제도라는 건 정말 불공평해요.
조선의 노비법은 고려 태조 때의 관례에서 비롯됐단다.
조선의 노비는 한번 노비가 되면 평생 힘들게 일하며 주인에게 충성을 바쳐야 해.
주인님, 시키실 일이라도….
…

그것만으로도 불행한 일인데 법에서는 그 자식까지도 반드시 어미의 일을 이어받아
노비가 되어야 한다고 정하고 있지.

엄마의 엄마, 엄마의 엄마로부터 도대체 어느 세대까지 계속될지도 모르면서 단순히 외손자라는 이유로 노비가 되어야 한다는 거지.

외손자니까
노비!!

하늘과 땅이 다할 때까지 끊임없는 고통을 겪으면서 말이야.

남의 집에 붙어살면서 학대받고 괴롭힘을 당하며 살아가야 하니

깨갱~

백성들 중에 이만큼 불쌍한 계층도 없을 거야.

한 많은
내 인생….
노비

이익은 이런 상황이라면 안회*나 백기** 같은 사람도 그 예와 도를 행할 수 없을 것이고,

탁
예와 도…
읍!
노비

***안회** – 춘추 시대 노나라의 현인.
****백기** – 전국 시대 진나라의 장군.

관중***과 안영**** 같은 사람도 그 훌륭한 지혜를 쓸 수 없을 것이며,

지혜…
윽!
휙
노비

맹분과 하육 같은 용맹한 장군도 그 용맹함을 떨칠 수가 없기 때문에

용맹…
잉?
노비

결국 우둔하고 미천한 인간이 되었을 거라고 했지.

*****관중** – 춘추 시대 제나라의 재상.
******안영** – 춘추 시대 제나라의 정치가.

이익이 언젠가 남의 집에 가서 지낸 적이 있는데
며칠 신세 좀….
하루는 노비들이 벽 뒤에 모여서 서로 원통함을 하소연하고 있었어.
내 이야기 좀 들어 보소!
자세히 들어 보니, 그들이 하는 말엔 다 일리가 있었는데,
사람들은 그 주인의 말만 듣고서 그들을 '모질고 거친 노비'라고 몰아붙였지.
감히 늬들이 나를!
말썽이 나면 반드시 양쪽의 말을 다 들어 본 후에
옳고 그름을 결정하는 것이 당연한 일인데
WIN
그런 과정이 전혀 없이 주인의 말만 듣고 노비를 꾸짖으니 이처럼 억울한 일이 어디 있겠어?
아무리 주인이지만 해도 너무해!
노비들의 억울한 사연은 이 말고도 많단다.
인평대군의 아들로 '정'이라는 인물이 있었어.
정 주고 마음 주고~
그런데 그의 부인은 질투가 워낙 심한 여자라
누구한테 정을 줘?!!

'득옥' 이라는 계집종에게 가혹한 형벌을 내려 죽게 만들었어.
득옥이는 죽어서 무서운 요귀가 되어
사나운 귀신들과 함께 한낮에 그 집으로 들어와 지붕을 막 타고 다녔다고 해.
쿵
쿵
쿵
대낮에 누구야?
얼마나 원통하게 죽었으면 깜깜한 밤도 아니고 대낮에 출몰했겠어?
까꿍!
하여튼 이것을 보고 놀라서 달아나 숨지 않는 이가 없었어.
귀신이다~~~~
이런 이상한 일들이 일어나면서 결국 그 일가족은 망하고 말았지.
중국의 시인 도연명은 이렇게 말했어.
노비도 사람의 자식이니 잘 대우해야 한다.
노비
또 원씨 성을 가진 어떤 사람은 자녀들에게 다음과 같이 훈계했다고 해.
자기 일에 부지런하고 남의 일에 게으른 것은 누구나 다 같은 심정이다.

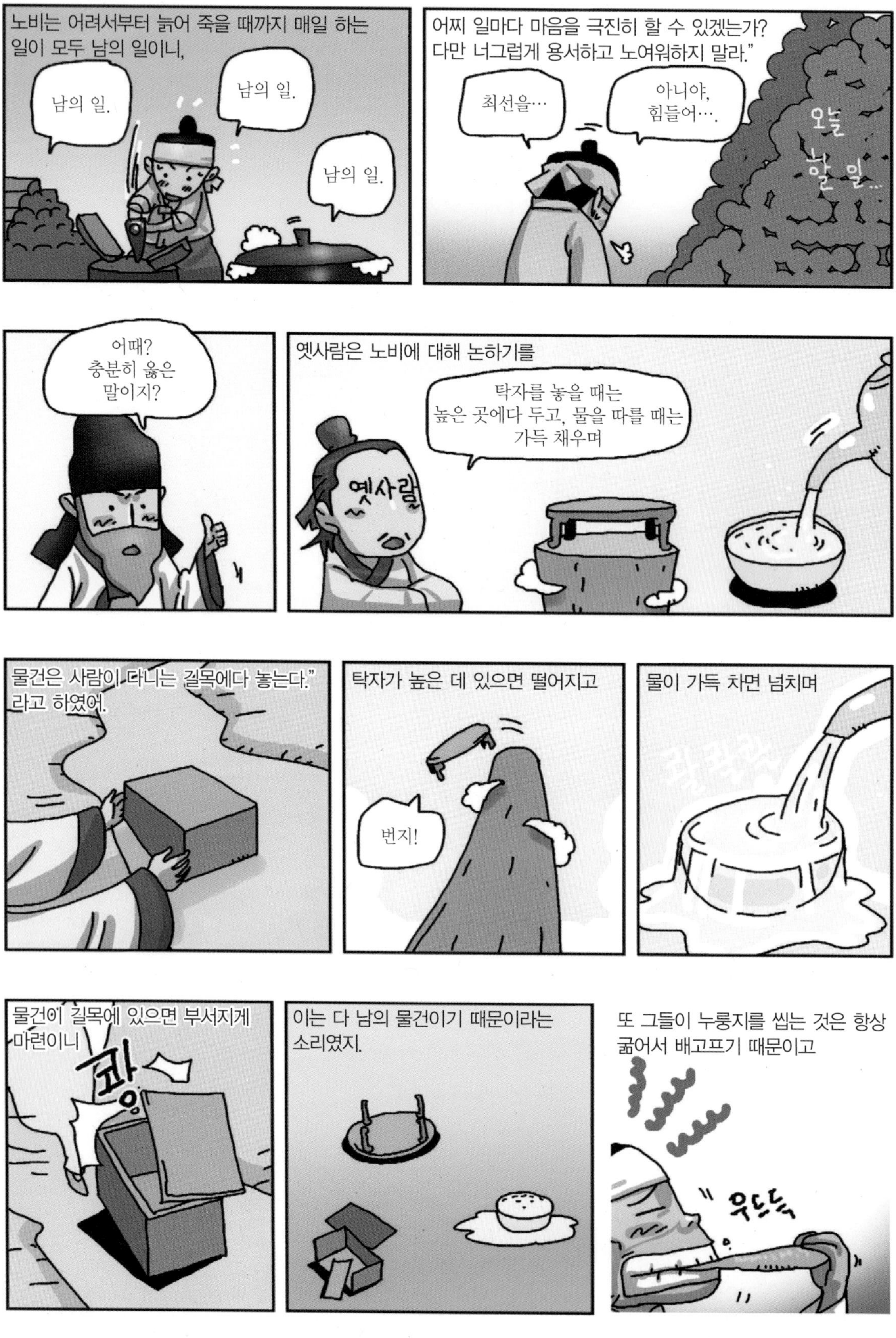
노비는 어려서부터 늙어 죽을 때까지 매일 하는 일이 모두 남의 일이니,
남의 일.
남의 일.
남의 일.
어찌 일마다 마음을 극진히 할 수 있겠는가? 다만 너그럽게 용서하고 노여워하지 말라."
최선을…
아니야, 힘들어….
오늘 남의 일…
어때? 충분히 옳은 말이지?
옛사람은 노비에 대해 논하기를
옛사람
탁자를 놓을 때는 높은 곳에다 두고, 물을 따를 때는 가득 채우며
물건은 사람이 다니는 길목에다 놓는다." 라고 하였어.
탁자가 높은 데 있으면 떨어지고
번지!
물이 가득 차면 넘치며
콸콸콸
물건이 길목에 있으면 부서지게 마련이니
쾅
이는 다 남의 물건이기 때문이라는 소리였지.
또 그들이 누룽지를 씹는 것은 항상 굶어서 배고프기 때문이고
우드득

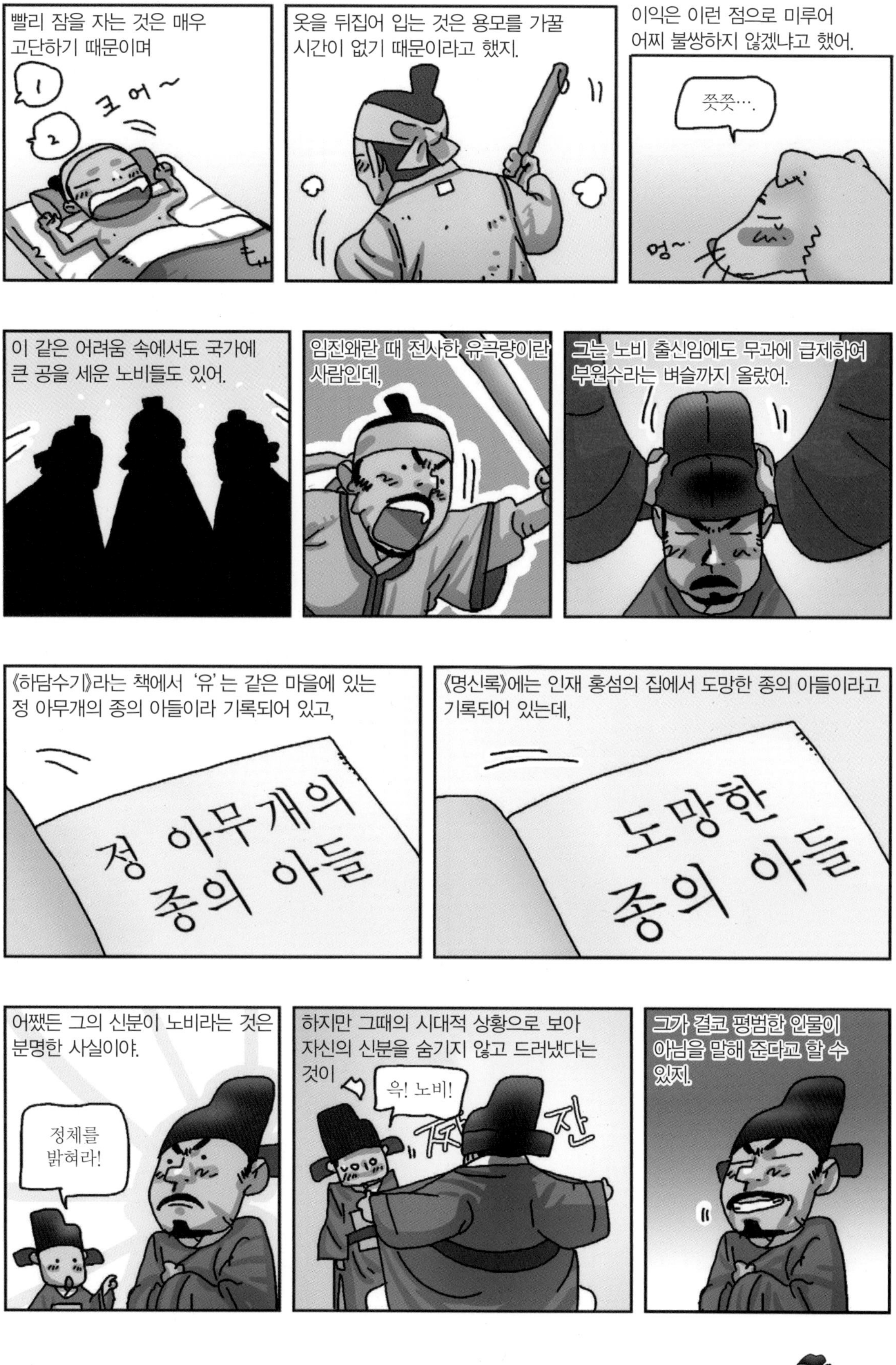
빨리 잠을 자는 것은 매우 고단하기 때문이며
1
2
크어~
옷을 뒤집어 입는 것은 용모를 가꿀 시간이 없기 때문이라고 했지.
이익은 이런 점으로 미루어 어찌 불쌍하지 않겠냐고 했어.
쯧쯧….
멍~
이 같은 어려움 속에서도 국가에 큰 공을 세운 노비들도 있어.
임진왜란 때 전사한 유극량이란 사람인데,
그는 노비 출신임에도 무과에 급제하여 부원수라는 벼슬까지 올랐어.
《하담수기》라는 책에서 '유'는 같은 마을에 있는 정 아무개의 종의 아들이라 기록되어 있고,
정 아무개의 종의 아들
《명신록》에는 인재 홍섬의 집에서 도망한 종의 아들이라고 기록되어 있는데,
도망한 종의 아들
어쨌든 그의 신분이 노비라는 것은 분명한 사실이야.
정체를 밝혀라!
하지만 그때의 시대적 상황으로 보아 자신의 신분을 숨기지 않고 드러냈다는 것이
윽! 노비!
짜잔
그가 결코 평범한 인물이 아님을 말해 준다고 할 수 있지.

당시엔 임금의 명령으로 각지 인재를 추천했는데
추천해 보거라.
조정에서 그를 추천한 사람들이 꽤 많았었나 봐.
유극량!
유극량!
유극량!
당시 조선은 문벌을 중요하게 여겼기 때문에
문벌짱
명문가의 자제가 아니면 성공하기 매우 어려웠지.
명문가 짱
조선 중기의 학자였던 우계*도
어진 사람….
청송 성수침이라는 학자의 아들이 아니었다면 그만큼 존경받을 수 없었을 거야.
다 내 덕.

*우계 – 본명은 성혼(成渾).

하지만 유극량은 종의 아들로 부원수까지 올랐고
나 부원수!!
사람들도 그의 착한 심성을 높이 여겼으니 그의 인품이 얼마나 대단했는지 짐작할 수 있겠지.
앗, 광채가 난다.
그리고 마침내 국가가 위험에 빠졌을 때
으악~
목숨을 바쳐 천하에 이름을 떨치게 되었으니
어찌 특출한 대장부였다고 말하지 않을 수 있겠어?
대장부!!

하지만 대부분의 노비들은
안타까운 삶을 살고 있어.
부럽다….
HA HA
이익은 바로 이런 이유에서 노비의
문제는 반드시 해결해야 한다고
했어.
기필코!
어떤 이는
노비를 마치 소나 말처럼
사고팔아 그들의 목숨을
함부로 끊는 것은
하늘의 뜻을 어기는 것이고 또한 인간으로서 마땅히 지켜야 할
도리를 다하지 못하는 것이다."라고 말했어.
쌤통!
빠지직
이익은 사내종이든 계집종이든
사고팔리는 사람들은
그 원통하고 억울함을 하소연할 데가
없다면서
이런 노비의 법을 완전히 개혁하지 못할 바에야
그들을 사고파는 것을 절대로 허락해서는
안 된다고 했지.
사지 말자!
팔지 말자!
이익은 그 이유를 첫째, 노비를 팔지 못하게 한다면
노비가 없는 사람들은 자기 힘으로 노력하면서
살 수 있을 것이고
둘째, 먼 곳의 백성들이 간사한 무리에게 속아
노비가 될 수도 있는데
?

노비를 팔지 못한다면 그럴 일도 없어,
사기꾼!!
몸과 마음 모두 편하게 살 수 있을 거라고 했지.
마지막으로 이익은 사람은 짐승이 아니기 때문에
물어 와!
휙
소나 말처럼 사고팔아서는 절대 안 된다고 했어.
텁!
이익은 노비의 매매를 금지한다면
노비
천한 신분에 있는 사람들은 그 은혜에 감사하게 될 거라고 했지.
베리 감솨~
오냐~
노비보다는 훨씬 낫지만 역시 신분적인 차별을 받는 사람들이 있었는데
누구냐!!
바로 서얼들이었지.
흑!
서얼이란 첩의 자식과 그 자손을 말해.
천한 것!
서자 하면 떠오르는 인물이 있지?
?
바로 홍길동이야.
아버지를 아버지라 부르지 못하고 형을 형이라 부르지 못하니 어찌 사람이라 하겠습니까?

허균의 소설 《홍길동전》은 한글 소설의
효시가 된 작품이지.
남우
주연상
아름다운
밤이에요.
한때 이무라는 판서는 다음과 같은 글을
임금에게 올리기도 했어.
한 나라의 왕자가 왕위에 오르면 온 세상에 왕의 신하가 아닌 것이 없는데
또 비천한 사람들 중에 귀하고 천함을 나눌 필요가 있습니까?
우리 선조 대왕의 어느 명령서를 보면 "해바라기가 해를 향하는 것은
곁가지도 마찬가지인데 신하가 충성하고자 하는 마음이
어찌 정실의 적자뿐이겠는가?"라고 하셨습니다.
송나라의 서얼이었던
최고도라는 인물은 세상에
이름을 알린 뒤
최고도
어느 날 청주로 임무를
받고 가게 되었어.
청주
2km
그런데 모든 적형(정실부인에게서 난 형)들이
고도의 어머니를 다그쳐서 손님 앞에서
술을 따르게 한 거야.

그러자 고도가 놀라 일어나서 말했대.
집에 사람이 없어서 늙은 어머니께서 고생이 많으십니다.
손님들은 그제야 그 사실을 알고 그 어머니에게 절을 했지.
그 어머니는 고도에게 말했대.
내가 천하여 귀한 손님을 일어나게 할 수 없으니 네가 답배하거라.
이를 보고 손님들은 그 모자를 훌륭하게 여겼고
오히려 그의 형들을 매우 천하게 여겼다는 이야기가 있어.
이익은 조선의 사례도 소개하지.
세상에 이런 일이!!
박응서, 이경준, 박치의, 심우영, 서양갑 등 일곱 명의 서얼이 나라를 너무나 원망한 나머지
서로 모여서 도둑이 되었어.
변신!
하루는 고갯길 아래에서 재물을 빼앗아 도망을 가다가 그만 박응서가 잡혔는데,
잡았다!
그는 이렇게 자백했지.
우리는 도둑이 아니라 장차 큰일을 도모하고자 하였소.
이는 이경준이 쓴 글을 보고 외친 말이었는데,

그 글 속에는 정실에서 난 왕자의 뜻을 받들겠다는 말도 있었대.
결국 영창대군의 지시로 이들은 모두 체포되었지만*
박치의만은 도망쳐서 붙잡지 못했다고 전해져.
도망자!!
쌔앵~

*영창대군 – 영창대군은 선조의 정실부인인 인목대비의 아들로 왕실의 적통이었지만, 영창대군이 태어나기 전에 후궁의 아들인 광해군이 세자로 책봉되고 후에 왕이 되었다. 이 사건으로 영창대군이 자칫 역모의 우두머리가 될 수 있었기 때문에 영창대군은 그들을 체포한 것이다.

조선 시대엔 한 번 시집을 갔던 여자가 다시 시집을 가거나,
또 가냐!!
좋지 못한 행동을 한 부녀의 아들, 손자들이 주요 직책의 시험에 응시하는 것을 허락하지 않았어.
자격 미달!
그래도 그나마 이들은 벼슬을 하지 못하는 것이 손자 대에서 그치지만
우리 손자는 꼭!
서얼들은 100세대가 되도록 허가를 하지 않았으니 정말 너무했던 거지.
말란 소리지….
이 문제는 인조 때부터 점차 논의되기 시작했고, 숙종 때는 영남 사람 988명 정도가 임금께 아뢰는 글을 올려 그 억울함을 호소했어.
호소장들 입니다.
억울해
억울하다
이익은 나랏일을 하는 사람이 나라를 자기 집처럼 생각했다면
편하다~
백성의 원통함을 자신의 원통함으로 알고 힘썼을 텐데, 그럴 만한 큰 인물이 없다고 했지.
z z z
그러니 이 계층의 사람들은 불합리하고 안타까운 삶을 살 수밖에 없었어.

허균과 《홍길동전》

문학가 허균

《홍길동전》의 저자 허균의 가문은 대대로 학문에 뛰어난 집안이어서 아버지와 두 형 그리고 누이인 난설헌蘭雪軒 등이 모두 시문으로 이름을 날렸습니다. 허균은 21세에 과거에 급제하고 벼슬길에 올랐지만 정치적 반대파의 탄핵을 받아 파면되어 유배를 가게 되었습니다. 그 후 중국 사신의 일행으로 뽑혀 중국에 가서 새로운 문물을 접했지요. 이후 허균은 국가의 주요 요직을 거쳐 승승장구했지만 국가의 변란을 기도했다는 죄목으로 사형을 당했습니다. 허균은 역적으로 죽임을 당했기 때문에 그가 지은 책들은 대부분 불태워지고 일부만이 남아 전해지고 있습니다. 남아 있는 저술을 보면, 허균이 당시 정부와 사회의 모순을 비판하고 개혁 방안을 제시한 것을 알 수 있지요.

하지만 현재 우리에게는 정치인으로서의 허균보다 문학가로서의 허균이 더욱 친숙합니다. 문인으로서 허균은 소설 작품 · 한시 · 문학 비평 등에 걸쳐 뛰어난 업적을 남겼습니다. 문집에 실려 있는 그의 한시는, 많지는 않지만 국내외로부터 품격이 높고 시어가 정교하다는 평을 받고 있습니다. 시화詩話에 실려 있는 그의 문학 비평은 당대에는 물론 현재에도 문학에 대한 안목을 인정받고 있지요.

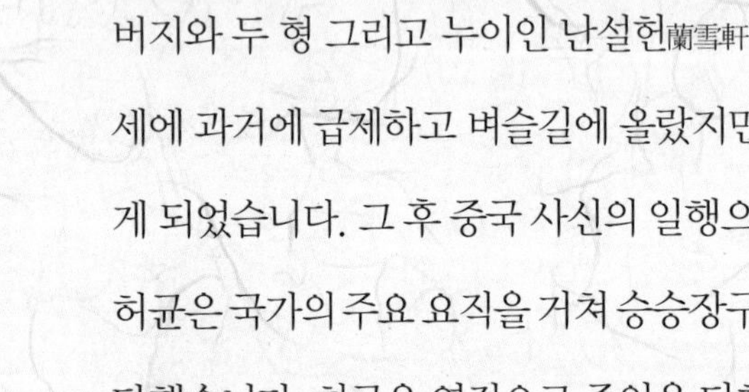

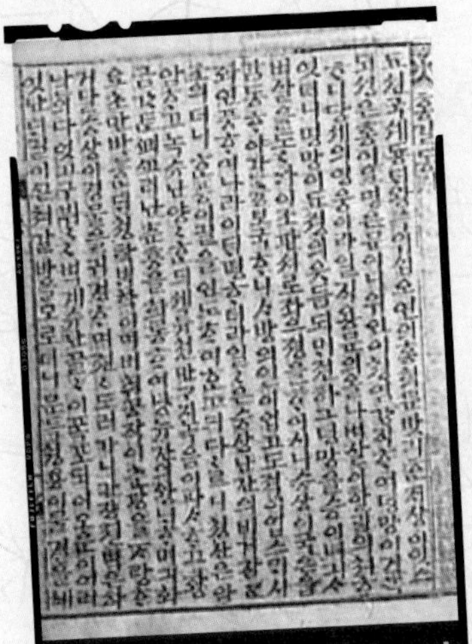

최초의 한글 소설 홍길동전

조선 시대의 걸작 《홍길동전》

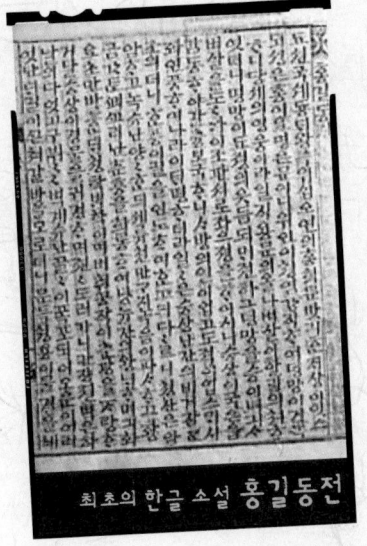

《홍길동전》은 시대에 대한 비판 정신과 개혁 사상이 모두 들어가 있는 작품으로 평가받고 있습니다. 《홍길동전》을 통해 허균은 적서 차별로 인한 신분 차별을 비판하면서 탐관오리에 대한 징벌, 가난한 서민들에 대한 구제, 새로운 세계의 건설을 보여 주었지요.

《홍길동전》은 조선 인조 때를 배경으로 하고 있습니다. 홍 판서의 몸종 춘섬의 몸에서 태어난 길동은 서자라는 이유로 아버지로부터 자식으로 인정받지 못하고 온갖 차별과 천대를 받습니다. 길동은 이를 견디다 못해 집을 나가고, 산적의 소굴에 들어가 힘을 겨루어 두목이 된 뒤 활빈당을 조직합니다. 활빈당은 가난한 사람을 구제한다는 목적 아래, 탐관오리의 재물을 빼앗아 어려운 사람들에게 나누어 줍니다. 이른바 '의적' 이 된 것이지요. 조정에서는 그를 잡으려 하지만 끝내 잡지 못하고, 그의 소원대로 병조판서의 직책을 내리지만 길동은 즉시 그 자리를 버리고 해외로 나가 율도국이라는 새로운 나라를 건설하게 됩니다. 거기서 왕이 된 길동은 자신이 이상으로 생각했던 정치를 실현하다가 자리를 자식에게 물려주고 죽게 됩니다.

《홍길동전》은 우리나라 최초의 한글 소설이며, 고소설 가운데 작자를 알 수 있는 몇 안 되는 작품 가운데 하나라는 점에서 역사적 · 문학적 자료로 가치가 높습니다. 허균은 《엄처사전》, 《손곡산인전》, 《장산인전》, 《남궁선생전》 같은 한문 소설도 지었는데, 주로 세상에 알려지지 않았으면서도 의미 있게 살아간 사람들을 주인공으로 하여 그들의 남다른 삶의 모습과 사상을 그렸답니다. 여러 면에서, 시대를 의미 있게 바라보고자 한 노력이 느껴지는 문인이지요?

제10 장 사치는 나라를 병들이고 검소함은 나라를 살린다

이익은 옛날에는 사치란 것이 욕심 때문에 생겼는데 당시에는 유행이나 풍속 때문에 생기는 것 같다고 했어.
풍속 탓.

그리고 그 사치는 다시 욕심을 불러오고 있기 때문에 큰 문제가 되고 있다고 했지.

쿨

이익은 《서경》의 말을 인용해.
저 하늘이 사람을 낳았는데 누구나 욕심이 있다.
퐁!
서경

이 말은 욕심이란 타고나는 것이기 때문에 막을 수 없다는 얘기야.
욕심

사람은 재물 없이 살아갈 수 없다는 것이지.
내 돈!

하지만 남을 따라 하려는 마음이
너무 지나치면 분수에 넘치게 되고
콸콸
그것은 결국 사치를 하게 되는
이유가 되는 거야.
예를 들어 가난한 선비가 집에서
채소만을 먹다가도
남을 대접할 때는 상다리가
부러지게 한다든가
무거워….
가난한 집의 여자들이 평상시에는
때 묻은 옷을 입다가도
친구
하자~
손님을 맞이하게 되면 고운 치장을
하는 것 따위가 모두 겉치레에만
신경 쓰는 습관이지.
이익은 당시엔 가문을 특히 중요시해
재상의 아들은 반드시 재상이 되고
부전자전!
교만한 부잣집에서 태어나면 죽을 때까지
교만한 부자로 살게 되므로
흥!
그 깟 거!
부릉~
사치가 더욱 심해진다고 했지.
그런데도 스스로 그 사실을
깨닫지 못한다고 했어.
이 정도
가지고 뭘~
이익은 더 큰 문제가 부유하지 않은
집안들도 그들과 친구로 사귀고
혼인하면서,
그들의 사치에 물들어서 질박하고
검소한 생활을 버리고 사치를
따라 하는 거라고 했지.
검
소

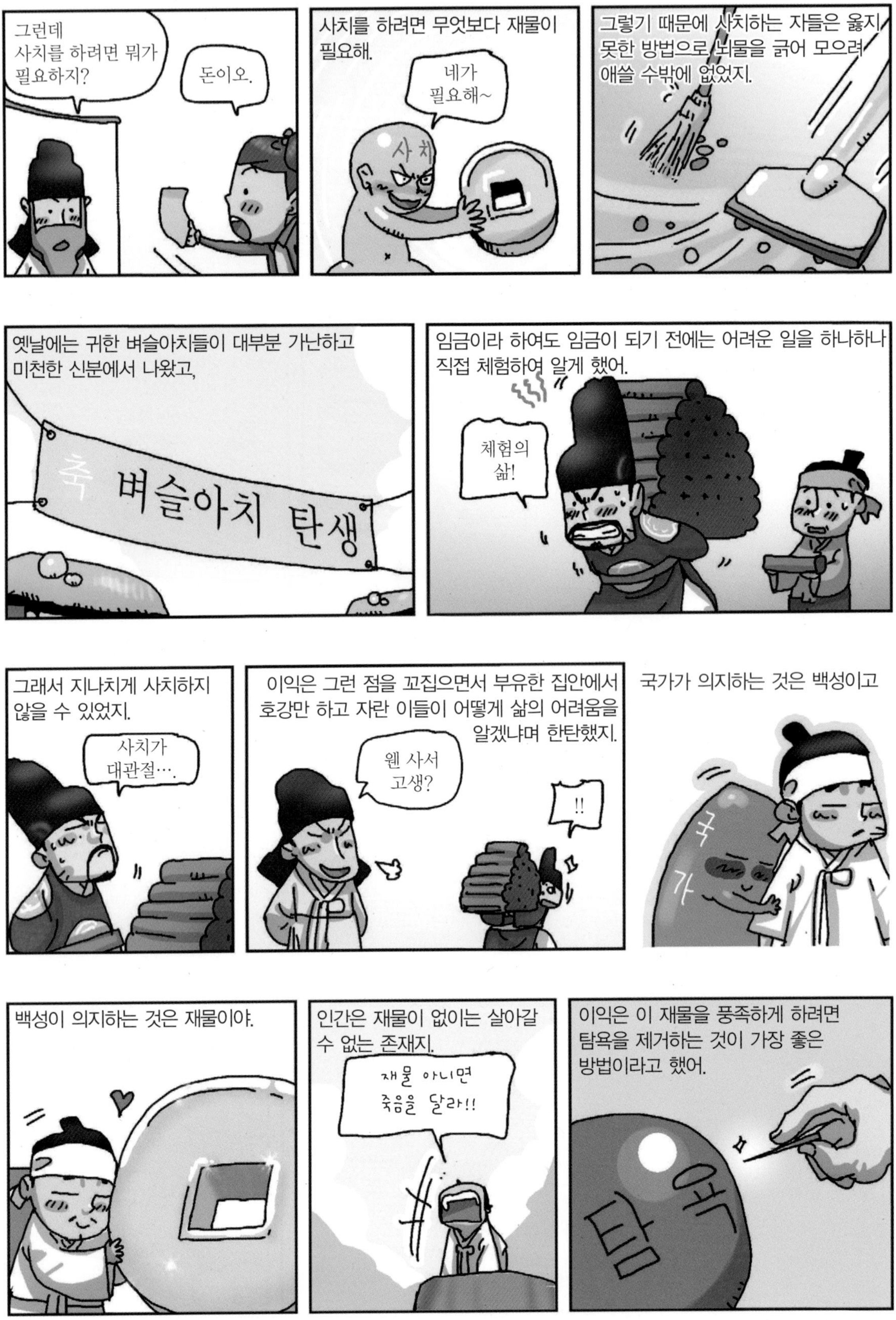
그런데
사치를 하려면 뭐가
필요하지?
돈이오.
사치를 하려면 무엇보다 재물이
필요해.
네가
필요해~
사치
그렇기 때문에 사치하는 자들은 옳지
못한 방법으로 뇌물을 긁어 모으려
애쓸 수밖에 없었지.
옛날에는 귀한 벼슬아치들이 대부분 가난하고
미천한 신분에서 나왔고,
축 벼슬아치 탄생
임금이라 하여도 임금이 되기 전에는 어려운 일을 하나하나
직접 체험하여 알게 했어.
체험의
삶!
그래서 지나치게 사치하지
않을 수 있었지.
사치가
대관절….
이익은 그런 점을 꼬집으면서 부유한 집안에서
호강만 하고 자란 이들이 어떻게 삶의 어려움을
알겠냐며 한탄했지.
웬 사서
고생?
!!
국가가 의지하는 것은 백성이고
국가
백성이 의지하는 것은 재물이야.
인간은 재물이 없이는 살아갈
수 없는 존재지.
재물 아니면
죽음을 달라!!
이익은 이 재물을 풍족하게 하려면
탐욕을 제거하는 것이 가장 좋은
방법이라고 했어.
탐욕

그리고 탐욕을 그치게 하는 최고의 방법은 검소함이라고 보았지.
검소한 것을 추구하려면 어진 사람을 중요시하고 문벌*을 버려야 해.
쓰레기 통
어진 사람을 찾으려면 사사로움을 막아야 하는데,

*문벌 – 대대로 내려오는 집안의 사회적 신분이나 지위.

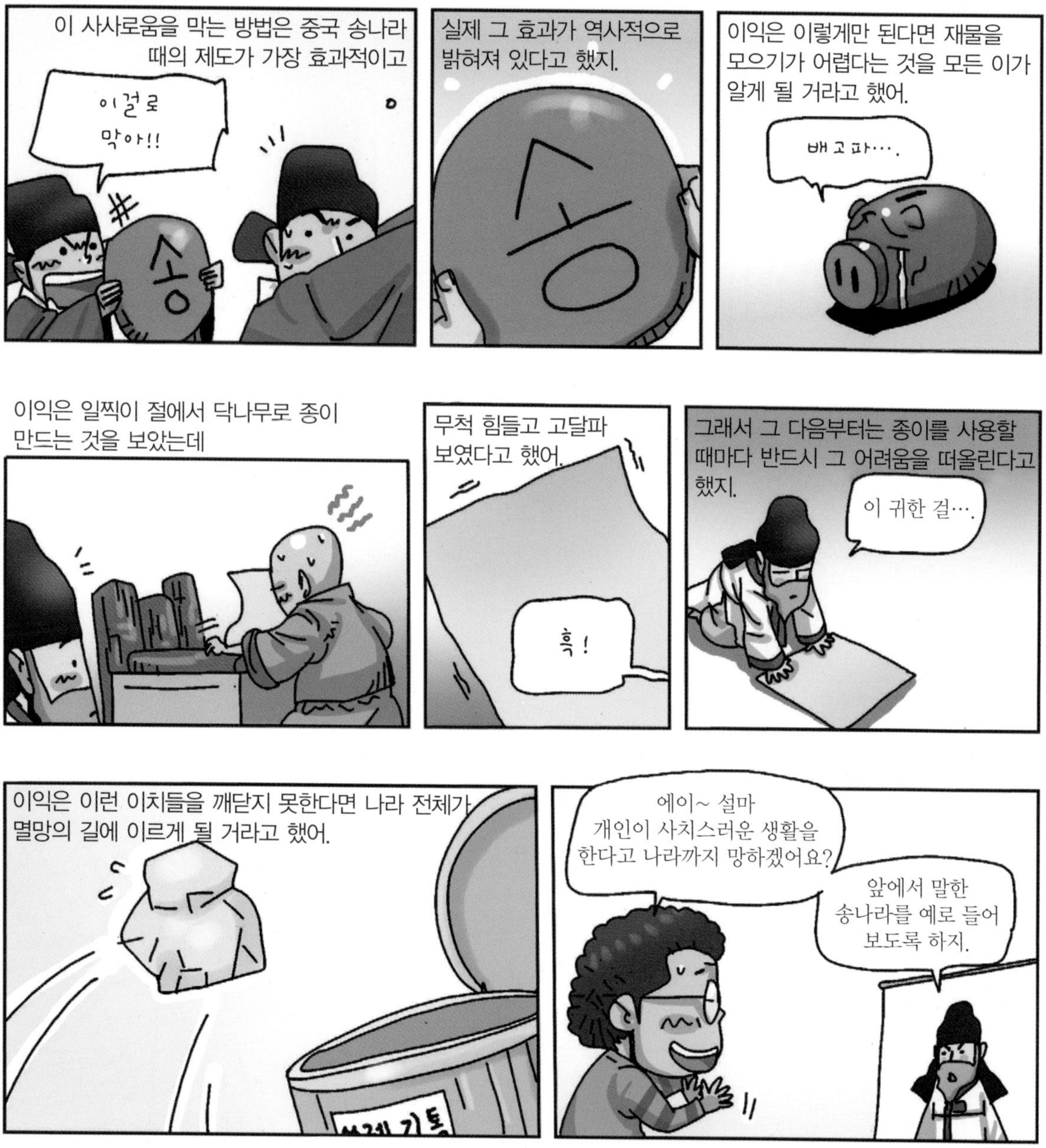
이 사사로움을 막는 방법은 중국 송나라 때의 제도가 가장 효과적이고
이걸로 막아!!
송
실제 그 효과가 역사적으로 밝혀져 있다고 했지.
송
이익은 이렇게만 된다면 재물을 모으기가 어렵다는 것을 모든 이가 알게 될 거라고 했어.
배고파….
이익은 일찍이 절에서 닥나무로 종이 만드는 것을 보았는데
무척 힘들고 고달파 보였다고 했어.
흑!
그래서 그 다음부터는 종이를 사용할 때마다 반드시 그 어려움을 떠올린다고 했지.
이 귀한 걸….
이익은 이런 이치들을 깨닫지 못한다면 나라 전체가 멸망의 길에 이르게 될 거라고 했어.
에이~ 설마 개인이 사치스러운 생활을 한다고 나라까지 망하겠어요?
앞에서 말한 송나라를 예로 들어 보도록 하지.

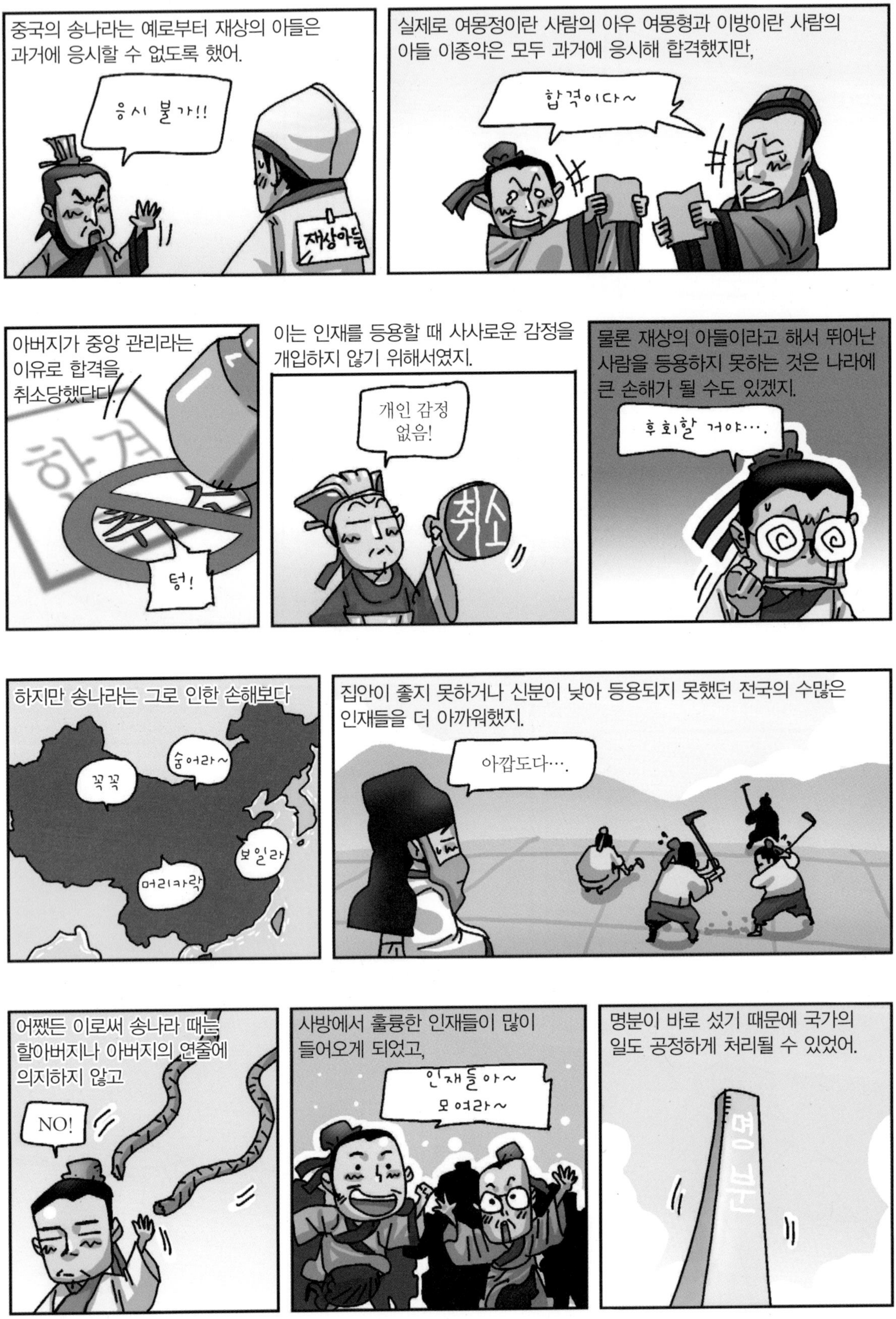
중국의 송나라는 예로부터 재상의 아들은 과거에 응시할 수 없도록 했어.
응시 불가!!
재상아들
실제로 여몽정이란 사람의 아우 여몽형과 이방이란 사람의 아들 이종악은 모두 과거에 응시해 합격했지만,
합격이다~
아버지가 중앙 관리라는 이유로 합격을 취소당했단다.
합격
이는 인재를 등용할 때 사사로운 감정을 개입하지 않기 위해서였지.
개인 감정 없음!
취소
물론 재상의 아들이라고 해서 뛰어난 사람을 등용하지 못하는 것은 나라에 큰 손해가 될 수도 있겠지.
후회할 거야….
하지만 송나라는 그로 인한 손해보다
꼭꼭
숨어라~
머리카락
보일라
집안이 좋지 못하거나 신분이 낮아 등용되지 못했던 전국의 수많은 인재들을 더 아까워했지.
아깝도다….
어쨌든 이로써 송나라 때는 할아버지나 아버지의 연줄에 의지하지 않고
NO!
사방에서 훌륭한 인재들이 많이 들어오게 되었고,
인재들아~ 모여라~
명분이 바로 섰기 때문에 국가의 일도 공정하게 처리될 수 있었어.
명분

이것은 백성들이 좀 더 잘살 수 있게 된 것을 의미했지.
이러한 합리적이고 효과적인 제도 덕분에 당시 송나라의 모든 벼슬아치들은 자기 집이 없었어.
내 집은 없도다….
비록 재상일지라도 남의 집에 세들어 살았고,
먼 지방에서 관리에 등용된 사람들은 더 말할 것도 없었지.
이런 제도 덕에 송나라는 사사로움을 없앨 수 있었어.
사사로움
송나라의 제도가 썩 훌륭하지?
네… 정말 좋은 시절이었을 것 같아요.
그런데 점차 이러한 제도가 변화하기 시작했어.
신종이 왕위에 오르면서 재상들은 자기 집을 호화롭게 짓기 시작했고,
먼 지방에서 사는 이들은 학식과 덕망이 있더라도 중앙의 벼슬에 오를 뜻을 포기하게 되었어.
이때부터 송나라는 점차 천하를 잃기 시작했지.
송

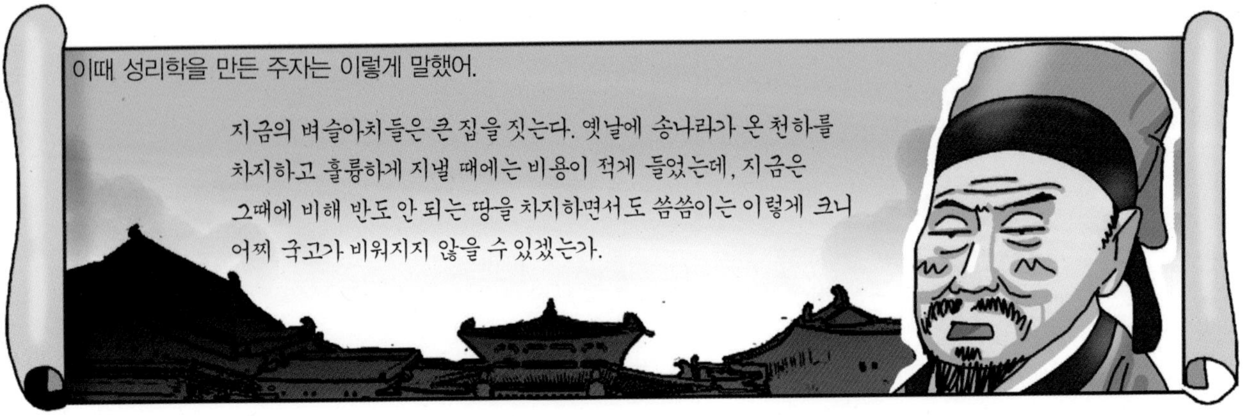
이때 성리학을 만든 주자는 이렇게 말했어.
지금의 벼슬아치들은 큰 집을 짓는다. 옛날에 송나라가 온 천하를 차지하고 훌륭하게 지낼 때에는 비용이 적게 들었는데, 지금은 그때에 비해 반도 안 되는 땅을 차지하면서도 씀씀이는 이렇게 크니 어찌 국고가 비워지지 않을 수 있겠는가.

사치란 사람의 감정으로는 모두가 하고 싶어 하는 것이니,
국가에서 혹독한 형벌로 다스리지 않으면
나라가 사치에 물들게 될 것이다.
정치가 흐려지면 법이 느슨해질 것이고,
법이 느슨해지면 사치 또한 기승을 부리게 될 것이다.
사치가 기승을 부리면 국가의 근본이 되는
백성들의 생활은 어려워지게 될 것이고,
결국 나라는 망하게 될 것이다.

송나라 때의 사치스러운 상황에 대해 하나 더 살펴보도록 하지.

송나라의 신하 중에 이강이라는 자가 있었어.

그가 개인적으로 저장한 물품은 나라 창고에 쌓인 것보다 많았고,

거느린 첩과 노래하는 기생, 옷과, 음식 등은 왕실의 그것보다 아름답고 화려했대.
얼쑤!
매번 손님을 접대할 때면 안주와 반찬이 반드시 100가지에 이르게 준비했으며,
손이 안 닿아
외출할 때는 음식을 수십 짐씩 싣고 다녔다고 해.
그가 거처하는 마루의 네 구석에는 항상 가장 비싼 향불을 피워 놓았고,
마루 앞 정원에는 갖가지 꽃과 아름다운 나무들을 빙 둘러 심었지.
그가 하루에 쓰는 향 값만 해도 어마어마했다고 해.
모락
모락
이강은 나중에 결국 엄청난 나랏돈을 몰래 쓰고 갚지 않아 벼슬에서 쫓겨나게 되었지.
나가!!
뻥
결국 송나라 신하들은 국가와 더불어 희로애락을 같이할 사람들은 아니었던 거지.
나만 잘살면 끝!
당시 송나라는 외적의 침입이 잦았고,
위협
민생은 곤경에 빠졌는데도 그들은 오직 사치스러운 생활만 즐겼으니까 말이야.
얼쑤!
결국 백성들을 다 없애고 나라를 좀먹는 결과를 낳은 것이지.

이익은 송나라가 멸망한 이유는 결코 오랑캐 때문이 아니라
그들 스스로 멸망의 길로 걸어 들어간 탓이라고 했어.
으악~
사치 때문에 국가가 위험에 빠진 예는 또 있어.
명나라가 망할 무렵에는 내시가 재정을 장악하고 있었기 때문에
황제가 있는 성을 지키지 못하는 상황에 처했는데도
팝니다
내시의 집엔 오히려 재화가 넘쳤다고 해.
좋구나~
그러니 당연히 나라가 망할 수밖에 없었지.
사 치
춘추 시대 오나라의 왕 수몽의 아들 중에 계자라는 자가 있었는데,
겨자?
매우 현명했다고 해.
계자 라니까!!
그는 여러 나라에 사신으로 파견되었는데,
정나라를 방문하면서 사치에 대해 이렇게 말했어.
무릇….
정권을 잡은 사람이 사치스러우니 장차 재정의 어려움이 닥칠 것이오.

또 진나라에 가서는 이렇게 말했지.
벼슬아치들이 모두 부유하니 나라의 정치가 장차 그들의 집에 있을 것이오.
그런데 나중에 모두 계자의 말대로 되었다고 해.
그러게 내가 뭐랬어!
이익은 사치가 또한 나라를 관찰하는 중요한 방법 중 하나라고 보았어.
사치
이를 모두 종합해 본다면 사치가 나라를 망치는 데 충분한 이유가 된다는 걸 알 수 있을 거야.
사치
하지만 이와 반대로, 나라가 일어서는 데에는 검소한 생활이 바탕이 된다는 것을 알 수 있지.
빠!
검소
검소한 생활을 하려면 어떻게 해야 할까?
재물이 있는 것을 부자라고 하고
나 부자!!
벼슬이 있는 것을 고귀함이라고 하지만,
고귀함
사람이 세상에 태어날 때에는 한 등급의 벼슬도 없고
응애
손바닥만 한 땅도 없이 가난하고 미천할 따름이지.
이는 황제로부터 일반 백성에 이르기까지 모두 마찬가지야.
처음엔 다 같아.

이익은 이러한 근본을 잊지 않는 것이 바로 예(禮)를 지키는 길이라고 했어.
서로 예로써….
그러기 위해서는 몸이 고귀해질수록 더욱 겸손한 마음을 가져야 할 것이고,
부자가 될수록 스스로를 더욱 낮추고 비우는 태도를 가져야 한다고 했지.
텅~
이렇게 해야 가난과 미천함을 잊지 않을 수 있을 테니까.
옛 속담에 "미천하면 배우지 않아도 공손하고, 가난하면 배우지 않아도 겸손하다."는 말이 있어.
어제는 평안히 주무셨는지?
덕분에 아주 잘 묵었소이다.
이는 사람의 본성이 각자 다른 게 아니라
외부 환경이 사람을 다르게 만든다는 소리였지.
또 맹자는 "부자가 되면 어질 수 없다."라고도 했어.
곡식이 저리도 많으니 쯧쯧….
그런데 땅을 개간하여 힘써 농사를 지으면 재물이 쌓이고,
많이 배워서 높은 벼슬에 오르면 많은 녹봉(월급)을 받아서 부자가 되는 것인데, 어째서 어질게 되는 길과 멀다고 한 것일까?
고소 공포증.

이것은 부라는 재화는 그 양이 한정되어 있기 때문이야.
부는 한정되어 있는데 이를 차지하려고 하는 사람은 많으니,
만일 한 사람이 그것을 차지하고 놓지 않는다면
내 거야!
다른 사람들은 얻을 수가 없게 된다는 것이지.
하늘은 특정한 사람만을 위해 부를 베푼 것이 아닌데
오로지 자기 차지로만 돌린다면
결국엔 반드시 해가 될 것이라는 뜻이지.
같이 죽자!!
재물은 사람을 구할 수 있는 것이기 때문에 친척들에게 나누어 주고,
고마워요, 작은 아버님….
이웃을 도와주며,
고마우이~
길거리의 거지를 돕는 어진 마음이 필요하다는 얘기지.
고맙수다!
이렇게 공손하게 되면 자연히 사람들은 모여들고,

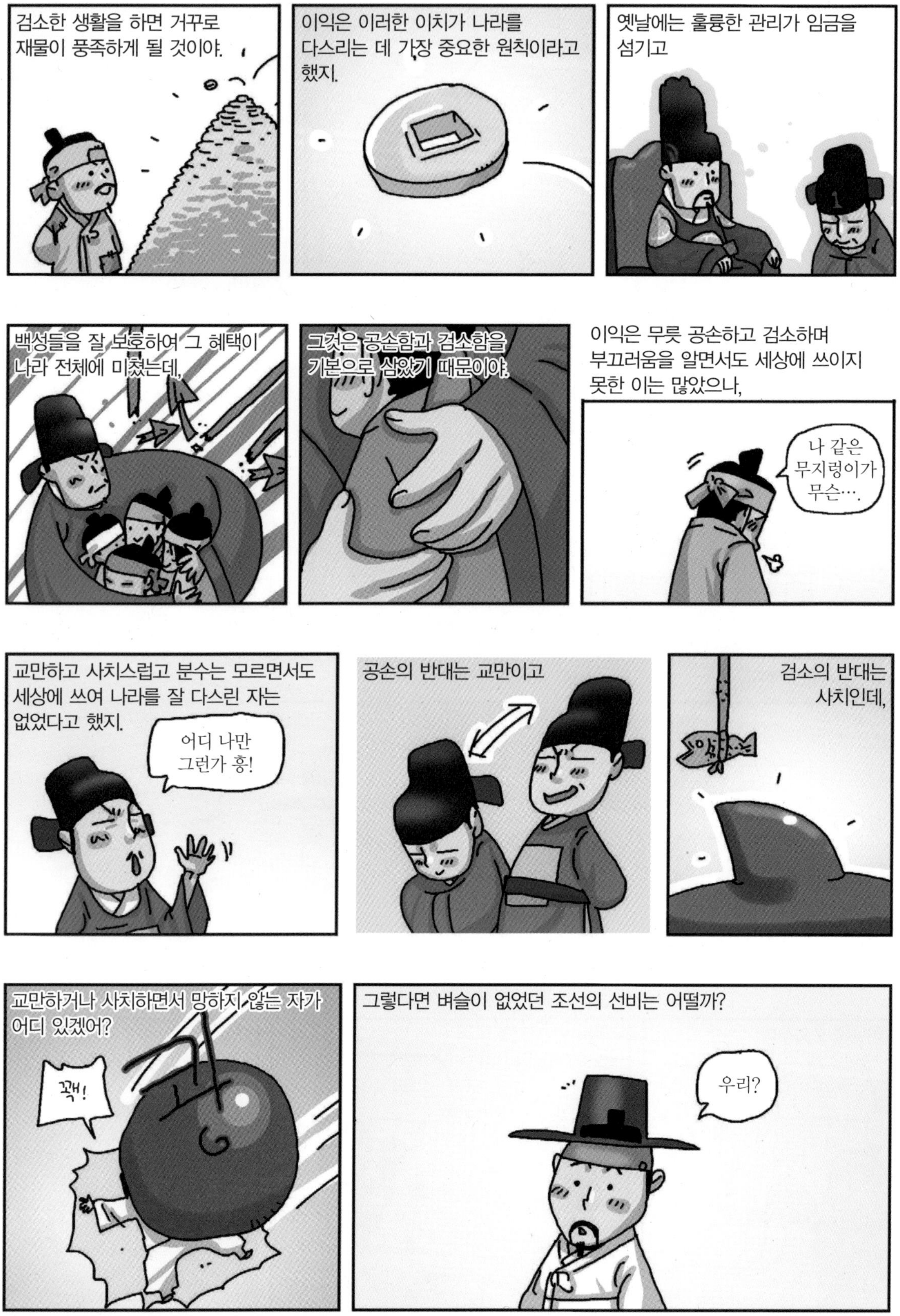
검소한 생활을 하면 거꾸로 재물이 풍족하게 될 것이야.
이익은 이러한 이치가 나라를 다스리는 데 가장 중요한 원칙이라고 했지.
옛날에는 훌륭한 관리가 임금을 섬기고
백성들을 잘 보호하여 그 혜택이 나라 전체에 미쳤는데,
그것은 공손함과 검소함을 기본으로 삼았기 때문이야.
이익은 무릇 공손하고 검소하며 부끄러움을 알면서도 세상에 쓰이지 못한 이는 많았으나,
나 같은 무지렁이가 무슨….
교만하고 사치스럽고 분수는 모르면서도 세상에 쓰여 나라를 잘 다스린 자는 없었다고 했지.
어디 나만 그런가 흥!
공손의 반대는 교만이고
검소의 반대는 사치인데,
교만하거나 사치하면서 망하지 않는 자가 어디 있겠어?
꽥!
그렇다면 벼슬이 없었던 조선의 선비는 어떨까?
우리?

그들은 벼슬이 없기 때문에 가난할 수밖에 없었지.
당연히 가난….
재물이 없는 것을 가난이라고 하는데,
잔액=0
가난
선비는 농민이 아니기 때문에 여름철 무더위에 농사짓는 어려움을 감당하지 못했지.
더워 죽겠네….
또 농사의 이익은 아주 적은데,
자기 땅조차 없어 남의 토지를 경작한다면 먹고 입기에도 늘 부족할 수밖에 없겠지.
남의 땅
선비들도 부지런히 농사와 공부를 같이 하면 안 되나요?
이익은 글 읽기와 경제적인 이익을 따르는 행위는 동시에 할 수가 없는 것이라고 했어.
못해!!
선비가 부자가 되고자 하면 마음을 잡지 못해 잘못된 길로 들어간다고 보았거든.
본래 마음이란 두 갈래로 쓸 수 없는 것이어서
이쪽으로 들어오면 저쪽으로 나가 버리게 되는 법이지.
헉!
뿐만 아니라 부정한 재물을 얻는 것은

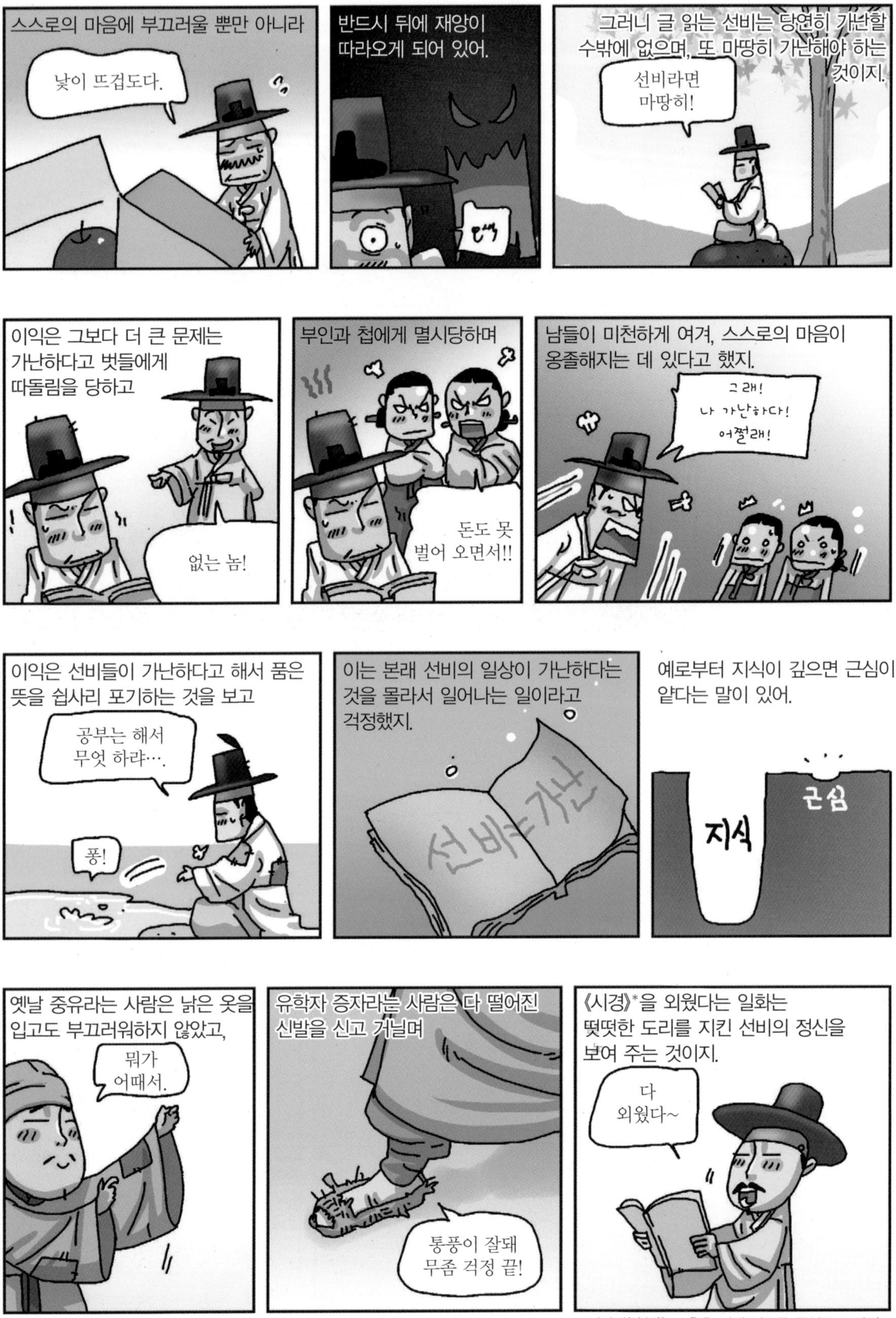

스스로의 마음에 부끄러울 뿐만 아니라
낯이 뜨겁도다.
반드시 뒤에 재앙이 따라오게 되어 있어.
그러니 글 읽는 선비는 당연히 가난할 수밖에 없으며, 또 마땅히 가난해야 하는 것이지.
선비라면 마땅히!
이익은 그보다 더 큰 문제는 가난하다고 벗들에게 따돌림을 당하고
없는 놈!
부인과 첩에게 멸시당하며
돈도 못 벌어 오면서!!
남들이 미천하게 여겨, 스스로의 마음이 옹졸해지는 데 있다고 했지.
그래! 나 가난하다! 어쩔래!
이익은 선비들이 가난하다고 해서 품은 뜻을 쉽사리 포기하는 것을 보고
공부는 해서 무엇 하랴….
퐁!
이는 본래 선비의 일상이 가난하다는 것을 몰라서 일어나는 일이라고 걱정했지.
선비=가난
예로부터 지식이 깊으면 근심이 얕다는 말이 있어.
지식
근심
옛날 중유라는 사람은 낡은 옷을 입고도 부끄러워하지 않았고,
뭐가 어때서.
유학자 증자라는 사람은 다 떨어진 신발을 신고 거닐며
통풍이 잘돼 무좀 걱정 끝!
《시경》*을 외웠다는 일화는 떳떳한 도리를 지킨 선비의 정신을 보여 주는 것이지.
다 외웠다~

*《시경(詩經)》 – 춘추 시대 민요를 중심으로 하여 모은, 중국에서 가장 오래된 시집.

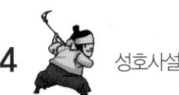

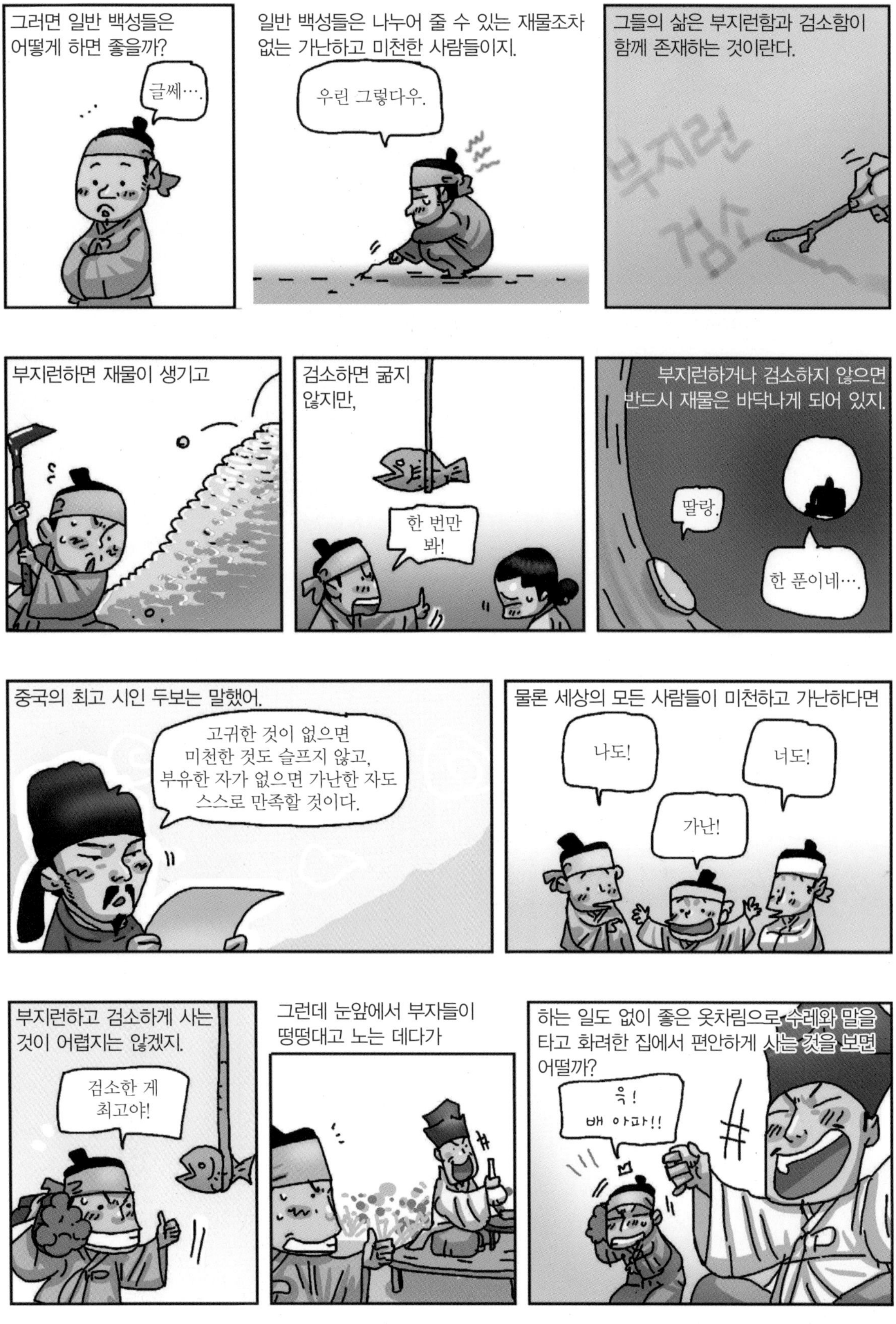
그러면 일반 백성들은 어떻게 하면 좋을까?
글쎄….
일반 백성들은 나누어 줄 수 있는 재물조차 없는 가난하고 미천한 사람들이지.
우린 그렇다우.
그들의 삶은 부지런함과 검소함이 함께 존재하는 것이란다.
부지런
검소
부지런하면 재물이 생기고
검소하면 굶지 않지만,
한 번만 봐!
부지런하거나 검소하지 않으면 반드시 재물은 바닥나게 되어 있지.
딸랑.
한 푼이네….
중국의 최고 시인 두보는 말했어.
고귀한 것이 없으면 미천한 것도 슬프지 않고, 부유한 자가 없으면 가난한 자도 스스로 만족할 것이다.
물론 세상의 모든 사람들이 미천하고 가난하다면
나도!
너도!
가난!
부지런하고 검소하게 사는 것이 어렵지는 않겠지.
검소한 게 최고야!
그런데 눈앞에서 부자들이 떵떵대고 노는 데다가
하는 일도 없이 좋은 옷차림으로 수레와 말을 타고 화려한 집에서 편안하게 사는 것을 보면 어떨까?
윽! 배 아파!!

당연히 이를 부러워하는 마음이 생기게 되고
약올라….
힘이 미치는 데까지는 따라 하려 하게 되겠지.
문제는 살림에 여유가 있어서 따라 하는 것이 아니라,
뒷날을 생각지도 않고 오로지 눈앞에 보이는 것만 생각하게 되는 경우야.
곡식을 팔아 좋은 옷가지를 입는 정도라면 모르지만,
이거 주세요!
Sale
혹시라도 분수에 넘치면 그 살림은 얼마 안 가 바닥나게 되는 거지.
따라서 농사짓는 백성들은 온몸이 비에 젖을 정도로
열심히 일해 창고에 곡식이 그득하고,
해지지 않은 옷을 걸칠 정도로 제법 넉넉하게 되었어도
더욱 부지런하고 검소해야 그 집을 유지할 수 있다고 이익은 말했어.
더 부지런히!
만일 부지런함과 검소함을 소홀히 여기게 된다면
좀 쉴까~
나중엔 재물이 다 바닥나고 말 테니까.

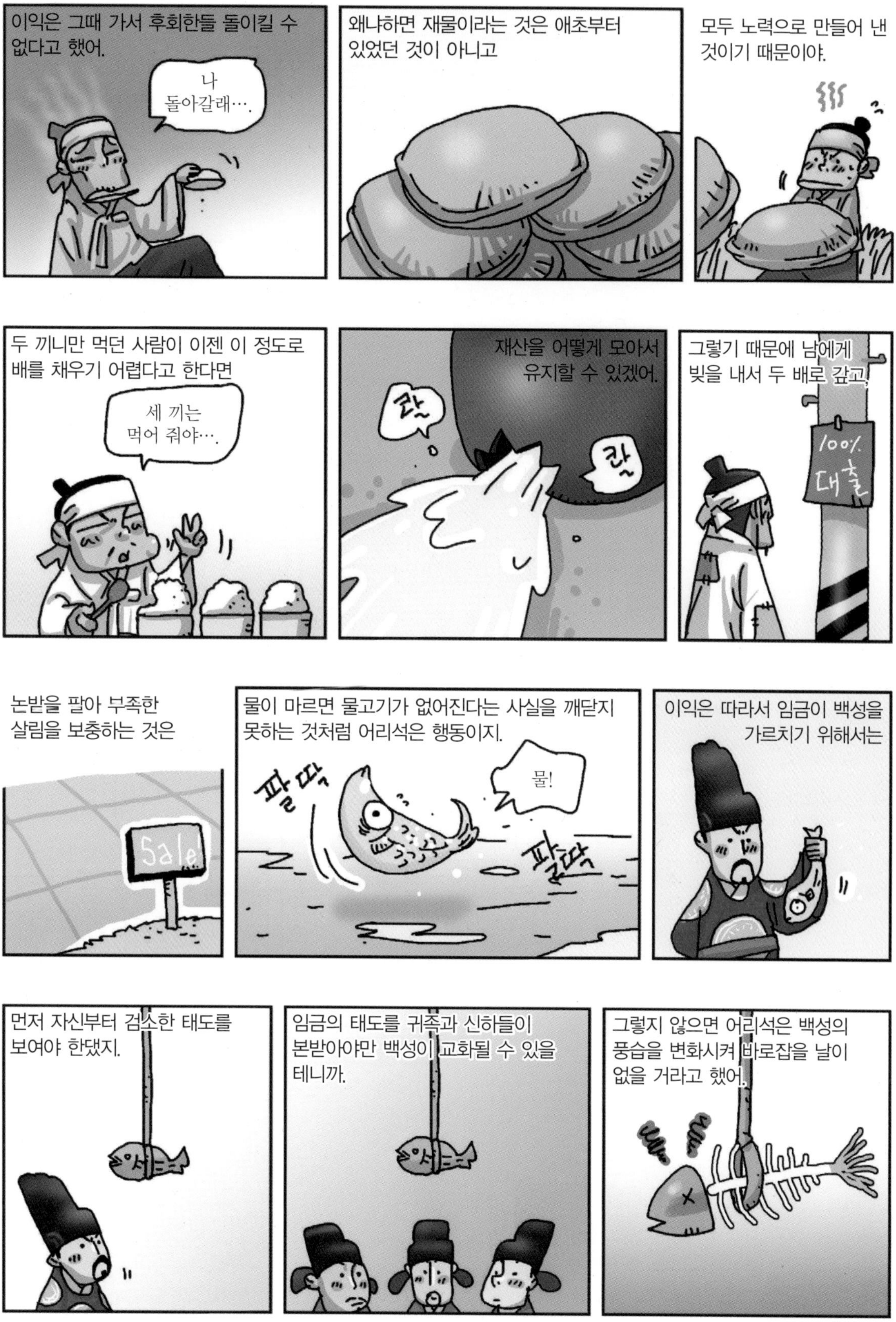
이익은 그때 가서 후회한들 돌이킬 수 없다고 했어.
나 돌아갈래….
왜냐하면 재물이라는 것은 애초부터 있었던 것이 아니고
모두 노력으로 만들어 낸 것이기 때문이야.
두 끼니만 먹던 사람이 이젠 이 정도로 배를 채우기 어렵다고 한다면
세 끼는 먹어 줘야….
재산을 어떻게 모아서 유지할 수 있겠어.
콸~
콸~
그렇기 때문에 남에게 빚을 내서 두 배로 갚고,
100% 대출
논밭을 팔아 부족한 살림을 보충하는 것은
Sale
물이 마르면 물고기가 없어진다는 사실을 깨닫지 못하는 것처럼 어리석은 행동이지.
팔딱
물!
팔딱
이익은 따라서 임금이 백성을 가르치기 위해서는
먼저 자신부터 검소한 태도를 보여야 한댔지.
임금의 태도를 귀족과 신하들이 본받아야만 백성이 교화될 수 있을 테니까.
그렇지 않으면 어리석은 백성의 풍습을 변화시켜 바로잡을 날이 없을 거라고 했어.

이에 대해 사마공은 이런 말을 했어.
부유한 자는 지식이 조금 나아서 걱정을 깊게 하고 생각을 멀리 하므로, 뼈가 아프도록 괴로움을 겪고 나쁜 의복을 입거나 맛없는 음식을 먹을지언정 남의 빚내기를 좋아하지 않는 까닭에 집안 살림이 늘 여유가 있어서 낭패를 보는 일이 없고,
"가난한 자는 모두 게으름만 부리고 아무렇게나 살면서 생각을 멀리 하지 않고 날마다 술에 취하기 때문에 살림에는 늘 여유가 없다. 그러다가 급하게 되면 남에게 돈을 꾸어 빚을 지는데, 나중에 그 빚을 갚지 못하게 되면 아내와 자식을 팔아먹고 굶주려 죽으면서도 스스로 후회할 줄 모른다."
원래 사람의 마음이란 누구나 검소함을 싫어하고
흥!
사치를 좋아하게 되어 있어.
오~ 샤스핀!
싫은 것에서 벗어나고 싶어 하고 좋아하는 것을 따르고 싶어 하지.
가난한 삶은 검소한 생활을 하기에도 벅찬데
뭐가 있어야….
빌려 주어서 넉넉히 쓰도록 하면 무슨 짓이든 하지 않겠어?
넉넉 하구나!!
이것은 당장 눈앞에 보이는 이익만 생각하고 뒷날 닥쳐올 어려움은 잊어버리는 짓밖에 안 되는 거야.
이런 상황인데도 당시 조정에서는 설상가상으로 사채를 금지하고, 환곡을 내주고 돌려받는 조적법을 시행했어.
설상!
가상!
사채금지
조적법
조적법은 춘궁기 때 곡식을 빌려준 뒤에 가을 추수 때 10분의 1의 이자를 붙여서 돌려받는 법이야.
기억 나요.

국가의 할 일은 백성들의 배고픔을 구제해 주는 것인데도 오히려 백성들에게 빚을 지게 하고 있었지.
빚
결국 백성들을 상대로 국가가 돈놀이를 하겠다는 말과 똑같아.
돈 놓고 돈 먹기!
이 때문에 부유했던 백성들마저 가난해지고 가난했던 이들은 더욱 가난해져서 굶어죽는 경우가 허다하게 되었어.
가난
재물은 아무리 빌린 것이라도 넉넉하다면 넉넉히 쓰게 되고 절약하기 어렵기 때문이지.
펑 펑 쓰자~
게다가 이자 없이 빌려 쓰는 것도 안 될 일인데,
무이자 돼요?
이자까지 덧붙여 갚아야 한다니 백성에게는 삶을 포기하라는 말밖에는 안 되는 거지.
포기하자!
내 생각은 이렇단다.
이익은 백성들을 보호하려면 이 조적법을 중지하고
차라리 백성들이 스스로 살 길을 꾀하도록 해야 한다고 했어. 그렇게 하면 반드시 굶어 죽지는 않을 것이고, 살아가는 자도 자기 집을 지킬 수 있어서
백성들의 마음이 좀 더 편안해질 거라고 했지.
큰 흉년이 들어서 백성들이 굶주리게 될 때에만 나라의 창고를 열어 백성들을 구제하면 될 거라고 이익은 주장했어.

조선 사회의 지배 원리 성리학

이理와 기氣로 인간과 세상을 이해한 학문

유학의 한 학풍인 성리학은 송나라의 주희가 집대성한 학문으로 주자학이라고도 합니다. 좀 더 엄밀히 말해서, 주자학은 성리학의 일부에 불과하다고 할 수 있습니다. 하지만 우리나라에 도입된 성리학이 주자학을 중심으로 발전했기 때문에 우리나라에서 성리학이라고 하면 대부분 주자학을 가리키게 되었던 것입니다. 우리나라의 대표적 성리학자로는 이황과 기대승, 성혼, 이이 등이 있습니다.

주자학을 창시한 주희

성리학은 자연과 사회의 발생과 운동을 이理와 기氣의 개념으로 설명하고 있습니다. '기' 라는 것이 모이고 흩어지는 것에 의해 우주 만물이 생성되며, 그런 점에서 기는 만물을 구성하는 요소가 됩니다. 하지만 '기' 는 맑음과 흐림, 무거움과 가벼움 등에 따른 차이가 있으며, 따라서 기에 의해 구성되는 우주 만물은 차별이 생기게 됩니다. 이를 바탕으로 자연, 인간, 사회는 모두 위계적 질서를 갖게 됩니다. 한편 '이' 의 개념은 만물 생성의 근원이 되는 정신적 실재로서 '기' 의 존재 근거가 됩니다. 그리고 동시에 만물에 내재하는 원리로서 기의 운동 법칙이 되는 것입니다. 이와 같이 만물의 존재 근거가 이라는 점에서, 그리고 만물에는 모두 이가 내재한다는 점에서 이의 개념은 인간과 사물의 원리적 보편성을 설명합니다. 주자학에서는 이러한 이기론을 바탕으로 인간을 이해하고 있습니다.

주자학에서 강조하는 이의 구체적 내용은 삼강오륜을 비롯한 유교적 윤리 도덕이었으며, 나아가 관료제적 통치 질서, 신분 계급적 사회 질서, 가부장·종법제적 가족 질서를 포함하는 명분론의 질서였습니다. 결국 주자학에서는 이러한 명분론적 질서에 맞는 생활을 하는 것이 모든 인간의 도덕적 의무라고 주장한 것이지요.

양명학파의 시초 왕양명

양명학의 대두

그러나 명나라 중기 이후에는 서민층이 대두하고 농민 반란 등이 일어나면서 성리학적 원리에 입각한 사회 기반이 흔들리게 됩니다. 성리학은 이런 형상을 이론적으로 설명할 수 없는 한계에 부딪치게 되었죠. 이에 대해 왕양명은 '이'란 선천적으로 마음의 가운데 있기 때문에 '이'를 인식하는 것은 '행', 즉 실천과 일체가 되어야 한다고 주장했습니다. 이것이 지행합일知行合一이며, 이러한 학풍을 양명학이라 합니다. 우리나라에도 조선 중종 이전에 양명학이 도입되었으나 기존 질서를 중시하는 성리학에 의해 배척당하다가 선조 이후 최명길, 장유 등에 의해 본격적으로 수용되었습니다. 그리고 정제두 등에 의해 본격적인 학파인 강화학파가 형성되면서 활발한 연구가 행해졌지요. 양명학은 대표적으로 실학자, 특히 북학파에게 큰 영향을 주었고, 일제 강점기까지 우리나라에 큰 영향을 끼쳤습니다.

제11장 학문을 하는 올바른 방법과 자세

《논어(論語)》 20편은 공자와 그 제자들의 언행을 적은 책이야.
공자 가라사대….
그렇기 때문에 작은 것이라도 의심할 만한 것이 없어.
저게 뭐지?
그런데 책을 읽다 보면 잘 이해가 안 되는 부분이 나타나게 마련이야.
?
그 당시 어떤 특별한 이유 때문에 그 말을 한 경우가 있기 때문이지.
나는 특별하니까.
그러므로 이익은 공자의 말씀을 다 알 수 없는 점에 대해서는 그 당시의 사회·역사적 맥락을 상상해 보아야 한다고 했지.
이유가 무얼까?
공자의 진정한 뜻은 상황을 알고 난 후에야 알 수가 있다는 거였지.
아하! 그랬군.
따라서 이익은 공자의 말씀을 공부하기 위해서는 《논어》 말고도
하나론 부족해.
논어
다른 책을 많이 봐야 한다고 했어.
정말 많다….

공자의 말씀이 《논어》에만 실린 게 아니었으니까.
일례로 《맹자》에 나오는 다음 구절은 《논어》에는 보이지 않아.
마음은 잡으면 보존되고, 놓으면 없어진다(操存舍亡).
맹자
이 구절은 우리가 마음을 다스리는 데 매우 중요한 방법이 될 수 있어.
마음을 놔 버리자….
이와 같은 예는 얼마든지 있어.
여기!
요기!
거기!
이익은 공자의 말씀을 공부하는 이들 가운데는
공자 왈 학원
공자
다른 책에 실린 공자의 말씀을 읽다가 이해할 수 없는 문장이 나오면
《논어》에 실려 있지 않다는 이유로 뒤에 지어낸 말이라고 생각하고는
지어낸 말!
두 번 다시 생각해 보지 않는다면서, 이는 학문하는 자세가 잘못된 것이라고 했지.
버려!
예컨대 《춘추좌씨전》*에 실린 몇몇 공자의 말씀도 본래의 속뜻은 많이 달라.
공자께서…
공자는 조순(趙盾)에 대해 다음과 같이 말했어.
조선자(趙宣子=趙盾)는 옛날의 어진 관리였지만, 사관이 역사를 쓰는 방법 때문에 임금을 살해했다는 오명을 덮어 썼구나.

*《춘추좌씨전(春秋左氏傳)》 – 중국 노나라의 좌구명이 《춘추》를 해설한 책.

이 글만 보면 공자가 조순을 역사에서 오해를 받은 억울한 인물로 본 것 같지만
오해야!
공자가 마음속으로 그를 어질게 여긴 것만은 아니야.
조씨는 진나라의 유력 신하였으니,
어떻게 곧바로 그를 배척해 칼날을 받겠어?
텁!
이 말의 속뜻은 법의 본질과 그것의 악함을 담아낸 것이었지.
법
말은 비록 부드럽지만,
부드러움
그 뜻은 엄하게 꾸짖은 것이지.
쾅
그러니 얼마나 지혜로운 말씀인고….
또 진항(陳恒)이 제나라의 왕 간공(簡公)을 살해한 일에 대해서는
"노나라 군사로서 제나라 군사의 반과 합세하면 진항을 물리칠 수 있다"라고 했지.
이와 같은 공자의 말씀에 대해 송나라의 학자 정이는 다음과 같이 해석했어.

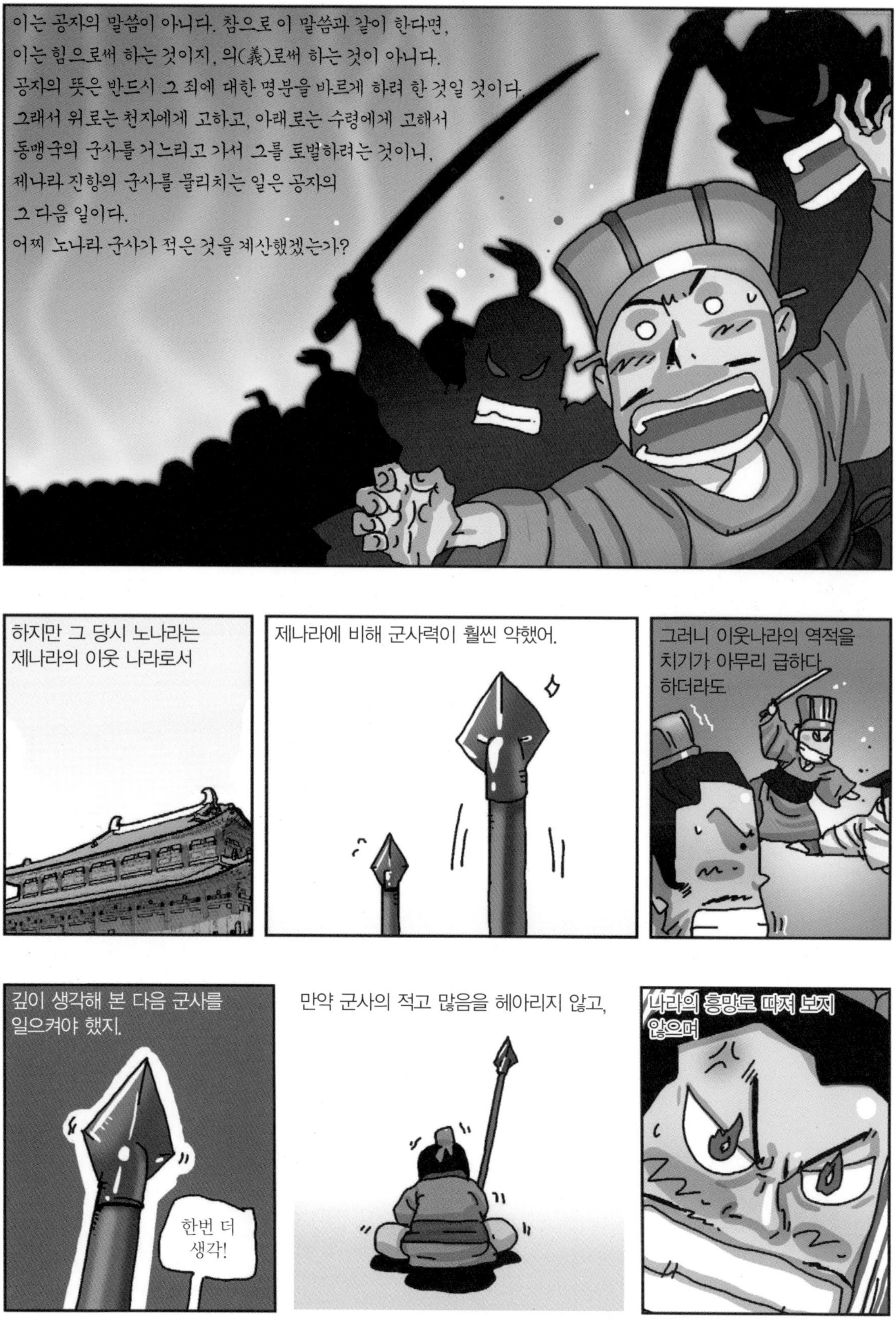
이는 공자의 말씀이 아니다. 참으로 이 말씀과 같이 한다면,
이는 힘으로써 하는 것이지, 의(義)로써 하는 것이 아니다.
공자의 뜻은 반드시 그 죄에 대한 명분을 바르게 하려 한 것일 것이다.
그래서 위로는 천자에게 고하고, 아래로는 수령에게 고해서
동맹국의 군사를 거느리고 가서 그를 토벌하려는 것이니,
제나라 진항의 군사를 물리치는 일은 공자의
그 다음 일이다.
어찌 노나라 군사가 적은 것을 계산했겠는가?
하지만 그 당시 노나라는
제나라의 이웃 나라로서
제나라에 비해 군사력이 훨씬 약했어.
그러니 이웃나라의 역적을
치기가 아무리 급하다
하더라도
깊이 생각해 본 다음 군사를
일으켜야 했지.
한번 더
생각!
만약 군사의 적고 많음을 헤아리지 않고,
나라의 흥망도 따져 보지
않으며

경솔하게 군사를 일으켜서 큰 전쟁을 벌인다면
못 참겠다!!
저들의 혼란을 안정시키기도 전에 자기 나라가 먼저 망하게 될 거야.
이런….
그러니 공자가 이런 일을 하지는 않았을 테지.
그럼 그럼.
그러니 어찌 이기고 지는 것이 그 다음의 일이 된다고 말할 수 있겠어?
내일 일은 내일 걱정!
이익은 이런 몇몇 사례를 들어 공자의 말씀이라고 무조건 외우고 받아들이는 태도가 갖는 위험성을 지적하고 있어.
공자 왈~왈~왈~
스톱!
이른바 공자의 말씀을 배우는 자는
공자께서 말씀하시니….
이치에 어긋나는 것들은 과감히 빼 버리고,
깨끗이~
나머지에 대해 충분히 익히고 깊이 생각하여 해석을 한 뒤 외우고 익혀 자기 것으로 만들어야
유익하다고 했지.
이익은 이렇게 공부한 것들을 모아 《논어익(論語翼)》을 쓸 계획이라면서
이 생각~
저 생각~
요 생각~

아직 시간이 허락하지 않아 못하고 있다고 했지.
강의하느라 바빠서….
무엇을 배우거나 가르칠 때 그 시기에는 직접 가르쳐 보이며 깨우칠 수 있지만,
통 통
아~
시간이 점점 지나면 결국 말로 전할 수밖에 없어.
머리를 써서….
?
그렇지만 시간이 더욱 지나면 말로 전하는 것도 어려워져서
그게 말이지….
?
결국 그 뜻을 제대로 알기 어렵게 되겠지.
그냥 발로 차!!
이 때문에 옛날 사람들은 문자를 만들어 자세히 기록한 뒤 후세에 전해
문자
글을 통해서 깨닫도록 하였어.
아항!
그런 의미에서 문자(文子)는 세상이 돌아가는 원리인 도(道)를 그린 그림과도 같은 것이지.
도
그렇지만 하늘과 땅은 저절로 만들어진 것이고
사람의 일은 인위적으로 만들어진 것이야.
오늘 할 일!
그리고 옛날과 오늘날의 풍속과 언어가 다르기 때문에
세대 차이 나!

오늘날의 생각만으로 오래된 책과 먹으로 그린 그림을 보고 옛 성인들의 마음을 생각하니,
그 속에 담긴 뜻을 알아내기가 얼마나 어렵겠어?
이익은 바로 그런 이유 때문에 군자는 마음과 행동을 다해 공부를 하고,
온 맘 다해~
널리 방문하여 원래의 뜻을 알고자 해야 한다고 했지.
뜻을 찾아.
이익은 참된 군자는 여러 이야기를 모아 취사선택하되
농담과 망언일지라도 자세히 살피며,
농담 모음
이치에 어긋나는 터무니없는 말일지라도 쉽게 넘어가지 않는다고 했어.
아랫사람에게 묻기를 부끄럽게 여기지 않는 것을 '불치하문(不恥下問)'이라 하는데,
질문이….
춘추 시대 위나라의 공어는 이를 잘해 공자로부터 칭찬받고,
후에 문자(文子)라는 시호를 받아 추앙받았지.
문자
《논어》는 공어의 이런 태도를 이렇게 기록하고 있어.
논어

"자공(子貢)이 묻기를 공문자를 무엇 때문에 문(文)이라고 부르냐고 하자,
어째서?
민첩하여 배우기를 좋아했느리라.
공자는 공어가 아랫사람에게 묻기를 부끄러워하지 않기 때문이라고 말했다."
질문!
이리도 겸손하니 문(文)이라고 부를밖에.
아!
이익은 어진 임금이 나라를 다스리는 모습도 이와 같다고 했어.
즉 어진 임금이 새로 왕위에 올라 나라를 잘 다스리고자 하는 절실한 마음이 너무나 커서
잘해야 한다! 잘해야….
부담 x1000
모든 사람들에게 그 의견을 구하자 전국에서 의견이 올라왔는데,
의 견
그 가운데 좋은 말을 한 사람에게는 상을 주고
임금님 짱!
나쁜 말을 한 사람에게는 벌주지 않는 것과 같은 이치라는 거지.
제대로 정치하라!
또 아픈 사람이 용한 의술을 가진 사람이 있다는 소문을 듣게 되면,
그렇게 용~하다며!
번뜩
먼 길도 마다하지 않고 찾아가 도움을 받고자 하는 마음도 이와 같다고 했어.

또 나그네가 길을 묻거나
길 좀….
해는 지고 갈 길은 먼데 어디로 가야 할지 모를 때,
모르겠네….
속이거나 잘못 알려 주는 것을 따지지 않고
여긴 어디?
나무꾼이나 어리석은 부인이나 어린이에게까지 일일이 찾아가 길을 묻는 것도 같은 태도라고 했어.
길 좀….
길….
《시경》에는 이런 자세를 "풀 베는 아이에게 묻는다."*고 했지.
길 좀 묻자~
?

*순우추요(詢于芻蕘).

이익은 선배 유학자들은 경서를 가르치면서
성현들이 이르기를….
그 본래의 뜻을 아는 데 마음가짐이 이와 같았다고 했어.
숨은 뜻이란!
그렇기 때문에 10분 7, 8은 능히 원래의 뜻을 알 수 있었다고 했지.
2% 부족하군….
그런데 당시의 학자들은 그렇지 않다며 걱정을 했어.
뭔 상관이람!
학문에서는 금기 사항을 정해 놓고, 그것을 어기는 사람들에 대해서는 비판을 해.
금 넘었다!
마치 통째로 대추를 삼키는 것이나
아~

겉모습만 보고 오이를 그리는 것처럼,
잘 그려 주삼~
아무 맛도 모르면서 억지로 말하고
음~ 호박맛?
추측으로 대답하면서 뛰어난 경지에 도달했다고 여기는 이들이 이에 해당하지.
뼈와 살이 어디에 붙어 있는지도 전혀 모르는 자들이니까 말이야.
그러므로 이익은, 이른바 유학자라고 자처하는 사람들은
유!학!자!
소의 털처럼 많은데
털!
털!
정말로 경서의 본래의 뜻을 깨달은 사람은 기린의 뿔처럼 드문 게 현실이라고 했어.
너무 슬픈 일이지.
목이 길어 슬픈….
이제 공부할 때 본보기가 될 만한 사람의 얘기를 해 줄게.
바로 춘추 시대 노나라의 유명한 학자였던 안연*이야.
최우수 학생이지!

*안연(顔淵) – 본명은 안회(顔回)로 공자가 가장 신임했던 제자였다.

공자의 수제자였던 안연에 대해 공자는 이렇게 말했어.

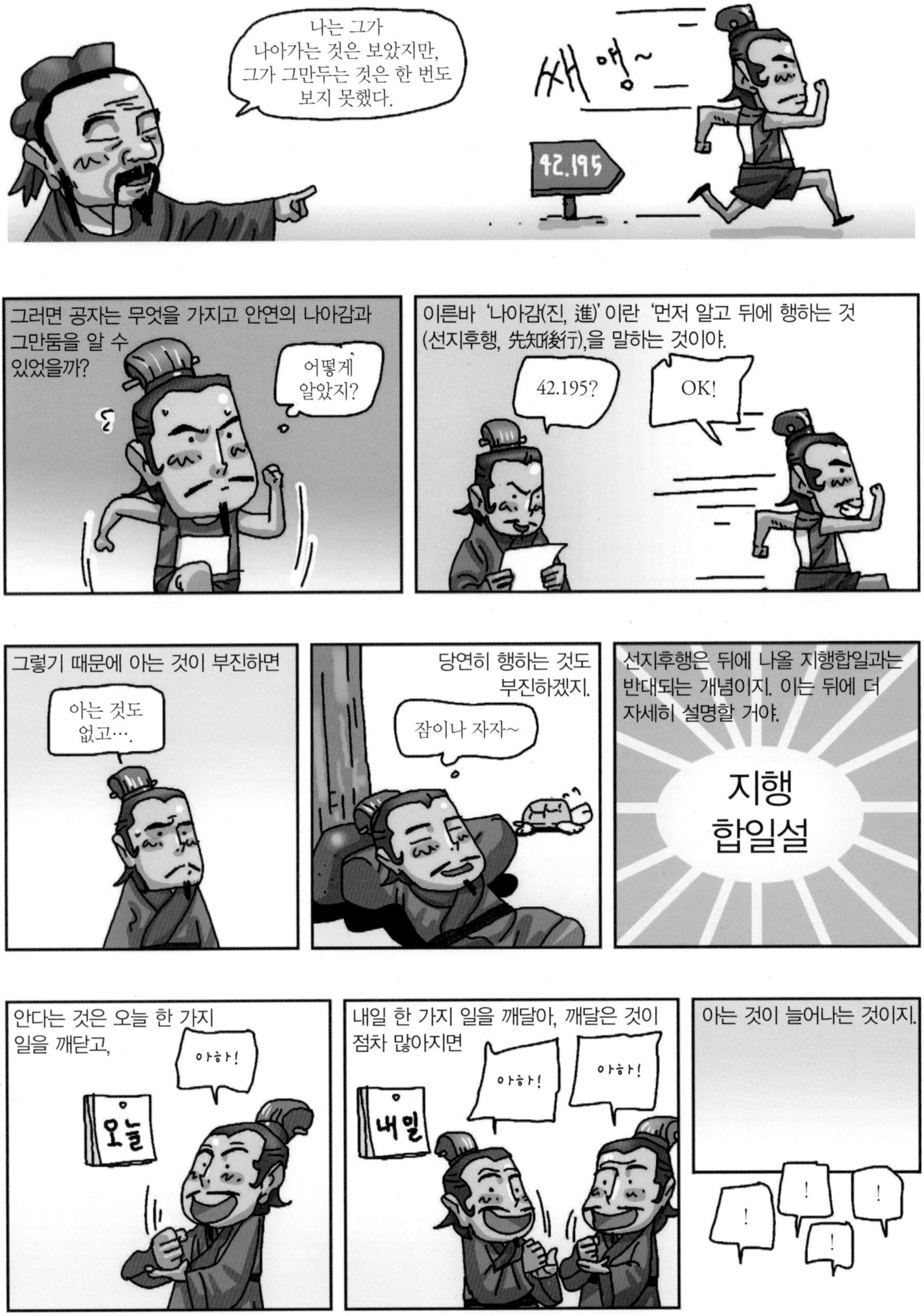

나는 그가 나아가는 것은 보았지만, 그가 그만두는 것은 한 번도 보지 못했다.
쌔 앵~
42.195
그러면 공자는 무엇을 가지고 안연의 나아감과 그만둠을 알 수 있었을까?
어떻게 알았지?
이른바 '나아감(진, 進)'이란 '먼저 알고 뒤에 행하는 것(선지후행, 先知後行)'을 말하는 것이야.
42.195?
OK!
그렇기 때문에 아는 것이 부진하면
아는 것도 없고….
당연히 행하는 것도 부진하겠지.
잠이나 자자~
선지후행은 뒤에 나올 지행합일과는 반대되는 개념이지. 이는 뒤에 더 자세히 설명할 거야.
지행 합일설
안다는 것은 오늘 한 가지 일을 깨닫고,
아하!
오늘
내일 한 가지 일을 깨달아, 깨달은 것이 점차 많아지면
아하!
아하!
내일
아는 것이 늘어나는 것이지.
!
!
!
!

공자는 이에 대해 《논어》에서 다음과 같이 말했어.
내가 일찍이 하루 종일 아무것도 먹지 않고, 밤이 새도록 잠을 자지 않으면서 생각을 했지만, 유익함이 없었다. 생각하기만 하는 것은 배우는 것만 못하다.
…
꼬르륵
이는 배우는 제자들로 하여금 학문을 매일 하여
1
2
3
4
5
6
7
그 학문이 나날이 진보해야 한다는 말이야.
이는 대체로 공자가, 제자가 자신에게서 배우면서도
한수 가르쳐 주십!
그때그때 배우기를 생각하지 않고
내일 배워~
스스로 한계를 정해 나아가지 않는 것을 안타깝게 여겼기 때문이야.
오늘은 여기까지!
이것의 예로는 제자 염구(冉求)의 얘기가 유명한데
영구?
염구!!
하루는 염구가 공자에게 물었대.
선생님의 도를 기뻐하지 않는 것은 아니지만, 저의 힘이 부족합니다.
이에 공자는 "힘이 부족한 자는 중간에서 그만두게 되니, 지금 너는 너의 한계를 스스로 긋고 있구나."라고 했지.
찌익
너는 여기까지!

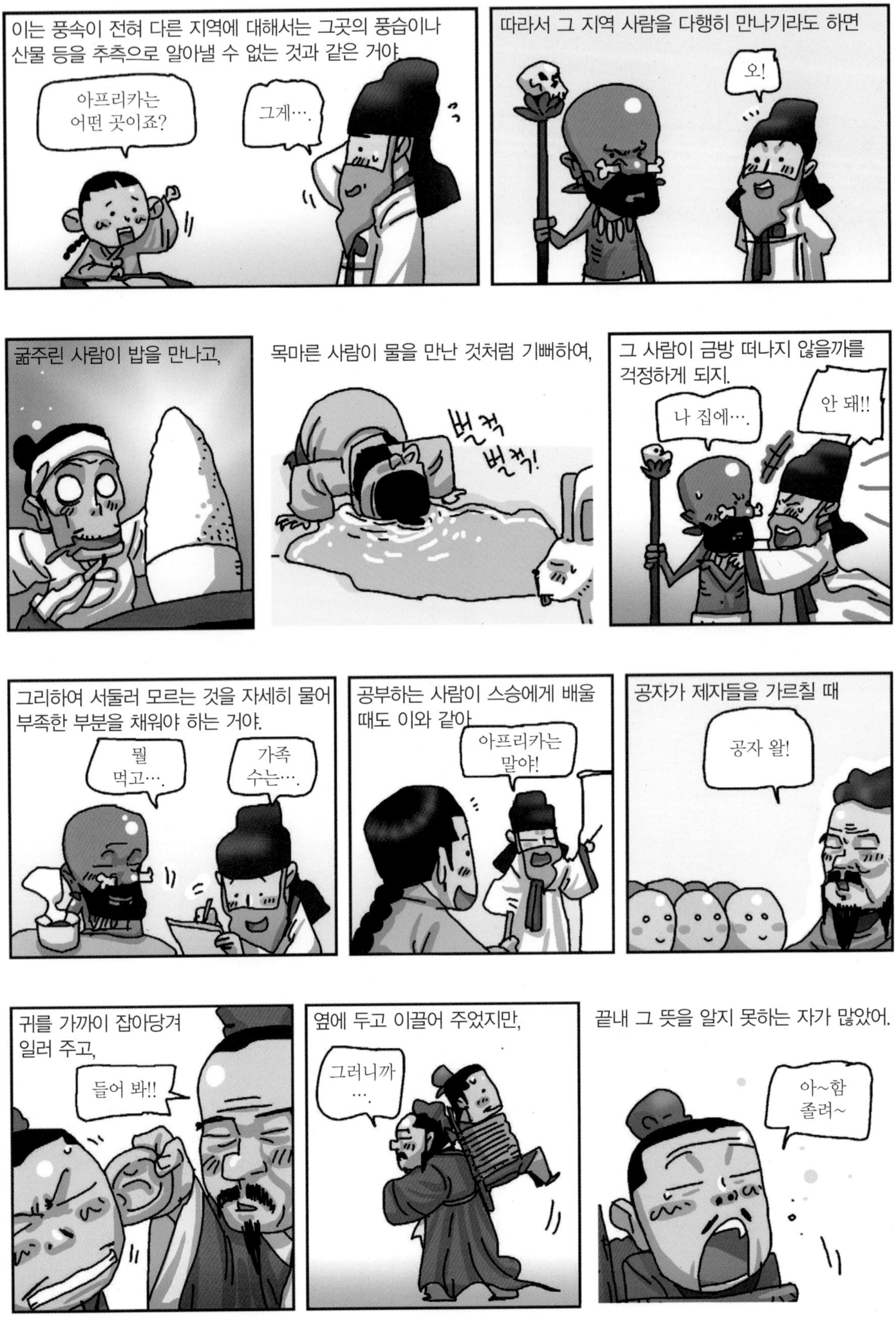
이는 풍속이 전혀 다른 지역에 대해서는 그곳의 풍습이나 산물 등을 추측으로 알아낼 수 없는 것과 같은 거야.
아프리카는 어떤 곳이죠?
그게….
따라서 그 지역 사람을 다행히 만나기라도 하면
오!
굶주린 사람이 밥을 만나고,
목마른 사람이 물을 만난 것처럼 기뻐하여,
벌컥 벌컥!
그 사람이 금방 떠나지 않을까를 걱정하게 되지.
나 집에….
안 돼!!
그리하여 서둘러 모르는 것을 자세히 물어 부족한 부분을 채워야 하는 거야.
뭘 먹고….
가족 수는….
공부하는 사람이 스승에게 배울 때도 이와 같아.
아프리카는 말야!
공자가 제자들을 가르칠 때
공자 왈!
귀를 가까이 잡아당겨 일러 주고,
들어 봐!!
옆에 두고 이끌어 주었지만,
그러니까….
끝내 그 뜻을 알지 못하는 자가 많았어.
아~함 졸려~

그런데 안연만이 날마다 더 배우기를 청하여,
질문요!
또!
오늘 한 가지 일을 알고 내일 한 가지 일을 다시 알게 되어 스스로 진보하게 된 거지.
그러니까!
왜?
어째서?
그렇죠?
또?
이익은 배우지 못할 수는 있겠지만
다음은….
ㄱㄴ…
배울 때에는 그만두지 않으며,
아직 남았어요.
묻지 않을 수는 있겠지만
스승님도 피곤하실 텐데….
단 스승에게 묻게 되면 알지 못하거든 그만두지 말아야 한다고 강조했지.
하나만 더!
질문!
여기요!
그리고 생각하지 않을 수는 있겠지만
일단 생각할 경우에는 알지 못하면 그만두지 말아야 하며,
때
까
지
알
쪽
분별하지 못할 수는 있겠지만
음~
음~
쪽
된장
분별할 경우에는 분명하지 않으면 그만두지 말아야 한다고 했지.
?
쪽!
쪽!
쪽!
된장
행하지 않을 수는 있지만
에이~어떻게 뛰어….
행할 때는 확실하지 않거든 그만두지 않는 것이
뛰고 보자!!
쌔앵

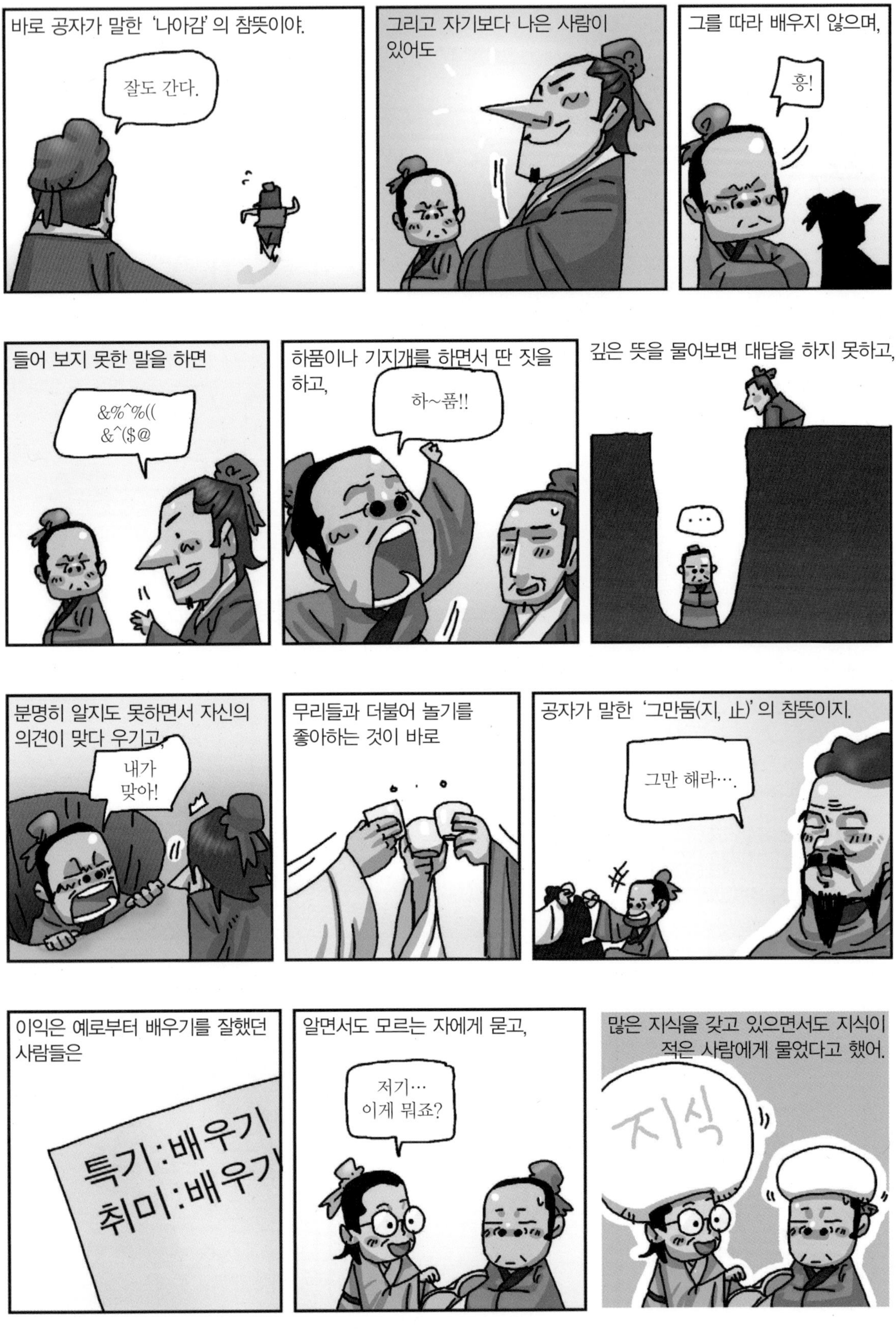
바로 공자가 말한 '나아감'의 참뜻이야.
잘도 간다.
그리고 자기보다 나은 사람이 있어도
그를 따라 배우지 않으며,
흥!
들어 보지 못한 말을 하면
&%^%((
&^($@
하품이나 기지개를 하면서 딴 짓을 하고,
하~품!!
깊은 뜻을 물어보면 대답을 하지 못하고,
…
분명히 알지도 못하면서 자신의 의견이 맞다 우기고,
내가 맞아!
무리들과 더불어 놀기를 좋아하는 것이 바로
공자가 말한 '그만둠(지, 止)'의 참뜻이지.
그만 해라….
이익은 예로부터 배우기를 잘했던 사람들은
특기:배우기
취미:배우기
알면서도 모르는 자에게 묻고,
저기…
이게 뭐죠?
많은 지식을 갖고 있으면서도 지식이 적은 사람에게 물었다고 했어.
지식

그 대표적인 사람이 안연이지.
이런 사람들은 아랫사람에게 묻는 것을 부끄럽게 여기지 않으므로
헤딩은 어떻게 하는 거삼?
스승될 만한 사람이 있다면 마땅히 물을 것이고,
스승으로 모시 겠습니다!
그런 스승을 찾아가는 데 1,000리 길도 마다하지 않을 거야.
1,000리 행군!
하물며 가까이 스승이 있다면야 기꺼이 찾아가서 물을 것 아니겠어?
여쭤볼 게….
끙….
어떤 사람은 사고가 났다고 하고,
못 가!
어떤 사람은 타고 갈 말이 없다고 하며
못 가!
어떤 사람은 힘이 부족하고 병이 많다고들 해.
못 가….
이런 핑계로 학문에 나아가지 않지.
이익은 학문을 한다고 말하는 사람들이
내가 학문 좀 하지.
뛰어난 학식과 품성을 가진 사람을 만나도 다시 어진 이를 찾아야겠다고 말하니,
선생 말고.
공자

이야말로 그 사람이 죽고 나면 바로 후회하게 될 것을 모르고 저지르는 안타까운 일이라고 했지.
물 건너갔다.
또 스승을 찾아다닐 만한 여유를 얻어도 일이 끝나기를 기다려야 한다고 하니,
이것만 끝내고 나서….
일
이런 사람은 그 일이 끝나면 또 다른 일이 생긴다는 것을 알지 못하는 사람이라고 했지.
심지어 장기나 바둑을 두거나
분주히 놀러 다니면서 학문을 멀리하니
난 문화인.
학문이 날로 퇴보한다고 안타까워했어.
어우~ 이 먼지!
성인들의 말씀이 담겨 있는 유교 경전을 공부하는 방법과
유교경전
학문을 하는 자세에 대해서 조금은 알겠지?
바른 자세!
그러면 학문을 통해 알게 된 것을 어떻게 행동해야 하는 것일까?
행!
아는 것과 행동하는 것은 무슨 관계일까?
'아는 것(지, 知)'과 '행하는 것(행, 行)'이 다르지 않고

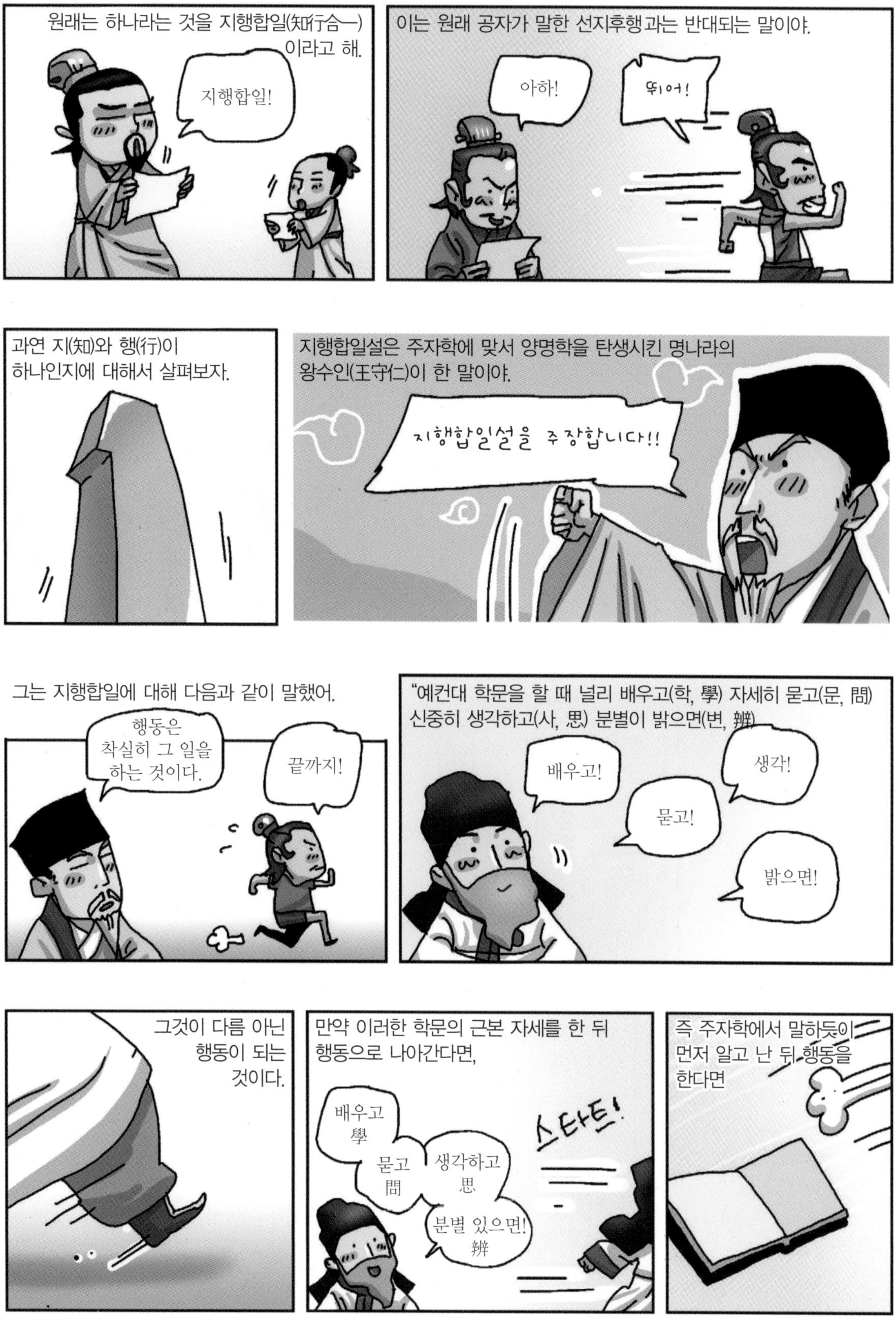
원래는 하나라는 것을 지행합일(知行合一)이라고 해.
지행합일!
이는 원래 공자가 말한 선지후행과는 반대되는 말이야.
아하!
뛰어!
과연 지(知)와 행(行)이 하나인지에 대해서 살펴보자.
지행합일설은 주자학에 맞서 양명학을 탄생시킨 명나라의 왕수인(王守仁)이 한 말이야.
지행합일설을 주장합니다!!
그는 지행합일에 대해 다음과 같이 말했어.
행동은 착실히 그 일을 하는 것이다.
끝까지!
"예컨대 학문을 할 때 널리 배우고(학, 學) 자세히 묻고(문, 問) 신중히 생각하고(사, 思) 분별이 밝으면(변, 辨)
배우고!
생각!
묻고!
밝으면!
그것이 다름 아닌 행동이 되는 것이다.
만약 이러한 학문의 근본 자세를 한 뒤 행동으로 나아간다면,
배우고 學
묻고 問
생각하고 思
분별 있으면! 辨
스타트!
즉 주자학에서 말하듯이 먼저 알고 난 뒤 행동을 한다면

어떻게 아무것도 없는 상태에서 학문의 근본 자세로 나아갈 수 있으며,
없다….
행동할 때도 어떻게 배움에 나아가 학문의 근본 자세인 학, 문, 사, 변의 일을 익힐 수가 있겠는가?
변
문
사
학
행동할 때 분명히 자각하고 자세히 살피는 것이 바로 아는 것(知)이며,
知
아는 것이 진실되고 독실한 것이 바로 행동(行)이다.
行
행동하면서 자세히 살피고 분명히 자각하지 못하면,
이는 곧 행동에 어두운 것이고(명행, 冥行),
《논어》에 나오듯 '배우기만 하고 그 이치를 생각하지 않으면 실제로 아는 것이 아무것도 없다.'는 것도 이것과 같은 뜻이다.
….
그러므로 반드시 아는 것을 말해야 한다.
압니다!!
알면서 진실되지 못하면 이는 곧 망상이니,
확실 하다니까요~.
뻥!
《논어》의 '생각하기만 하고 배우지 않으면 위태롭다.'는 가르침이 그것이다.
생각만.

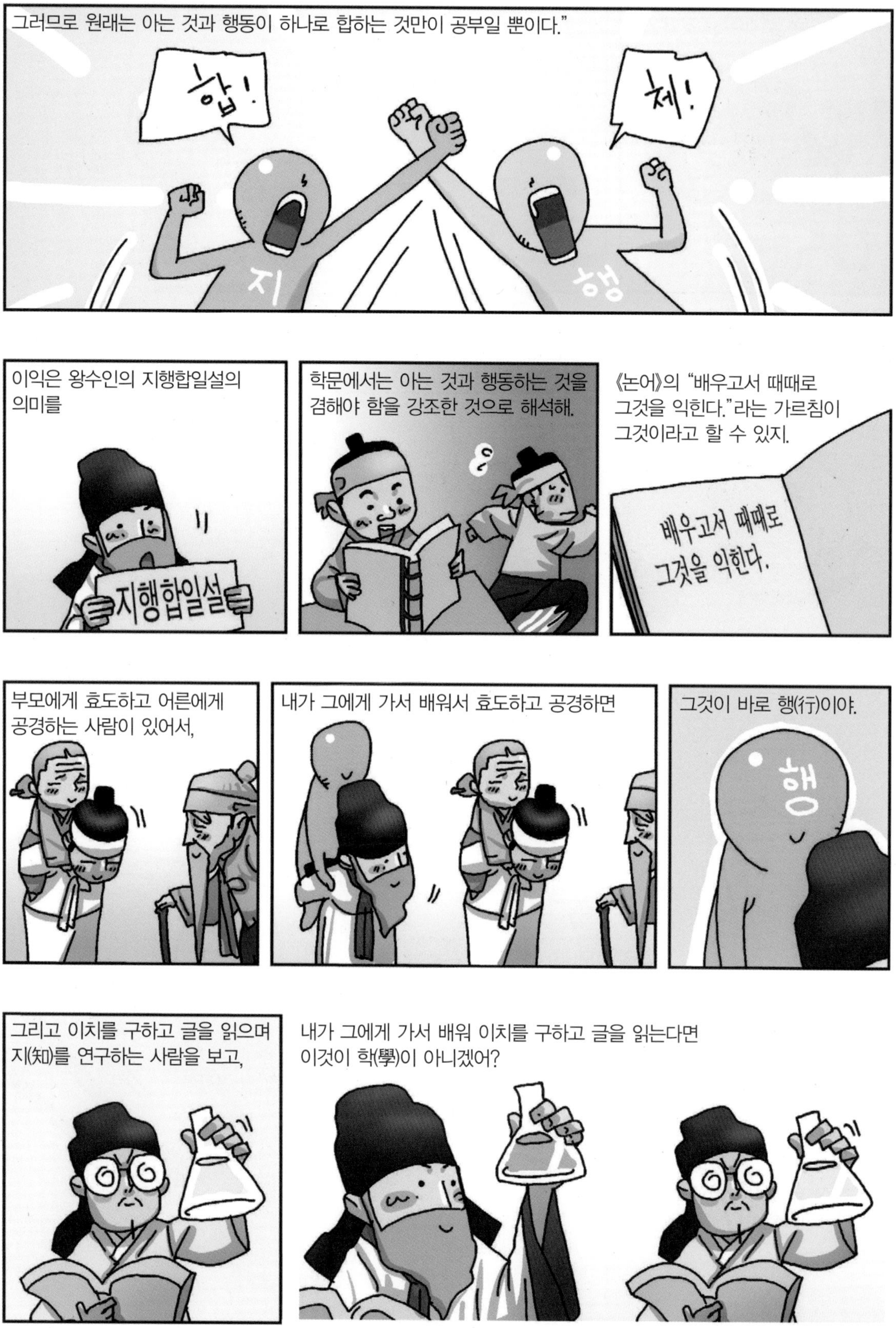
그러므로 원래는 아는 것과 행동이 하나로 합하는 것만이 공부일 뿐이다."
합!
체!
지
행
이익은 왕수인의 지행합일설의 의미를
지행합일설
학문에서는 아는 것과 행동하는 것을 겸해야 함을 강조한 것으로 해석해.
《논어》의 "배우고서 때때로 그것을 익힌다."라는 가르침이 그것이라고 할 수 있지.
배우고서 때때로 그것을 익힌다.
부모에게 효도하고 어른에게 공경하는 사람이 있어서,
내가 그에게 가서 배워서 효도하고 공경하면
그것이 바로 행(行)이야.
행
그리고 이치를 구하고 글을 읽으며 지(知)를 연구하는 사람을 보고,
내가 그에게 가서 배워 이치를 구하고 글을 읽는다면 이것이 학(學)이 아니겠어?

학문에는 몸으로 배우는 것이 있고,
마음으로 배우는 것이 있어.
따라서 학문은 모두 '행동(行)'이라고 할 수 있지.
행
그렇다면 효도하고 공경하는 것은 몸이 행하는 것이고,
글을 읽고 이치를 구하는 것은 마음이 행하는 것이 되겠지.
마음의 눈으로….
이와 같이 몸과 마음이 행하여 사물의 이치를 밝게 살피는 경지에 이르게 되면
그것이 아는 것(知)이 되는 것이야.
知
그렇기 때문에 행(行)이 지(知)보다 먼저일 듯하지만
행
지
이익은 이를 좀 더 알아보면 그것이 아님을 알 수 있다고 했지.
잠깐 멈춰!
직접 효도하고 공경하는 것으로 말하면,
아~
"먼저 그것을 알고 난 뒤에 행한다."는 사실은 틀리지 않지.
행
지

만약 글을 읽고 이치를 구하는 마음을 행동(行)이라고 한다면
????
行
아무것도 모르는 무식한 사람이 어떻게 갑자기 글을 읽고
!!!!
알았다!
만물의 이치를 알 수 있겠어?
만물?
먹는 거?
사람이 스스로 글을 읽고 만물의 이치를 구하는 것은
이치
바로 지(知)의 이치가 먼저 통했기 때문이지.
知
어떤 뛰어난 선지자나 선각자가 이끌어 그렇게 하도록 하거나,
그 자신이 스스로 이와 같이 하는 것이 옳다는 것을 깨달아서
!
스스로 글을 읽고 이치를 구한다면
당연히 지(知)가 행(行)보다 먼저 있는 것이라고 할 수 있어.
사람들은 흔히 "《소학》이란 책을 《대학》보다 먼저 읽는 것이, 행(行)이 지(知)보다 먼저라는 것을 의미한다."고 해.
대학
행이 앞선 행동.
하지만 이렇게 생각해 보자고.

결국 《소학》도 먼저 아는 사람에게 배운 뒤에야 알 수 있는 것이기 때문에
선배님, 한 수 부탁.
지(知)가 행(行)보다 먼저가 되는 것이라고 말이야.
먼저 간당~
지
만약 양명학에서 주장하는 것과 같이
양명학
지(知)와 행(行)이 두 가지가 아니라면
지
행
학문할 때 생각하는 것(思)과 배우는 것(學)도 결국 같은 것이 되는 거지.
과연 그럴까?
?
이익은 《논어》에 나오는 공자의 말씀을 생각하면 그 생각이 틀렸음을 쉽게 알 수 있다고 했어.
땡!
바로 "배우기만 하고 생각하지 않으면 실제로 아는 것은 아무것도 없고, 생각하기만 하고 배우지 않으면 위태롭다."라고 한 말씀이지.
그럼 유학을 배운 관리들은 백성을 어떻게 다스려야 할까?
난 유학파!!
본래 벼슬아치는 위에 있고
백성은 아래에 있어서

그 형세와 지위가 서로 미칠 수는 없어.
그러니 벼슬자리에 있는 사람이 오두막집에 사는 백성의 고통을 알 리가 없지.
안 보여.
겨울에 입는 두툼한 갖옷*과
여름에 입는 시원한 삼베 옷은
시원하다~
한 해를 지내는 데 둘 다 꼭 필요한 것으로,
일반 백성들은 모두 가지고 있었어.
너도!
나도!
그런데 타는 듯한 여름에 갖옷을 입은 사람을 보거나
꽁꽁 얼어 버릴 것 같은 추위에 베옷을 입은 사람을 보면
덜덜덜
다들 이상하고 묘한 일이라고 생각할 거야.
이해가 안 가….
이런 것은 우리가 경험해 봄으로써 알 수 있는 것들이지.
추워~
더워~
이익은 벼슬아치들이 백성들의 입장에 서 본 적이 없기 때문에 이렇게 경험으로 뻔히 알 수 있는 것들을 전혀 이해하지 못한다고 했어.
안 보인다니깐!

*갖옷 – 짐승의 털가죽으로 안을 댄 옷.

그러므로 백성을 해치는 정치가 모두 잔인한 마음이나
고의로 백성을 못살게 괴롭히는 악한 정치에서 나오는 것은 아니라고 했지.
무심코
빡!
악!
그들을 제대로 이해하지 못하고,
왜 이러고 있소?
이해할 수 없기 때문에 백성들의 사정을 자세히 보지 않으며,
돌 던졌잖소!
대수롭지 않게 여겨서 백성들을 고통에 몰아넣는 경우가 많다는 거지.
피곤한가 봐~
....
춘추 시대 진나라의 관리 구계(臼季)는

"문을 나갈 때는 손님을 맞이할 때처럼 공손히 하고, 일을 받들어 할 때는 제사를 지내듯이 공경하게 해야 한다."고 했는데,

갑니다~

공자는 이 말에 덧붙여 이렇게 말했지.
문을 나갈 때는 큰 손님을 보는 듯이 하며, 백성을 부릴 때는 큰 제사를 받드는 것처럼 한다.
이것은 무슨 말일까?

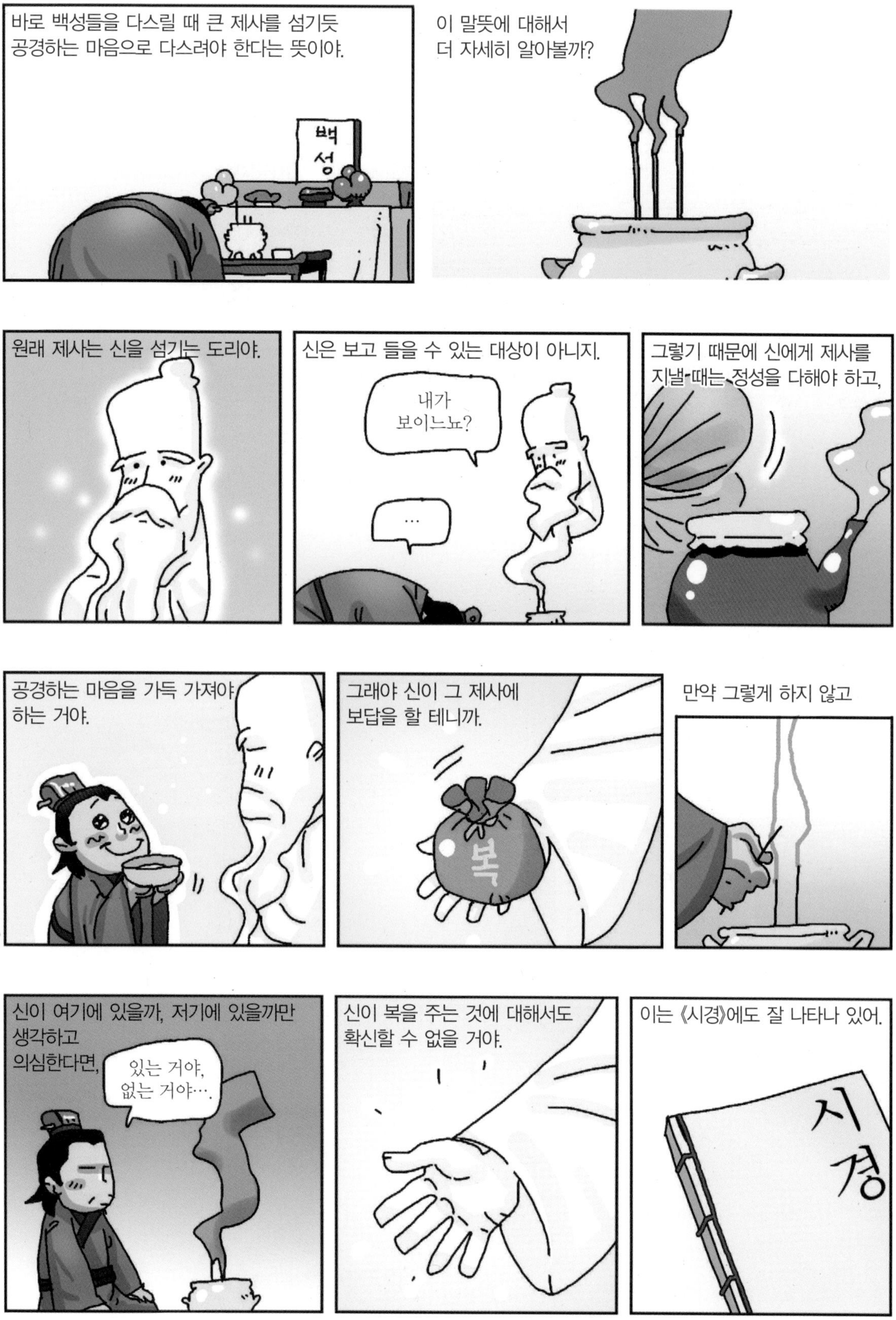
바로 백성들을 다스릴 때 큰 제사를 섬기듯
공경하는 마음으로 다스려야 한다는 뜻이야.
백성
이 말뜻에 대해서
더 자세히 알아볼까?
원래 제사는 신을 섬기는 도리야.
신은 보고 들을 수 있는 대상이 아니지.
내가
보이느뇨?
…
그렇기 때문에 신에게 제사를
지낼 때는 정성을 다해야 하고,
공경하는 마음을 가득 가져야
하는 거야.
그래야 신이 그 제사에
보답을 할 테니까.
복
만약 그렇게 하지 않고
신이 여기에 있을까, 저기에 있을까만
생각하고
의심한다면,
있는 거야,
없는 거야….
신이 복을 주는 것에 대해서도
확신할 수 없을 거야.
이는 《시경》에도 잘 나타나 있어.
시
경

"신이 내려올지도 알 수 없는데, 하물며 신을 싫어하겠는가?"
언제쯤 내려올려나….
경험하지 않고, 보이지 않는 것일지라도 정성을 다하는 게 사람의 도리이므로, 효자만이 조상의 신을 잘 모실 수 있고,
편하시죠?
자애로운 어머니라야 어린아이를 보호할 수 있지.
옛날 말에 정성이 가륵하면 하늘도 감동시킨다는 말이 있지?
흑!
이 말과 비슷한 의미지.
어진 사람이 백성을 대할 때도 조상신에게 제사 지낼 때의 마음과 같아야 해.
이러한 마음가짐만 있다면, 두터운 이불을 덮고
무거워~
짐승의 가죽으로 따뜻한 옷을 만들어 입으며,
숯을 피우고 따뜻하게 거처할 때에도 천하에 추위에 떠는 사람이 있다는 것을 알게 될 것이고,
좋은 집에서 맛좋은 음식을 먹을 때에도 천하에 굶주림을 참으며 사는 사람이 있다는 것을 알게 될 거야.

또 생활이 편안할 때에도 천하에 힘든 일을 견디지 못하며 괴로워하는 사람이 있다는 것을 알며,
마음이 유쾌하여 기분이 좋을 때에도 천하에 원한이나 답답한 마음을 품고 있는 사람이 있다는 것을 알게 될 거야.
이것이 백성을 다스릴 때는 제사를 받드는 것같이 공경하는 마음을 가져야 한다는 말의 의미야.
이런 뜻으로 미루어 본다면, 큰 손님이 왔을 때에는 반드시 그 사람의 말이나 용모나 행동 이외에
반갑습니다.
그 사람의 마음까지 살펴야 예의를 갖춰서 손님을 대접할 수 있겠지.
시장 하시죠?
꼬르륵
이익은 그러므로 문밖에 나가서 사람을 만날 때는 모두 이와 같이 해야 한다고 했어.
한 술 뜨고 가시죠.
앗 어떻게?
자기의 마음을 미루어서 남의 마음에까지 미치게 하는 것이
곧 인(仁)을 행하는 방법이라고 했지.
공자님의 말씀이 무슨 뜻인지 이해가 되지?
예! 그러니 밥 사 주세요.

올바른 선비가 올바른 학자이다

어질고 지식 있는 이

'선비'는 '어질고 지식이 있는 사람'을 뜻합니다. 선비를 나타내는 한자 '사士'도 '지식과 인격을 갖춘 인간'을 뜻하지요. 조선 시대 선비는 학문의 생산자와 소비자로서 그 역할을 담당해 왔고, 학문은 어떻게 해야 하는가에 대한 질문을 끊임없이 던지면서 학문의 본질과 방법에 대해 탐구했습니다.

조선 초기 유교가 사회 통치의 주요 이념이 되면서, 선비들은 유교 이념의 생산, 소비, 전파의 담당자로서 자기 확신을 정립하기 시작했습니다. 그리고 점차 사회적 역할과 비중이 커져 가면서 마침내 정치의 중심 세력이 되었지요. 선비 하면 생각나는 대쪽 같은 이미지, 공부하는 이미지는 이 시기부터 생겨난 것으로 보입니다.

조선 시대 선비는 끊임없는 학문 연구와 수련을 바탕으로 학자로서의 자질을 갖추고, 인간의 마땅한 도리를 실천하는 것을 그 본래의 모습으로 삼았습니다. 그리고 학문의 탐구에 그치는 것이 아니라 이를 통해 인격적 성취를 얻는 것이 그들의 최종 목표였지요.

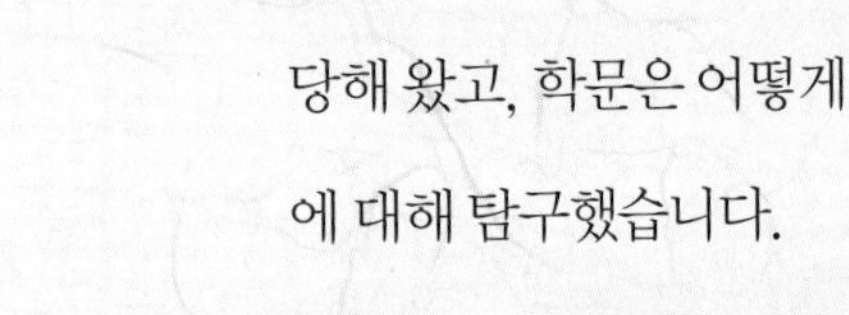

선비의 자세와 임무

선비는 과거 시험에 합격해 관직에 나아가, 학문으로 얻은 자신의

김홍도가 그린 〈마상청앵도: 말 위에서 꾀꼬리 소리를 듣다〉에는 조선 시대 선비의 유유자적한 모습이 잘 나타나 있다.

덕과 신념을 실현했습니다. 선비는 신하로서 임금에게 복종과 충성을 다해야 하지만 임금의 잘못에 대해서도 마땅히 꾸짖어야 하며, 바른 도리가 실현될 가능성이 없거나 직책이 도리에 합당하지 않다고 생각될 때면 언제든 물러날 수 있는 자세가 되어 있어야 했습니다. 따라서 선비는 주로 학문을 전문으로 하는 예문관이나 성균관의 관직, 또는 임금에게 옳은 말을 하는 직책을 맡았습니다.

또 선비는 벼슬에 나가지 않더라도 학문과 도리를 공부하고 후진을 가르치는 것을 본연의 임무로 여겼습니다. 특히 조선 후기에 이르러서는 과거 시험을 포기하고 유학 공부에 전념하는 것이 선비의 바람직한 자세로 여겨지기도 했습니다. 이들은 일정한 공동체를 이루며 사회의 여론을 주도하는 영향력을 행사하기도 했습니다.

실학은 선비 정신의 발현

하지만 조선 후기로 갈수록 선비들은 권력 투쟁의 암투 속으로 빠져들게 됩니다. 그들이 세를 형성했던 '붕당'은 비판과 견제의 기능을 상실한 채 당파 싸움으로 치달았고, 중국에 치우친 세계관을 강조한 나머지 민족의 자주성을 외면하게 됩니다. 일반 백성들의 삶을 무시하고 서민들을 차별함으로써 사회 분열을 양산하기도 했지요.

이에 대한 비판으로 등장한 선비 정신이 바로 실학이라고 할 수 있습니다. 조선 후기 유학의 관념성과 형식성에 대해 반성하면서 학문의 실질적 효용성에 대해 관심을 가지기 시작한 선비들이 등장했고, 그들을 실학자라고 일컬었던 것이지요. 이들은 기존 선비 문화의 문제점을 반성하고 사회적 폐단을 없애기 위한 실제적인 학문 연구를 하기 시작했습니다.

제12장
역사를 알면 세상이 보인다
자, 마지막으로 유교 경전만큼이나 중요한 역사를 공부하는 방법과 자세에 대해 알아보자.
역사를 공부하는 이유는 뭐지?
역사
과거의 일에 대해 자세히 알고,
과거는 묻지 마세요!
다양하게 살펴본 후 그 결과를 알기 위해서야.
그리고 그것을 바탕으로 현재와 미래의 일을 예측하기 위함이지.

그런데 이익은 역사책을 읽을 때마다 늘 의심을 갖게 된다고 했어.
?
착한 자는 착한 쪽으로만 기록되어 있고,
착한 쪽
악한 자는 악한 쪽으로만 씌어 있기 때문이지.
악한 쪽
이익은 실제 그들이 살았을 당시에는 반드시 그렇지 않았을 거라며,
이는 역사를 서술할 때 악한 것을 징계하고
권선 징악!
팍!
팍!
착한 것을 권장하자는 뜻에서 썼기 때문이라고 보았어.
그러나 아무리 그렇더라도 역사책을 읽다 보면,
착한 자는 그럴 수 있다 치더라도
악한 자는 어찌 그렇게 악하기만 했을까 의심스러워.
실제로는 착한 중에서도
분명히 악함이 있었을 것이고,
악한 가운데도 분명히 착함이 있었을 테니까 말이야.

이익은 과거의 인물 가운데는 실제로 옳고 그름을 제대로 판단하지 못했기 때문에
?
선택을 분명히 하지 못해 후대의 사람들로부터 비난을 받고 죄를 얻은 자도 분명히 있을 거라고 보았어.
선택을 잘했어야….
죄
따라서 역사책을 읽을 때는 이런 점을 꼭 염두에 두어야 한다고 강조했지.
밑줄 쫘악!
주자는 역사책을 읽는 방법에 대해서 이렇게 말했어.
춘추 시대 진나라 임금이었던 영공(靈公)은 조순을 죽이려고 했지만 그렇게 할 수가 없었다.
"이는 그가 매우 강했기 때문이다."
오늘날에 전하는 많은 이야기는 진나라를 멸망시킨 위사(魏斯), 조적(趙籍), 한건(韓虔),
이른바 삼진(三晉)이 위나라, 조나라, 한나라를 세운 뒤
없는 사실을 거짓으로 꾸며 그들의 잘못을 은폐한 것이다.
이는 당나라 태종 세민(世民)이 형제들이었던 건성(建成)과 원길(元吉)을 죽여 화란을 일으킨 것과 같다.
꽥!
컥!

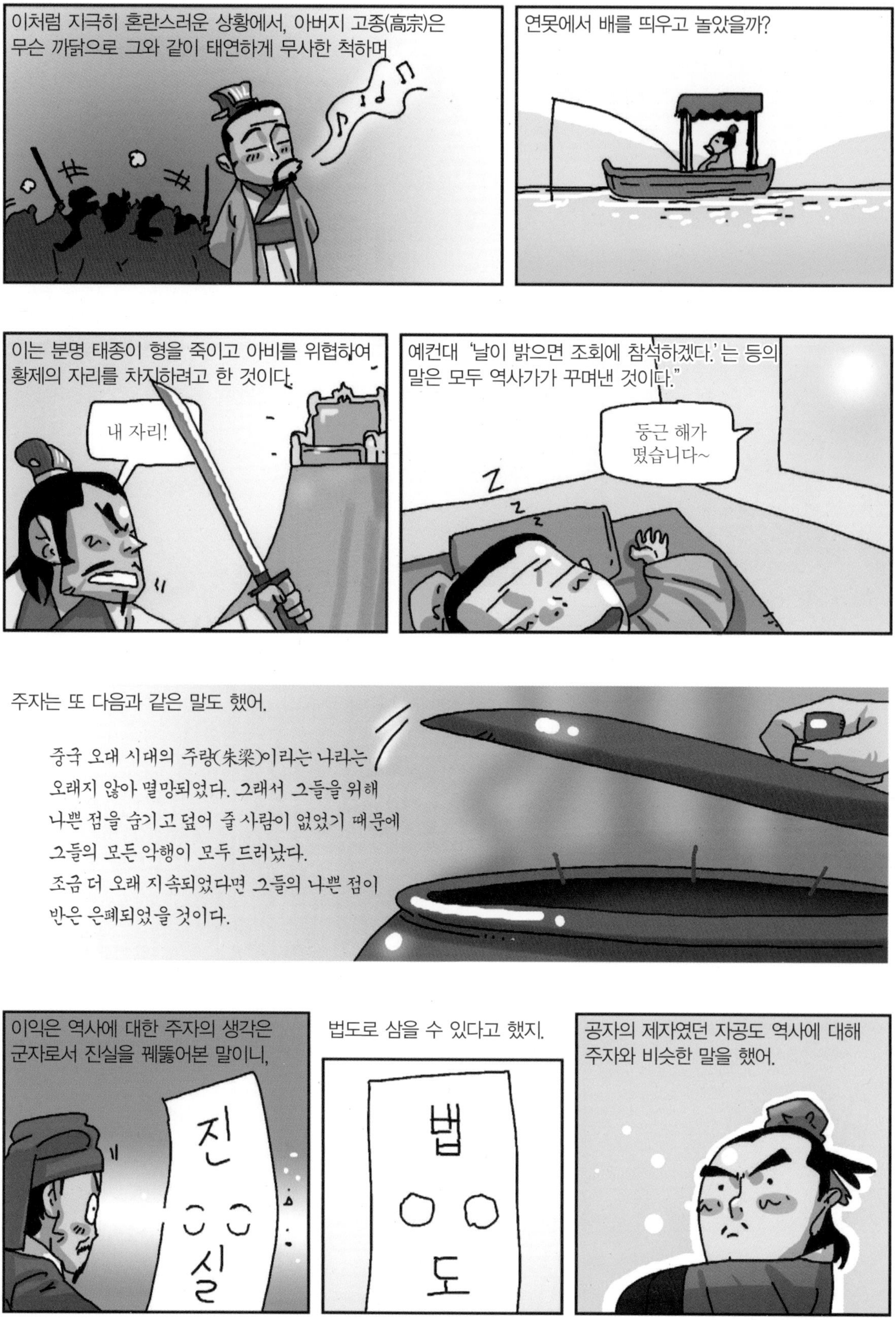
이처럼 지극히 혼란스러운 상황에서, 아버지 고종(高宗)은 무슨 까닭으로 그와 같이 태연하게 무사한 척하며
연못에서 배를 띄우고 놀았을까?
이는 분명 태종이 형을 죽이고 아비를 위협하여 황제의 자리를 차지하려고 한 것이다.
내 자리!
예컨대 '날이 밝으면 조회에 참석하겠다.'는 등의 말은 모두 역사가가 꾸며낸 것이다."
둥근 해가 떴습니다~
주자는 또 다음과 같은 말도 했어.
중국 오대 시대의 주량(朱梁)이라는 나라는 오래지 않아 멸망되었다. 그래서 그들을 위해 나쁜 점을 숨기고 덮어 줄 사람이 없었기 때문에 그들의 모든 악행이 모두 드러났다. 조금 더 오래 지속되었다면 그들의 나쁜 점이 반은 은폐되었을 것이다.
이익은 역사에 대한 주자의 생각은 군자로서 진실을 꿰뚫어본 말이니,
진 ○○ 실
법도로 삼을 수 있다고 했지.
법 ○○ 도
공자의 제자였던 자공도 역사에 대해 주자와 비슷한 말을 했어.

"은나라의 마지막 임금 주(紂)의 악도 애초에 그와 같이 심하지는 않았을 것이다.
모든 악이 그에게 다 돌아간 것이다."라고 했지.
악

역사책의 서술은
당대의 견해일 뿐!

이익 역시 주량과 같은 자도 그 악행이
반드시 크지는 않았을 거라고 봤어.
악

왜냐하면 역사책에서 보이는 것과
같이 그렇게 사악하면서

천하를 얻을 수 있는 자는 없다고
생각했기 때문이지.

반대로 착한 경우도 마찬가지야.

송나라 신하의 어진
언행을 기록한
《송조명신록(宋朝名臣錄)》
이라는 책이 있는데,

여기에서도 한 개인의 어진 점은
송조명신록

《주자어류》*에서 말한 것을
따른 것에 불과해.
주자어류
송조명신록

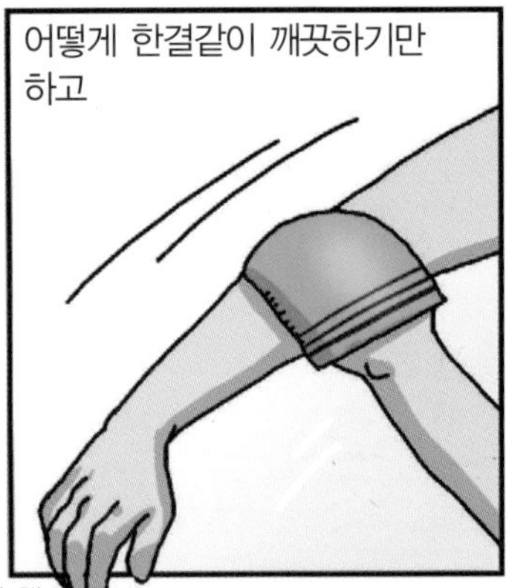
어떻게 한결같이 깨끗하기만
하고

*《주자어류(朱子語類)》 – 주자의 어록을 집대성한 책.

하나의 흠도 없는 사람이 있을 수가 있겠어?
그러면 우리가 역사를 공부하는 이유는 무엇일까?
역사
왜지?
그것은 역사를 알면 일의 결과를 알고 예측할 수 있기 때문이야.
보인다~
보여~
이익은 역사의 8 내지 9할은 우연으로 일어난다고 보았어.
펑
실제 역사를 공부해 보면 이를 잘 알 수 있지.
대체 뭐가 잘못이야?
피시시…
역사책을 보면 동서고금을 막론하고 성공과 실패,
펑
날카로움과 둔함은
펑
그 사건이 일어났던 당시의 우연에 따른 것이 참으로 많아.
아하!
우연~
더 나아가 역사책에 나오는 선, 악이나
어질고 그렇지 못한 것에 대한 분별도
반드시 사실이라고만 믿을 수는 없어.

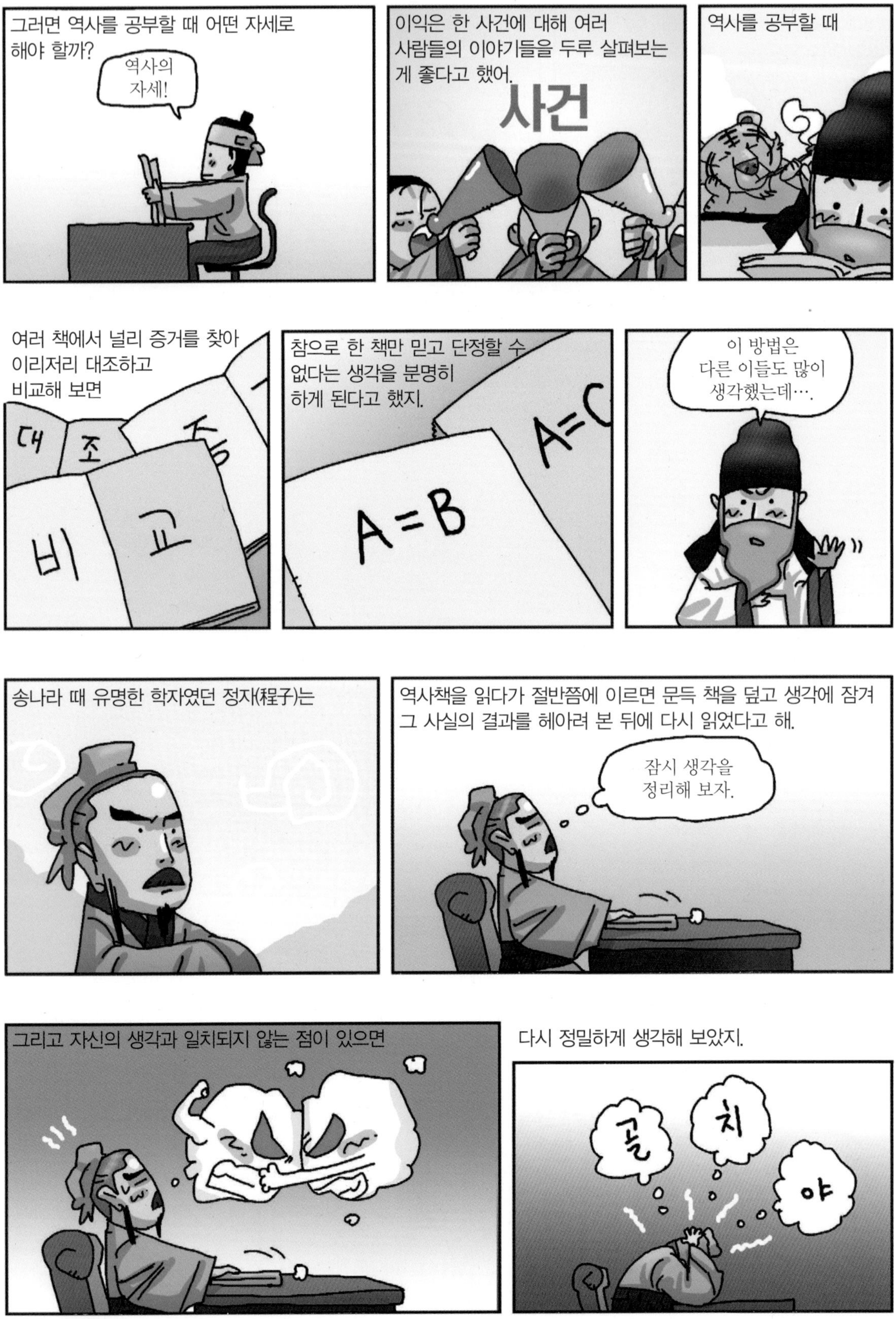
그러면 역사를 공부할 때 어떤 자세로 해야 할까?
역사의 자세!
이익은 한 사건에 대해 여러 사람들의 이야기들을 두루 살펴보는 게 좋다고 했어.
사건
역사를 공부할 때
여러 책에서 널리 증거를 찾아 이리저리 대조하고 비교해 보면
대
조
비교
참으로 한 책만 믿고 단정할 수 없다는 생각을 분명히 하게 된다고 했지.
A=B
이 방법은 다른 이들도 많이 생각했는데….
송나라 때 유명한 학자였던 정자(程子)는
역사책을 읽다가 절반쯤에 이르면 문득 책을 덮고 생각에 잠겨 그 사실의 결과를 헤아려 본 뒤에 다시 읽었다고 해.
잠시 생각을 정리해 보자.
그리고 자신의 생각과 일치되지 않는 점이 있으면
다시 정밀하게 생각해 보았지.
골
치
야

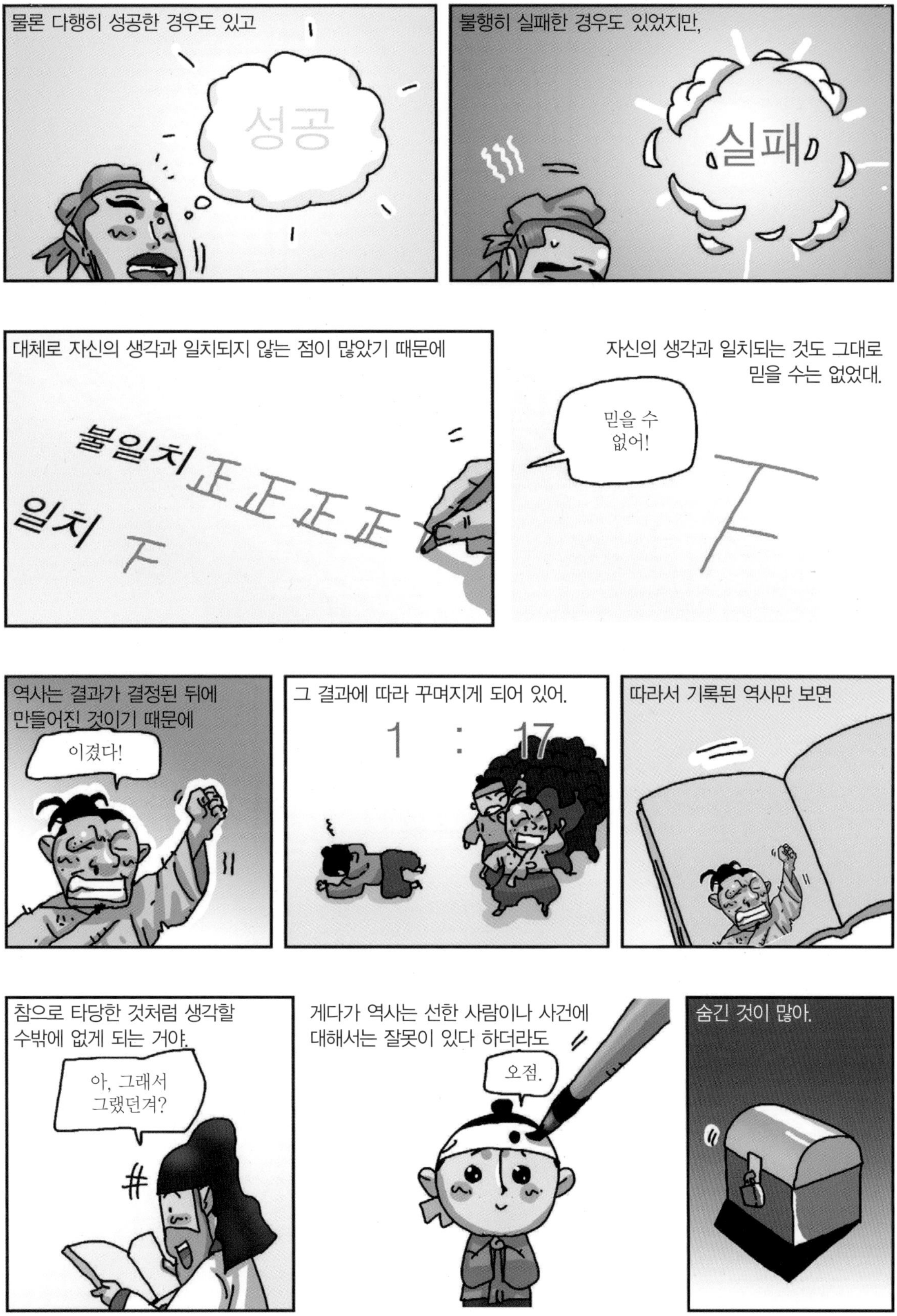
물론 다행히 성공한 경우도 있고
성공
불행히 실패한 경우도 있었지만,
실패
대체로 자신의 생각과 일치되지 않는 점이 많았기 때문에
불일치
일치
자신의 생각과 일치되는 것도 그대로
믿을 수는 없었대.
믿을 수 없어!
역사는 결과가 결정된 뒤에
만들어진 것이기 때문에
이겼다!
그 결과에 따라 꾸며지게 되어 있어.
1 : 17
따라서 기록된 역사만 보면
참으로 타당한 것처럼 생각할
수밖에 없게 되는 거야.
아, 그래서 그랬던겨?
게다가 역사는 선한 사람이나 사건에
대해서는 잘못이 있다 하더라도
오점.
숨긴 것이 많아.

반면, 악(惡)한 사람이나 사건에 대해서는
반드시 장점을 없애 버리지.
아! 왜?!!
장점
따라서 역사책에서 어리석고 지혜로운 점에 대한 판단이나
어리석음? 지혜로움?
선악에 대한 보답을 경험해 볼 수 있을 것 같지만
빠지직
실제로는 전혀 알 길이 없다고 이익은 말했어.
길 없음.
당시에는 아름다운 계획도
이루어지지 않은 것이 있고,
툭!
아주 졸렬한 계획도
우연히 들어맞게 된 것이 있으며,
선한 가운데도 악이 있고,
악한 가운데도 선이 있었을 테니까.

이익은 사정이 이러한데 어찌 1,000년 뒤에 그 사실의 옳고 그름을 정확히 알 수 있겠냐고 반문해.
어느 것이 악인지 선인지….
그렇기 때문에 역사책에 있는 대로 그 일의 결과를 따져 보면
빙 고 !!
자신의 생각과 합치되는 점이 많은 반면,
맞아, 맞아.
눈앞에 나타나는 현상을 목격한 것에 따라 생각하면
목격자를
80~90퍼센트는 자기 생각과 다르다고 했지.
이는 지식이 부족해서 그런 것이 아니고
내가 부족한 탓.
역사가 우연으로 이루어진 것이 많기 때문이라고 했어.
그리고 오늘날 일이 잘못된 것이 많아서만 그런 것이 아니고
반품!
반품
역사서가 진실되게 쓰이기 어려웠기 때문이기도 하다고 했지.
역사서
왜냐하면 역사라는 것도 결국 어떤 사람이 기록한 것이므로
역사가

그 사람 혹은 그 사람이 속한 집단의 의견이 개입되기 때문이야.

잘 써 줘.
그건 좀 빼고.
내 의견은 말야….
다 쓰고 검사한다!

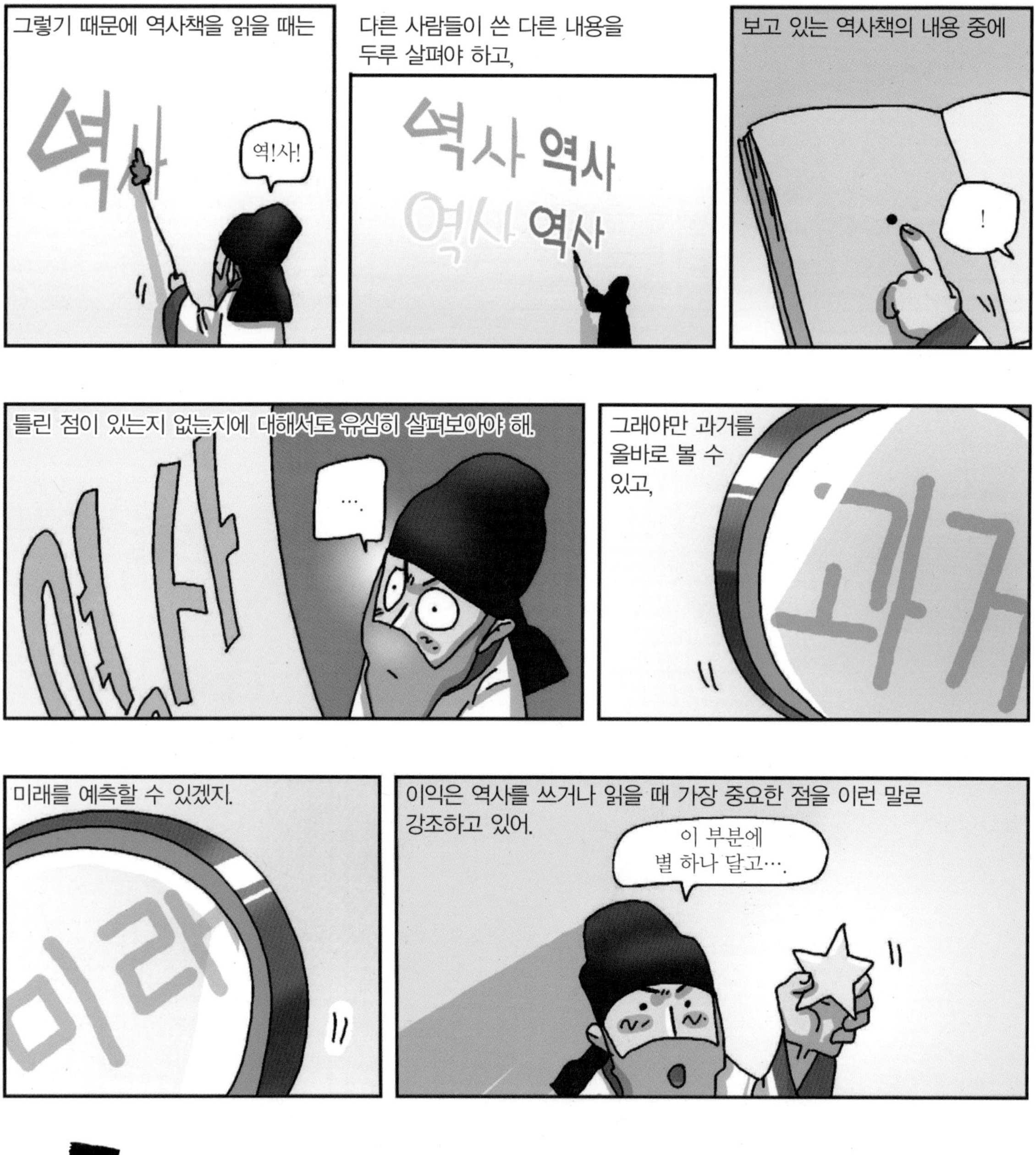
그렇기 때문에 역사책을 읽을 때는
역사
역!사!
다른 사람들이 쓴 다른 내용을 두루 살펴야 하고,
역사 역사 역사 역사
보고 있는 역사책의 내용 중에
!
틀린 점이 있는지 없는지에 대해서도 유심히 살펴보아야 해.
역사
….
그래야만 과거를 올바로 볼 수 있고,
과거
미래를 예측할 수 있겠지.
미래
이익은 역사를 쓰거나 읽을 때 가장 중요한 점을 이런 말로 강조하고 있어.
이 부분에 별 하나 달고….

천하의 일은 경험했던 때의 상황이 최상이고,
그 일에 대한 다행이나 불행은
그 다음 문제이며,
그 일의 옳고 그름을 논하는 것은
최하이다.
자, 지금까지 《성호사설》의 주요 내용에 대해서 알아봤어.
《성호사설》은 세계와 사회를 총체적이고 구체적으로 인식하려는 문제의식을 반영하고 있어.
이 책을 읽어 보니, 당시 조선 사회의 문제의식과 오늘날의 문제의식이 큰 맥락에서는 크게 다르지 않음을 알 수 있겠지?
정말 그래~
사회 개혁에 대한 폭넓은 주장과 당대의 정치 현실까지도 통렬히 비판한 이익 선생님의 삶은 우리에게도 좋은 귀감이 될 거야.
성호사설

공자와 맹자

인본주의자이자 행동주의자였던 공자

공자

공자는 춘추 전국 시대 노나라 출신의 철학자, 정치 사상가로 유교라는 사상 체계를 만든 사람입니다. 공자는 원래 창고를 관장하는 위리委吏, 나라의 가축을 기르는 승전리乘田吏 등의 말단 관리로 근무하다가 후에 노나라의 최고 벼슬에 올랐습니다. 벼슬길에 오른 공자는 수십 년 동안 정치에 적극적으로 가담하면서 정치라는 통로를 통해 인본주의 이상을 실현시키려고 애썼습니다.

공자는 혼란스러웠던 춘추 전국 시대에 먼저 인간이 되기 위한 학문에 힘을 썼습니다. 그렇게 함으로써 수세기 동안 정치 안정과 사회 질서에 기여해 온 사회 제도, 즉 가정 · 학교 · 향리 · 제후국 · 종주국 등을 활성화시키고자 한 것입니다. 공자는 돈과 권력이 최고였던 당시를 용납하지 않았습니다. 그는 인간의 존엄성, 사회 연대, 정치 질서를 위해서는 개인의 인품과 지도자적 자질의 밑바탕이 되는 도덕심이 강조되어야 한다고 주장했고, 그의 그러한 도덕적 철학 사상은 당대에 큰 영향을 미쳤습니다.

공자는 사상가로서 학문과 관념의 세계에만 머무르지 않았습니다. 그는 자기 자신이 성공할 수 없음을 잘 알고 있으면서도 정의의 신념에 불타 자신이 할 수 있는 것은 모두 실행하고자 한, 행동하는 지식인이었습니다. 공자는 67세에 고향으로 돌아와 제자들을 가르치면서 저술과 편집에 몰두하다가 기원전 479년, 73세의 나이로 생을 마쳤습니다. 《사기》에 따르면 그의 제자 중 72명이 '6예'를 통달했고 제자로 자처하는 사람의 수가 3,000명을 넘었다고 합니다.

맹자

인간의 선함을 믿었던 맹자

공자의 정통 유학을 계승 발전시킨 맹자는 공자 다음의 성인으로 추앙받고 있습니다. 그가 내세운 사상의 기본 원칙은 백성에 대한 통치자의 의무를 강조하는 것이었습니다. 《맹자孟子》는 그의 언행을 기록한 것으로서, 인간의 성선설性善說을 주장하고 있습니다. "사람의 본성은 선천적으로 착하나 나쁜 환경이나 욕심으로 악하게 된다."는 성선설은 당시는 물론 현대에 와서도 유교학자들 사이에서 열띠게 논의되고 있는 주제입니다.

맹자는 추나라에서 기원전 371년경에 태어났습니다. 맹자의 어머니는 어린 아들의 교육에 각별한 신경을 쓴 것으로 유명합니다. 묘지 · 시장 · 학교 부근으로 세 번이나 이사를 해 맹자의 교육 환경을 만들어 주었다는 '맹모삼천지교孟母三遷之敎'가 바로 그것이지요.

맹자는 전국 시대의 혼란기에 각국을 돌아다니면서 제후들에게 인정에 바탕을 둔 왕도 정치를 실현할 것을 역설했습니다. 통치자는 무릇 백성들의 생계를 보장하는 질적인 상황을 만들어 주어야 하고, 그들을 교육시키는 도덕적 · 교육적 지침을 마련해야 한다고 설득했던 것이지요. 하지만 약육강식의 패권 시대에 맹자의 조언은 받아들여지지 않았고, 맹자는 결국 고국인 추나라로 돌아와 여생을 후학 양성에 바쳤습니다.

《맹자》는 제자들이 그의 언행을 기록해 놓은 것을 책으로 엮은 것으로 각 장 상하2편, 총7장 14편으로 구성 되어 있습니다.

이익 성호사설

김태완 글 | 김인호 그림

01 《성호사설》을 지은 조선시대 대표적인 실학자는 누구일까요?

① 정약용 ② 유형원 ③ 이익 ④ 이중환 ⑤ 박지원

02 이익이 《성호사설》에서 안용복의 이야기를 쓰면서 명확하게 우리 땅으로 인식하고 있는 섬은 무엇일까요?

① 마라도 ② 독도 ③ 대마도 ④ 제주도 ⑤ 거제도

03 이익이 당시 사회의 대표적인 문제점으로 '여섯 가지 좀(육두)'을 주장했는데, 이것에 해당하지 않는 것은 무엇일까요?

① 기독교 ② 승려 ③ 과거제도

④ 노비제도 ⑤ 게으름뱅이

04 이익은 《성호사설》의 '만물문'에서 이 작물의 재배에 대해 논하고 있는데, 고려 말기 문익점에 의해 중국에서 가지고 들어온 이 작물은 무엇일까요?

① 콩 ② 감자 ③ 목화 ④ 고구마 ⑤ 담배

05 이익의 《성호사설》 중에서 인간의 일상생활과 관련된 온갖 사물에 대한 설명이 들어 있는 것은 어느 부분일까요?

① 천지문(天地門) ② 만물문(萬物門) ③ 인사문(人事門)

④ 경사문(經史門) ⑤ 시문문(時文門)

06 《성호사설》에 대한 설명으로 틀린 것은 무엇일까요?

① 이 책은 조선의 실학자인 이익이 쓴 백과사전식의 저서이다.

② 이 책은 다섯 가지 문(門)으로 분류되어 있고 총 3,007편의 각 항목에 글이 실려 있다.

③ '천지문'에는 천문과 지리에 관한 내용이 수록되어 있다.

④ '만물문'에는 인간의 일상생활과 관련한 온갖 사물에 대한 설명이 수록되어 있다.

⑤ '경사문'은 유교 경전과 역사에 대한 내용이 수록되어 있는데, 우리나라 역사에 대해서만 서술되어 있다.

07 《성호사설》에서 '성호'는 무엇일까요?

08 다음은 무엇에 대한 설명일까요?

글자 뜻 그대로 실생활의 유익을 목표로 생겨난 학풍으로, 17~18세기 조선의 위기에서 나타난 사회 개혁 사상이다. 대표적인 학자로 이익, 정약용 등이 있다.

06 ⑤ : '경사문'은 안타깝게도 대부분이 중국 역사에 대한 견해로 채워져 있습니다.
07 이익의 호 / 08 실학 / 09 한전제(한전론)
10 대동법은 각 지역에서 특산품으로 내던 공물 대신 토지 1결당 열두 말의 쌀을 거두게 하는 제도입니다.

09 다음은 무엇에 대한 설명일까요?

이익이 주장했던 토지 제도이다. 한 가정이 최소한의 생계를 유지할 수 있는 영업전을 두고, 이 토지에 대해서는 절대 매매를 할 수 없도록 하는 제도이다. 농민들이 소작농으로 전락하는 것을 막기 위해 만든 제도이다.

---

10 《성호사설》에 언급되어 있는 대동법이 무엇인지 간단하게 설명하세요.

《성호사설》에 나타난 담배의 해악!

우리나라에 담배가 유행하게 된 것은 언제일까요? 이에 대한 답은 《성호사설》에서 찾아볼 수 있습니다.

《성호사설》 '만물문' 남초 편에는 담배에 대한 이야기가 실려 있습니다. 이에 따르면 우리나라에 담배가 유행하게 된 것은 광해군 말년으로 추측됩니다. 담배라는 말은 남쪽 바다 가운데 있는 담파국이란 나라에서 들어온 것인 까닭에 붙여진 것이죠.

《성호사설》에서는 담배의 유익함에 대해 이렇게 설명합니다.

- 가래침이 목구멍에 붙어 뱉어도 나오지 않을 때 잘 빠지게 한다.
- 구역질이 나면서 먹은 것이 소화가 안 되고 신물이 올라올 때 가라앉힌다.
- 한겨울에 추위를 막는 데 도움이 된다.

그리고 담배의 해로움에 대해서는 이렇게 설명하였죠.

- 안으로 정신을 해치고 밖으로 듣고 보는 것까지 해친다.
- 머리가 희게 되고 얼굴이 늙게 되며 이가 일찍 빠지게 되고 살도 여윈다.
- 향불과 달리 냄새가 독해 조상신과 통하지 못하게 한다.
- 구하기 어려운데 비싸기까지 해 재산을 축낸다.
- 사람들이 세상일을 뒤로하고 상하노소를 막론하고 모두 담배 구하기에 급급하여, 정작 학문을 닦는 데는 소홀히 한다.

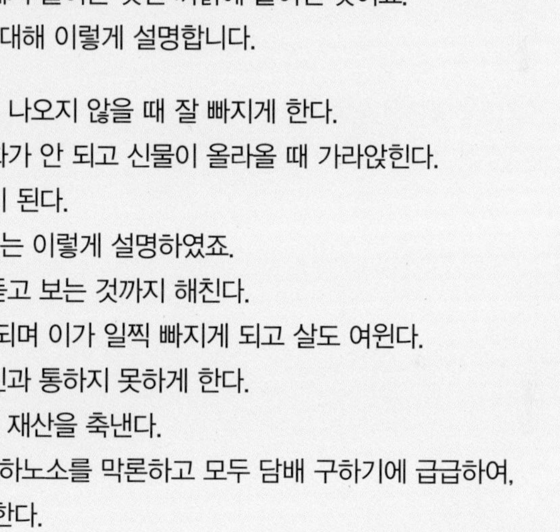